Кэрол МЭТТЬЮС

ПОВЕРНУТА НА ТЕБЕ

МОСКВА
2017

УДК 821.111-31
ББК 84(4Вел)-44
М97

Carole Matthews
WRAPPED UP IN YOU

Copyright © Carole Matthews Ink Ltd, 2011

This edition is published by arrangement with David Higham
Associates Ltd and Synopsis Literary Agency

Перевод с английского *А. Осипова*

Художественное оформление серии *С. Власова*

Мэттьюс, Кэрол.

М97   Повернута на тебе / Кэрол Мэттьюс ; [пер. с англ.
А. П. Осипова]. — Москва : Издательство «Э», 2017. —
416 с. — (Романы о таких, как ты).

ISBN 978-5-699-94073-8

В свои тридцать с небольшим Дженни ведет скром-
ный образ жизни одинокой и чопорной британки. Даже
на фоне своих отнюдь не самых раскрепощенных при-
ятельниц она выглядит серой мышкой. Но ей самой
противно быть робкой тихоней. Что делать? Отправиться в Африку! И судьба вознаграждает ее за столь реши-
тельный шаг: она встретила Доминика — мечту любой
женщины. Мускулистый мачо перевернул ее представления о мужчинах. Но все заканчивается, в том числе и
путешествия. Пора домой, в Англию. Однако Дженни
уже не сможет быть прежней. Придется преодолеть не
только собственную нерешительность, но и сразиться с
предрассудками друзей и коллег, которые ее наверняка
осудят.

УДК 821.111-31
ББК 84(4Вел)-44

ISBN 978-5-699-94073-8

Кэрол
МЭТТЬЮС

Глава 1

Миссис Норман приходит ко мне в «Волшебные ножницы» каждую пятницу в десять утра.

В конце недели ей хочется выглядеть особенно красивой — ведь она ходит на бальные танцы, которые по пятницам и субботам устраивают в Консервативном клубе[1]. Мистер Норман умер два года назад, и сейчас она в поисках нового мужчины. Причем хорошо воспитанного. Да еще и непьющего. В точности такого, каким был ее муж. Одинокая жизнь, не устает напоминать мне каждую неделю миссис Норман, совсем не так хороша, как говорят.

Уж мне ли не знать!

Я осторожно расчесываю ее истончившиеся от времени волосы, собираю их в аккуратные пряди и размещаю последние бигуди в ее старомодной, плотно уложенной прическе. Мне бы хотелось сделать с ее волосами что-нибудь радикальное, чтобы она выглядела на несколько лет моложе, — вдруг это поможет ей заполучить того самого мужчину, которого пока никак не уда-

---

[1] Консервативный клуб — в Великобритании такие клубы входят в Ассоциацию консервативных клубов и объединяют людей консервативных взглядов. Эти клубы также проводят общественные и спортивные мероприятия.

ется поймать? Я могла бы использовать немного мусса цвета меда, чтобы оживить ее серебристо-серые волосы, или же постричь их так, чтобы они легли вперед и падали, обрамляя лицо. Но миссис Норман непоколебима. Она точно знает, как должны выглядеть ее волосы — плотные валики локонов и баллон лака, чтобы удерживать их на месте, — и эту неизменную прическу я делаю ей уже десять лет.

Конечно, если бы я не работала в парикмахерском салоне, то, возможно, у меня тоже всегда была бы одна и та же прическа. Но раз я здесь, то позволяю своим молодым сотрудникам практиковаться на мне, что они и делают — с удовольствием, но с переменным успехом. Например, последний раз на мне отрабатывали навыки блочного окрашивания волос, и вот я брюнетка темно-шоколадного оттенка, точно соответствующего моим карим глазам. Вдобавок у меня почти мужская стрижка с прядями разной длины, совсем короткими сзади и по бокам, но более длинными сверху. Надо сказать, за последние двадцать лет я пережила много перевоплощений. Думаю, сегодняшняя прическа идет мне больше, чем некоторые из прежних (перманент был незабываемой ошибкой), поскольку лицо у меня маленькое, в форме сердечка, а кожа бледная. Я не пользуюсь искусственным загаром — слишком много хлопот. К тому же, когда его наносишь, он пахнет гнилыми яблоками. Кому же такое понравится?

— Как твоя любовная жизнь, юная Дженни? — спрашивает миссис Норман, врываясь в мои размышления. Она всегда задает мне этот вопрос, когда я делаю ей прическу. И каждый раз я расстраиваюсь, потому что мне нечего рассказать ей.

Я поднимаю брови, глядя на нее.

— Я могла бы спросить вас о том же.

Моей клиентке семьдесят пять лет, и, честно говоря,

она ведет более активную жизнь, чем я, хотя мне на сорок лет меньше.

Она усмехается в ответ.

— Ох уж эти современные мужчины. — Она в отчаянии качает головой, и я едва не укалываю ее острой ручкой расчески. — Они хотят лишь одного — секса, секса и только секса!

Надеюсь, что не в возрасте миссис Норман.

— Этой виагре за многое надо ответить. Когда-то было так, что в некотором возрасте интерес к «таким вещам», — последние два слова она произносит одними губами в сторону зеркала, — естественным образом пропадал. Но теперь нет. О, вовсе нет. Они думают, что будут *делать это*, пока им не стукнет девяносто. Дважды за ночь. — Она опять качает головой. — А мне всего-то хочется, чтобы кто-нибудь сделал со мной круг по танцевальному залу и, возможно, раз-другой разделил приятный обед. Мне вовсе не нужно «Последнее танго в Париже».

Слушая ее, я не могу не улыбаться. Надеюсь, когда достигну ее возраста, я буду столь же энергична. А если подумать, то я и сейчас хочу быть столь же энергичной. Закончив укладку, я повязываю розовую сетку поверх ее прически.

— А теперь пора сушить волосы.

Миссис Норман берет сумочку и следует за мной в заднюю часть салона. Я усаживаю клиентку и приношу несколько ее любимых журналов из тех, в которых печатают шокирующие сплетни про знаменитостей.

— У вас все в порядке? — проверяю я, опуская колпак.

Она кивает.

— Чашку чая?

— Спасибо. С удовольствием. — Но, когда я поворачиваюсь, чтобы отправиться в комнату персонала и попросить кого-нибудь из молодых заварить чай, моя клиентка неожиданно берет меня за руку и сжимает ее. — Ты обязательно найдешь свою любовь, — говорит она, — ведь ты такая очаровательная.

Да уж, конечно.

— Тебе надо пойти со мной на бальные танцы. Там не одни лишь старые чудаки, знаешь ли. Они слетятся, как пчелы на горшок с медом, когда появится такая молодая красавица.

— Там есть свободные мужчины?

— Большинство составляют свободные женщины, — печально признается она.

Вот и в моей жизни так же.

— Принесу вам чаю.

В комнате персонала не могу найти никого из молодых. Вероятно, они вышли через заднюю дверь тайком покурить, как когда-то мы с Ниной, поэтому завариваю чай сама. Наша комната персонала не слишком гламурна. На полках рядами стоят краски для волос и всякие принадлежности. Стопками лежат полотенца. На креслах грудой навалены влажные пальто. Как бы они ни начали плесневеть теперь, когда на улице стало холодно и мокро. И еще много обычного барахла и личных вещей. Владелица нашего салона Келли все время сердится и обещает, что заставит нас все это убрать, но, к счастью, никогда свои угрозы не приводит в исполнение.

Келли купила салон всего несколько лет назад. Вернее, его купил ее богатый бойфренд. Думаю, Фил Фуллер рассчитывал, что таким образом даст ей возможность во что-то поиграть, пока сам он занят в качестве «предпринимателя». Лично для меня это слово звучит как «мелкий жулик» или что-то в этом роде. Нашей владелице всего двадцать семь, а ее бойфренд на тридцать лет старше. Интересно, была бы она с ним, если бы он не был миллионером, хвастающимся своими деньгами?

Келли — миниатюрная симпатичная блондинка. Он — дородный краснолицый мужик с пивным пузом, напоминающим шар для боулинга, и у него тяга к золотым цепям и браслетам. Интересно, смогла бы я довольствоваться таким мужчиной? Как такая пара может быть идеальной? Но они, кажется, достаточно хорошо ладят.

Нина входит вслед за мной, плюхается в кресло рядом с грудой полотенец, которые ждут, чтобы их сложили, берет журнал и начинает его листать.

— Миссис Норман опять пытается наладить твою любовную жизнь?

Я смеюсь.

— Конечно.

Нина Далтон — моя лучшая подруга. Мы с ней прошли очень долгий путь. Подружились еще в школе, когда нам было одиннадцать, и то, что обе посвятили себя парикмахерскому искусству, не просто случайность. Мы проводили долгие часы у меня в спальне, делая друг другу прически. Это время вовсе не прошло впустую, как того опасались мои родители, и много лет назад мы с ней одновременно стали практикантками. Здесь я работала сначала только по субботам, а когда перешла на полный рабочий день, то убедила тогдашнего владельца нанять Нину. Теперь-то я уверена, что, главным образом, именно из-за нее я и работаю тут столько лет.

Нина — моя полная противоположность. Она выбрала для себя облик очень светлой блондинки, сохранение которого требует постоянных усилий, поскольку примерно раз в две недели приходится окрашивать отросшие корни волос. Обычно это делаю я. А еще Нина — голубоглазая красавица с шикарной фигурой, которой можно позавидовать. У меня же фигура мальчишеская, плоская и вверху, и внизу.

Нина лезет в сумочку и достает яблоко. Она бросила курить и теперь почти все время ест фрукты, чтобы не потолстеть. Правда, потом радостно принимается за шардоне, — она считает это вино просто напитком на основе виноградного сока, — чем и сводит на нет значительную часть своих стараний.

Несмотря на оптимистическое название, наш салон, конечно, не самый ультрасовременный. Он расположен недалеко от Хай-стрит в Бакингеме, в симпатичном дворике, в который выходят магазины. По-своему очаровательный городок, но, конечно, не Беверли-Хиллз. У нас есть конкурент — салон намного шикарнее нашего. Мне даже кажется, что он-то и должен бы называться «Волшебные ножницы», но что есть, то есть, — название у него другое. К нам часто приходят наращивать волосы и делать прически, как у знаменитостей, однако основная наша клиентура — умудренные жизненным опытом женщины вроде миссис Норман, которым нужны мытье волос, укладка и регулярный перманент.

У нас довольно уютно. Недавно нам сделали ремонт, который был нужен уже давно, и теперь у нас матовые стены цвета кофе мокко, кресла цвета шоколада и зеркала в позолоченных и серебряных рамах. Вместо потертого линолеума у нас новый пол под мрамор, и все наши полотенца подобраны по оттенкам коричневого и кремового цветов. Кажется, клиентам это нравится.

Возможно, у меня мало амбиций. Иначе как объяснить тот факт, что я все еще здесь и даже не думаю о том, чтобы гнаться за славой и богатством в одном из лондонских салонов. Но не всем же этого хочется. Пусть я не могу достать луну с неба, но я счастлива. Почти.

— Знаешь, она ведь права, Дженни, — говорит Нина, вгрызаясь в яблоко, пока я гремлю чашками. — Ты уже давненько одна.

— Мне нравится быть самостоятельной.

На самом деле это не так — я ненавижу одиночество. Мы с Полом долго были вместе и расстались почти год назад. Не знаю точно, но мне кажется, что я не смогу выдержать новые свидания. Мне тридцать пять, и я чувствую, что чертовски глупо начинать все снова с кем-то другим. Я вроде как пережила расставание, неужели нет? Когда-то я надеялась, что около тридцати слово «свидание» будет ненужным, лишним в моем словаре. Конечно, это не значит, что вообще никто и никогда не пытался меня пригласить. Но надо признать, что не было и толпы привлекательных свободных мужчин, протоптавших тропинку к моей двери. Поэтому проблем как-то не возникало.

Я сервирую поднос для миссис Норман (белая фарфоровая чашка на блюдце, сверкающий чайник из нержавеющей стали и крошечный молочник) и кладу несколько карамельных печений в обертках, которые она так любит. Келли говорит, что мы должны выдавать клиентам только по одному — «контроль за порциями», — но я считаю, что обслуживание клиентов не всегда сводится к балансу в бухгалтерской книге. Я помню времена, когда у миссис Норман было так мало радостей в жизни, что даже этим нескольким печеньям удавалось вызывать у нее улыбку. Разве за такое можно назначать цену?

— Мы должны что-то с этим делать, Дженни Джонсон, — решительно говорит Нина, и я переключаю внимание с карамельных печений на подругу. — Надо устроить тебе побольше общения. Найти пылкого любовника с мешком денег и «Феррари».

— Да, — без энтузиазма отвечаю я.

— Джерри, наверное, сможет раздобыть для тебя свободного мужика.

Меньше всего на свете мне хочется, чтобы Джерри, муж Нины, лез в мои сердечные дела. Обсуждать их с миссис Норман, да благословит ее Господь, и то достаточно тяжело. Мне бы хотелось, чтобы все раз и навсегда поняли — мне хорошо так, как есть. Я не хочу никаких волнений. Не хочу перемен. Я абсолютно, совершенно, определенно не хочу, чтобы в моей жизни появился еще один мужчина.

Глава 2

Настает очередь миссис Сильвертон. Это Барбара Уиндсор[1] нашего салона, очаровательная женщина не первой молодости, которая очень оживляет нашу жизнь. У нее пальто из искусственного меха, обильная бижутерия, звенящая при ходьбе, и красный искусственный загар неестественного оттенка. Она богата, поскольку владеет сетью магазинов колоритного дамского белья, расположенных в нашей местности. Муж на десять лет моложе ее. Миссис Сильвертон принадлежит к таким людям, при знакомстве с которыми вспоминается выражение «полная чаша», и не только в отношении бюстгальтеров фул-кап[2].

Сегодня она пришла оживить волосы, украсив отдельные пряди более светлыми оттенками того же цвета, что и ее собственные волосы, и сделать укладку. У меня для нее уже все готово.

— Вы хорошо выглядите, — говорю я, когда она движением плеч сбрасывает пальто и усаживается в кресло.

— Я только что вернулась с сафари, дорогая, — говорит она. — Масаи-Мара в Кении. Чертовски прекрасно.

Не знаю, как бы жилось парикмахерам, если бы не было отпусков, о которых можно рассказывать беско-

---

[1] Барбара Уиндсор — известная английская актриса, род. 6 августа 1937 года.

[2] Бюстгальтер фул-кап — закрывает практически всю грудь. Бюстгальтеры с такой чашкой доминируют на рынке бюстгальтеров больших размеров.

нечно. С их обсуждения обычно и начинается общение с новыми клиентами, и не было случая, чтобы эта тема не спасала беседу, когда возникает неловкая пауза. А еще можно поговорить о Рождестве, хотя мне не нравится, что в этом году оно приближается слишком быстро. Уже октябрь, а это значит, что праздничные дни не за горами. Люди любят говорить о своих планах, и несколько недель я буду занята дурацкой болтовней.

У миссис Сильвертон в любое время года есть о чем поговорить. Она или только что вернулась из отпуска — например, посетив Марбелью[1], Мехико или Мальдивы[2], — или опять собирается куда-нибудь. Миссис Сильвертон и ее супруг-альфонс путешествуют по миру, окруженные роскошью.

Кристал, самая молодая и самая модная из наших сотрудниц, подходит к нам и с томным видом начинает подавать мне фольгу.

— Африка определенно должна быть в числе тех ста мест, которые вы просто обязаны посетить, прежде чем умрете, — втолковывает нам миссис Сильвертон.

— Ммм, — произношу я и беру у Кристал еще одну фольгу. — Соблазнительно. Я бы с удовольствием.

— Тебе надо там побывать.

— У меня осталось две недели отпуска, и я должна использовать их до января, иначе потеряю. — Откровенно говоря, я бы предпочла отказаться от отпуска и получить компенсацию деньгами, но с Келли такие штучки не проходят. «Используй или потеряешь» — политика компании, поэтому я даже не потружусь спросить. Наверное, просто несколько раз возьму по 2—3 дня. Сделаю кое-что в доме, который отчаянно ждет моего внимания, и займусь рождественскими покупками.

---

[1] Марбелья — город в Испании.
[2] Мальдивы — островное государство к югу от Индии.

— В это время года там тепло и приятно. Идеальное время для поездки.

Миссис Норман пытается наладить мою любовную жизнь, а миссис Сильвертон побуждает меня путешествовать по миру. «Путешествия расширяют кругозор, — говорит она. — Ты должна открыть себя разным культурам. Это очень раскрепощает».

Проблема в том, что, где бы я ни была, там всегда все оказывается точно таким же, как в солнечные дни в Англии. Ради справедливости следует сказать, что я не так уж много бывала в других странах. Пол любил внезапно куда-нибудь отправиться, но только если это было связано с футбольными матчами. Конечно, мы, как и многие другие пары, обязательно проводили две недели в Коста-дель-Соль[1], на Ибице, Майорке[2], Лансароте[3] — то есть там, где все говорят по-английски, едят яйца и чипсы, пьют британское пиво. Я бывала за границей не потому, что мне это нравится, а потому, что так принято.

Мы с Полом были вместе семь лет. Семь замечательных лет нам было весело, но он оставил меня ради другой как раз тогда, когда мы собирались начать восьмой год нашей совместной жизни. Эта его диворсе[4] оказалась старше меня, с двумя маленькими детьми в придачу. Думаю, от этого мне больнее всего. Если бы он сбежал с какой-нибудь молоденькой красавицей вроде Кристал, мне, возможно, было бы гораздо проще это понять. Возможно. Как бы то ни было, я думала, что наши отношения продлятся вечно. Мы с Полом говорили о браке, и

---

[1] Коста-дель-Соль — регион южной Испании.

[2] Ибица, Майорка — острова в Средиземном море, принадлежат Испании.

[3] Лансароте — остров в составе Канарских островов, принадлежащих Испании.

[4] Диворсе — разведенная женщина.

не раз. Хотя так и не решились пожениться. Мы даже обсуждали, как нам создать семью, но Пол никогда не проявлял особого энтузиазма, да и мне все это не казалось таким уж важным.

Были ли мы счастливы вместе? Не знаю. Ладили мы довольно хорошо. Пол был частным водопроводчиком. Он и работал в полную силу, и отдыхать умел. Большинство вечеров он проводил в пабе, а по выходным играл в регби за местную команду. Я посещала классы аэробики, если не могла найти повод прогулять их. Иногда встречалась с Ниной, чтобы выпить или поесть пиццы. В свободное время я смотрела по телевизору мыльные оперы. Мы с Полом не витали в облаках от счастья, но и скандалов у нас не было. Мы даже не ссорились по мелочам, но и не так уж часто занимались любовью. Когда он ушел, моя жизнь осталась в значительной степени такой же, какой и была раньше.

— Мы летали на воздушном шаре над африканскими равнинами, — продолжает миссис Сильвертон. — Я же говорю, если хочется романтики, Масаи-Мара — как раз то, что нужно.

Неужели большинство людей живет в предвкушении романтики? Не думаю, что у меня так было с Полом. Он не принадлежит к такому типу мужчин. А кто принадлежит? Ну, разумеется, кроме мужа миссис Сильвертон, который всегда удивляет ее чем-то необычным. Пол никогда не увлекал меня в поездку экспромтом, скажем, из Парижа в Рим. Чтобы он захотел так поступить, в этих городах должны были проходить какие-нибудь футбольные матчи. Но разве мне не хватало такой спонтанности? По правде говоря, нет. Да и сама я никогда не делала для Пола ничего романтического или спонтанного. Мы были не такой парой.

Когда я любила Пола и мы с ним жили вместе, мне было хорошо и комфортно, но не более того. Иногда я даже задумываюсь о прошлом. Была ли я влюблена? Почему переехала к Полу? Потому что действительно любила его? Или просто потому, что он был единственным мужчиной, который попросил меня переехать к нему, а я взяла да и подумала: а почему бы и нет? Я читала о страсти в сентиментальных романах, но никогда не испытывала ее сама. Я смотрю романтические фильмы, но они не трогают меня. Никогда не было так, чтобы перед лицом любви мое сердце трепетало, колени слабели, аппетит исчезал. Возможно, нам просто продают миф, который уберегает нас от разочарования в мужчинах?

До того как в моей жизни появился Пол, я встречалась с несколькими славными парнями, — мне кажется, не так уж их было и много, — но никто не зажег огня в моем сердце. Я могла бы совершенно счастливо жить без любого из них. И жила. А взять моих друзей, с которыми я работаю в салоне, — кажется, все они тоже не особо счастливы со своими партнерами. Отношения Нины и ее мужа Джерри большую часть времени висят на волоске, и она доходит до того, что не может и шагу ступить без его разрешения. Келли и Фил редко общаются с кем-то еще, поскольку, как мне кажется, он хочет, чтобы она принадлежала только ему одному. Парни Тайрон и Клинтон всегда ссорятся по пустякам, а у Кристал и Стеф нет постоянных партнеров, однако и у той, и у другой жизнь очень сложна. С такими проблемами, как у них, я вообще не могла бы справляться.

Кроме того, я вижу здесь, под моими ножницами, все стороны жизни. Честолюбивые пары; счастливо женатые; несчастливо женатые, неверные супруги; желающие быть неверными супругами; заядлые холостяки; одинокие вопреки своему желанию; все еще ищущие мистера Идеала; только что разведенные; много раз разведенные; те, которые клянутся никогда снова не вступать в брак и потом вступают. Неужели и вправду есть такая штука, как идеальная любовь?

Я вдруг осознаю, что мои мысли уплыли далеко от миссис Сильвертон и ее рассказа о чудесах, которые случились с ней в отпуске. Переключив внимание на нее, я заканчиваю разглаживать отбеливатель на ее прядях и аккуратно обертываю их фольгой.

— Готово.

— Вот через что мы проходим, чтобы выглядеть красивыми.

Оно того стоит, думаю я. Особенно для миссис Сильвертон, поскольку она выглядит как женщина, которую очень любит ее мужчина.

— Возьми. — Она протягивает мне свой айпод. — Посмотри. Здесь всего несколько снимков. Мой муж сделал их больше тысячи! Куда бы мы ни смотрели, везде было что-то захватывающее. И свет был идеальным для фотографирования.

Не желая ее обидеть, я беру айпод и сую в карман. Устанавливаю таймер на полчаса и ухожу в комнату персонала. Честно говоря, я заслужила отдых. Сегодня безумно загруженный день. Но жаловаться не приходится, поскольку последние шесть месяцев дела шли вяло, — экономический спад и все такое. Келли даже однажды подумала, что надо бы временно уволить одну или двух из нас или даже избавиться от двух молодых сотрудниц. Теперь же, когда количество клиентов у нашего порога внезапно увеличилось, мы все остаемся.

В комнате персонала я хочу всего лишь несколько минут тишины и покоя. Но там громко плачет Кристал. Нина обнимает ее и тихо утешает.

— Что случилось? — шепчу я.

— Он так и не позвонил.

— Кто?

— Парень, с которым она спала в выходные.

— О. А сколько времени она гуляла с ним?

Нина насмешливо смотрит на меня через голову Кристал и говорит:

— Она встретила его только в субботу. Они провели вместе ночь. Она думала, что он Тот Самый Единственный.

— А теперь он испарился?

Кристал опять начинает рыдать.

— Я думала, он влюбился в меня.

— А ты не можешь сама ему позвонить?

Кажется, именно так и должны поступать современные женщины?

— Я не могу вспомнить, как его зовут, — всхлипывает она.

Я пожимаю плечами, обращаясь к Нине, и в ответ она тоже пожимает плечами. Я не осмеливаюсь указывать на то, что в наше время мы называли это «приключением на одну ночь», и если ты была достаточно глупа, чтобы это сделать, то знала, что никогда больше не услышишь о парне.

Нина читает мои мысли.

— В наше время это было по-другому.

Можно и так сказать, думаю я, даже если «наше время» не кажется мне таким уж далеким. Если меня спросят, я отвечу, что все меняется слишком быстро. Как я жила бы теперь? Я переспала с Полом через несколько месяцев после того, как мы начали встречаться, и с его стороны не было никакого давления. Что бы я сделала, если бы кто-то, кого я не знаю, захотел бы уложить меня в постель на первом же свидании? Одна лишь мысль об этом заставляет меня вздрогнуть.

— Я должна посмотреть их, — говорю я, показывая Нине айпод. — Фотографии из последней поездки миссис Сильвертон.

— Везучая же стерва, — делает вывод Нина. — Кем она себя считает? Чертовой Джудит Чалмерс[1]?

— Кто? — хочет узнать Кристал и подавляет рыдание.

Я просматриваю фотографии миссис Сильвертон. Ошеломляющие пейзажи с огромными синими, без единого облака, небесами заполняют маленький экран, и у меня перехватывает дыхание. Не думаю, что я когда-либо видела такие яркие цвета. Двигая пальцем, я впитываю красоту озер, розовых от крыльев сотен фламинго; сумасшедшее великолепие черно-белых зебр; проникновенную печаль львиных глаз; покой равнин, простирающихся насколько хватает глаз; живописные редкие деревья. Дикая природа выглядит такой близкой, что можно, кажется, протянуть руку и прикоснуться к ней.

— Ух ты, — говорю я вполголоса.

— Дай посмотреть, — просит Кристал, шмыгая носом.

Я показываю ей экран.

— Где это?

— В Масаи-Мара.

Но на ее лице не видно интереса. Возможно, ей не хватает дискотеки.

— Так где же это?

— В Кении, — отвечаю я. — В Африке. Миссис Сильвертон совсем недавно была там на сафари.

— Всегда мечтала там побывать, — произносит Нина, — но Джерри говорит, что ему будет там скучно.

По моему скромному мнению, Нина слишком поддается тому, что Джерри хочет и чего не хочет. Я жадно просматриваю остальные снимки. Не думаю, что мне бы-

---

[1] Джудит Чалмерс — английская актриса и телеведущая, известная своей программой о путешествиях, род. 10 октября 1935 года.

ло бы там скучно. Кажется, я никогда не видела ничего столь прекрасного.

Пищит таймер.

— Миссис Сильвертон испеклась, — объявляю я и иду снимать с нее фольгу.

Глава 3

— Приходи к нам на ужин, — приглашает Нина. — Сегодня утром перед работой я приготовила спагетти по-болонски. Их надо будет просто разогреть, на всех хватит. Еще мы можем открыть бутылочку недорогого портвейна.

— Да все со мной хорошо, — уверяю я. — Просто хочется пойти домой и полежать.

Весь день я провела на ногах, и теперь они гудят. А я-то все еще пытаюсь отсрочить тот день, когда поддерживающие колготки начнут казаться необходимыми!

— Но ты не должна проводить так много времени одна, — настаивает Нина.

— У меня запланирован безумный вечер. Я проведу его перед телевизором.

Моя подруга выражает неодобрение.

Правда в том, что я не в восторге от Нининого мужа и стараюсь проводить в его обществе как можно меньше времени. Иногда и сама Нина от него не в восторге.

Если я хочу повидаться с ней не на работе, то стараюсь удостовериться, что мы будем только вдвоем. Если Джерри где-то рядом, то Нина не может вставить ни слова, а он лучше всех в мире умеет игнорировать точку зрения другого человека. Он так же неприятен мне, как тяжелая работа в моем расписании. Впрочем, я ничего не говорю ей об этом, да и какая подруга сказала бы? Я просто изо всех сил стараюсь поддерживать Нину, особенно когда ситуация становится тяжелой.

Они вместе с того времени, когда были еще подростками, а женаты уже около пятнадцати лет. У них нет детей — само собой разумеется, так решил Джерри. Нине очень понравилось бы быть мамой. Вместо этого у них две собаки неопределенной породы, Ромашка и Кнопка, свет ее очей.

Откровенно говоря, я не знаю, что она видит в Джерри теперь. Он всегда был громогласным и самоуверенным и с годами не стал лучше. Что такое происходит с мужчинами после сорока, что превращает их в брюзгливых старых мерзавцев? Когда он был подростком, должна сказать, он среди наших ровесников был вполне симпатичным красавчиком. Когда Нина привлекла его взгляд, она была молодой особой, которой многие завидовали. Теперь у того же самого Джерри, — хотя он и остался красивым мужчиной, который по желанию может включить свое очарование, будто открыть кран, — в отношении Нины все чаще проявляется характер злющей осы в плохом настроении. Их брак, определенно, не такой, о каком можно мечтать. Джерри, кажется, отдает как раз столько, чтобы удержать Нину при себе. Но ведь это же не то, что должно быть? Однако, честно говоря, и мы с Полом едва ли были, как Ричард Бертон и Элизабет Тейлор, поэтому не мне судить. Ради нашей дружбы я никогда не говорила Нине о своих опасениях и изо всех сил стараюсь терпеть Джерри, хотя уже давно отказалась от мысли когда-либо почувствовать к нему симпатию.

— Я решила заставить его свести тебя с кем-нибудь, — предупреждает Нина. — Так дальше продолжаться не может.

— Пожалуйста, не надо, — умоляю я, зная, какой становится Нина, когда что-то вобьет себе в голову.

У Джерри есть еще одна особенность — он постоянно водит Нину за нос. Дважды она ловила его на интрижках с другими женщинами и оба раза принимала его обратно. На ее месте я бы давно перестала ему доверять и бросила его. Честно говоря, я не уверена, что и Нина все еще верит ему. Почему она вообще держится за него — тайна за семью печатями. Моя подруга говорит, что не хочет разрушать брак, но я не думаю, что брак разрушает именно она.

— Да все хорошо. На самом деле хорошо, — уверяю я ее. — Мне просто нужен тихий, спокойный вечер.

— У тебя слишком много спокойных вечеров, леди. — Всем своим видом она выражает неодобрение, но дает мне собрать сумочку и отправиться домой.

Я целую ее в щеку.

— Увидимся завтра, дорогуша.

— Да, если не выиграю в лотерею, — бормочет она. — Тогда завтра я буду уже где-нибудь далеко.

Забавно, но это единственный способ, которым, как мне представляется, и я сама могла бы выбраться отсюда!

Поездка домой занимает около пятнадцати минут. Когда мы с Полом разбежались, я купила себе маленький коттедж, который называется — вы не будете удивлены? — «Маленький Коттедж». Он расположен в одной из деревень на полпути между Бакингемом и растущим мегаполисом Милтон-Кинсом[1].

Когда я говорю «маленький», то имею в виду *маленький*. Зато мой. Целиком. Пока мы с Полом были вместе, мы снимали меблированную квартиру, поэтому расставание оказалось довольно безболезненным. Не надо было ни продавать дом, ни делить имущество, что могло бы привести к скандалам. Но, внезапно оказавшись само-

---

[1] Милтон-Кинс — город на юго-востоке Великобритании в 72 км на северо-запад от Лондона.

стоятельной, я захотела ощутить устойчивость, пустить корни, так сказать.

Мы всегда жили в городе, но я решила, что хочу чего-то другого, поближе к природе. После долгих поисков я выбрала деревню Нэшли, показавшуюся мне идеальной. Через месяц на продажу был выставлен «Маленький Коттедж». Чтобы купить его, потребовалась чертова уйма денег. Все мои скудные сбережения ушли на депозит, и теперь у меня гигантская ипотека, расплатиться по которой должна я сама. Правда, из-за очень маленького размера содержание дома обходится дешево. Относительно, конечно. Всегда кажется, что счетов больше, чем денег на их оплату.

Мое сердце сжимается каждый раз, когда я поворачиваю в переулок и вижу свой милый дом или когда в такой, как сегодня, холодный октябрьский вечер лучи моих фар освещают его. Деревня тоже крошечная. В ней есть причудливый паб, зал для частых деревенских собраний, магазин с почтовым отделением, которое все время находится под угрозой закрытия. В маленьком пруду живут очень красивые утки. И в общем-то, мало чего еще. Элегантные домики с соломенными крышами свободно расположены вокруг лужаек, а на окраине есть большие дома. Один из них — дом приходского священника — стоит рядом со средневековой церковью, другой — очень величественный помещичий дом.

Многие из живущих здесь родились и выросли в этой деревне, а остальные — приезжие, как и я. Некоторые — типичные городские жители, которые каждый день ездят в Лондон. Мы нечасто видим их здесь, особенно зимой.

Я паркуюсь возле «Маленького Коттеджа» и с облегчением вздыхаю. Вот я и дома. У меня есть кот по имени Арчибальд Агрессивный, и больше мне не о ком беспокоиться.

Мой коттедж крайний слева в ряду из трех домов, построенных почти вплотную. Парадная дверь открывается в миниатюрную гостиную с низкими потолочными балками. Оригинально. Во мне всего сто шестьдесят сантиметров, и все же постоянно приходится нагибать голову. Во всем доме нет ничего прямого — ни стен, ни пола, ни дверей, ни потолка. Камин с великолепным очагом для дров занимает большую часть одной из стен. Диван, удобное кресло и телевизор втиснуты в оставшееся пространство. Есть отдельная столовая, тоже маленькая, которую в 70-х добавили как пристройку. Банкет здесь устроить я не смогу, но, по крайней мере, в ней можно стоять выпрямившись. Кухня немного больше и выше, и в ней поместился небольшой стол. Есть маленькая кладовка. Раньше она была дворовым туалетом, но кто-то из прежних хозяев присоединил его к дому, сделав проход в стене. Теперь здесь стоят стиральная машина и сушилка. Это помещение служит еще чем-то вроде рабочего кабинета. Наверху есть одна спальня и ванная. Вот и все. Но этого вполне хватает для моих нужд, и я обожаю жить здесь.

Открываю дверь, и Арчи обвивается вокруг моих ног, жалобно мяукая. Но не давайте этой симпатичной мордашке одурачить вас. Мой кот запросто отхватит вам руку. Редко кому удалось войти в эту дверь, не оставив части своей плоти Арчибальду. Больше всего он любит затаиться в засаде на самом верху кухонного шкафа, а потом внезапно прыгнуть на плечо ничего не подозревающего гостя и погрузить зубы ему в шею. Я думаю, в прежней жизни он был вампиром или сейчас обучается, чтобы стать им в следующей.

Когда я впервые увидела его, он был бродячим котом. Возможно, когда-то он был чьим-то избалованным любимцем, но потом, по собственному выбору или по необходимости, стал вести самостоятельную жизнь в полях позади моего коттеджа. А может быть, он слишком часто погружал клыки в нежную человеческую кожу и был за это изгнан. Вскоре я привыкла, что он бродит по моему маленькому садику, ловко и незаметно уменьшая воробьиное население. Когда же я начала ставить ему еду в попытке исключить птиц из его меню, он начал осторожно приближаться к задней двери моего дома. Через несколько месяцев он достаточно расхрабрился, чтобы войти в дом. Теперь он живет здесь и по ночам счастливо сворачивается клубочком на моей кровати. Однако на моей входной двери висит табличка «Берегись кота!», и это вовсе не шутка. При виде незнакомцев он начинает шипеть и безумно плеваться.

— Ну что, котя? — Я наклоняюсь погладить его. — Скучно одному сидеть целый день дома?

Могу поспорить, что за весь день он едва ли отошел на шаг от батареи отопления, рядом с которой теперь стоит его корзинка.

Прежде чем подумать, что бы такое съесть на ужин, я должна удовлетворить потребности Арчи. Я довольно быстро поняла, что малейшая задержка при открывании консервной банки приводит к серьезным рваным ранам на голени. Иногда я задаюсь вопросом, так ли уж безоговорочно он благодарен мне за мою бескорыстную любовь и гостеприимство?

Из морозилки я достаю макароны с сыром и кладу их в микроволновку. Символически отдавая должное здоровому питанию, быстренько готовлю салат. Хотя сейчас будний вечер, наливаю бокал красного вина. Сегодня я была до смешного занята в салоне и думаю, что заслужила угощение.

После того как я поела, Арчи забирается мне на колени, и мы устраиваемся поудобнее, чтобы посмотреть по телевизору что-нибудь захватывающее, но в дверь стучат. Я сразу же понимаю, кто это. Мой сосед придумал особый стук, и мне не надо всматриваться в глазок, чтобы увидеть, кто пришел.

Я открываю дверь, и, конечно же, на крыльце стоит Майк. Несчастный Майк, как зовет его Нина. Но он не несчастный, он грустный. Думаю, это совсем разные вещи.

— Входи, Майк.

Он так и делает, мгновенно заполняя собой гостиную.

Майк Перри живет в соседнем доме. Не в том, который примыкает к моему, а в коттедже немного большего размера, отдельно стоящем слева. Шесть месяцев назад его жена просто взяла и ушла от него. Ни причин, ни объяснений, ни намеков. Он думал, что они были совершенно счастливы. Очевидно, она так не думала. Однажды вечером он пришел домой с работы и обнаружил, что их чемоданы исчезли, а вместе с ними исчезла вся одежда Тани и содержимое их общего банковского счета. Пять лет брака коту под хвост. Вот так, запросто. Из прощального письма на кофейном столике он узнал, что она никогда по-настоящему не любила его и уезжает, «чтобы найти себя». Надеюсь, Таня когда-нибудь поймет, какая она эгоистичная корова. По моему мнению, он один из милейших мужчин, которых можно надеяться встретить. Он был великолепен, когда я переехала сюда совершенно одна, и выручал меня, когда возникали небольшие проблемы. Чинил текущие краны, смазывал скрипящие двери, переносил тяжелые предметы и делал все то, что мужчины делают лучше женщин. Поскольку Таня ушла, я старалась отвечать ему добром, подставляя плечо, чтобы он мог поплакаться в него.

— Ты говорила, что постришжешь меня, — напоминает Майк.

— А. Да, конечно.

Телевизор подождет. Арчи с негодованием смотрит на Майка, поскольку кошачий отдых уже нарушен, и в плохом настроении скрывается в спальне.

— Если ты занята, то не надо.

— А похоже, что я занята? — упрекаю я. — Мне просто нужна пара минут, чтоб собрать инструменты.

Вы же должны выручать друга, который в вас нуждается, верно? Для чего же еще нужны друзья?

Глава 4

— Ты обедал? — спрашиваю я, когда мы оказываемся в кухне.

— Съел сэндвич по дороге домой.

— Ты не можешь вечно жить на сэндвичах, Майк Перри. — Я притворно хмурюсь. — Ты зачахнешь. Когда-нибудь тебе придется рискнуть и вернуться к готовке. — И это, заметьте, говорит женщина, которая сама ест готовый ужин!

— Я взял на себя смелость принести вот это.

Он протягивает бутылку красного вина.

— Я уже открыла свою, — отвечаю я, показывая ему полупустой бокал.

— Празднуешь? — Он встревожен. — Неужели я пропустил твой день рождения или что-то еще?

— Нет. — Я вздыхаю. — Просто радуюсь, что прожила день.

— А у меня есть кое-что хорошее, — заявляет он, ставя бутылку на стол и радостно хлопая в ладоши. — Налей мне бокал, пока я буду мыть голову, потом все расскажу.

И вот Майк проходит мимо двери в спальню, где вполне может лежать в засаде враждебно настроенный Арчибальд, чтобы наброситься на гостя на лестничной площадке, и быстро моет голову у меня в ванной. Потом возвращается и садится на стул, который я уже перетащила на середину кухни под лампу. Я набрасываю чистое

27

полотенце вокруг его шеи. Он неплохо выглядит, этот Майк. Поджарый, высокий, с живым мальчишеским обаянием. У него открытое и доброе лицо. Густым каштановым волосам давно нужна стрижка.

Ощущая угрызения совести из-за того, что не постригла его раньше, беру ножницы.

— Надо же, я и не представляла, как ты зарос. Когда же я в последний раз стригла тебя?

— Пару месяцев назад, — признается Майк.

— Да, слишком давно.

Я начинаю стричь.

— Был очень занят, — объясняет сосед. — Большая реорганизация на работе. К счастью, я пережил ее. На самом деле, — он приподнимает бокал, — меня повысили.

— Блестящие новости!

Я тоже поднимаю свой бокал, и мы пьем.

— Это значит, что теперь я могу работать дома. Мне все-таки придется ездить, но немного и только по Южному району. А если я не в поездке, то мой офис — здесь.

— Здорово.

Он прочищает горло.

— Я буду проводить здесь гораздо больше времени.

До сих пор Майк каждый день совершал жуткие поездки в Оксфорд или еще куда-нибудь. Он отправлялся безбожно рано и редко возвращался домой раньше девяти вечера. Возможно, это и было одной из причин того, что Ужасная Таня собрала манатки и слиняла. Этого уже никогда не узнаешь. Трудно поддерживать прекрасные отношения, когда один из вас постоянно отсутствует, пусть и не по своей вине. Хотя, честно говоря, она всегда была слишком гламурной для Майка. Мне было легче представить ее в пентхаусе с видом на Темзу, под ручку с инвестиционным банкиром.

— Великолепно. Кажется, и вправду все складывается прекрасно.

Я знаю, что он все еще каждый день скучает по Тане, но теперь, возможно, начнет двигаться дальше.

— Думаю, что мог бы даже рискнуть и начать ходить на свидания, раз у меня будет немного больше свободного времени.

Я фыркаю.

— Ты храбрее меня.

— Ты не знаешь свободных дам, которые не прочь принять мужчину с раненым сердцем?

— Уверена, ты мог бы прийти к нам в салон и выбрать незамужнюю девушку, но это было бы похоже на то, что тебя бросили на съедение львам. Не могу так поступить с тобой.

— Да, это не то, что мне надо. Отчасти в этом и проблема. Современные женщины приводят меня в ужас. — Он качает головой и притворно вздрагивает. — Вероятно, было бы лучше, если бы это была моя знакомая. Мой друг, например.

— Не дергай головой.

Я подстригаю еще немного.

— А ты не думала о том, чтобы опять войти в эту реку?

— Я? — Мне смешно, и я хихикаю. — Вряд ли. Я и так счастлива. Отношения кажутся теперь такими сложными, и мне они вовсе не нужны.

Я думаю о Нине и Джерри и утверждаюсь в мысли, что такие отношения уж точно не для меня. Но в салоне работают и другие девушки. Их личная жизнь запутана, как в мыльной опере, которая может тянуться годами. Я часто думаю, не возник ли шаблон современных отношений из слишком долгого просмотра сериалов «Жители Ист-Энда» и «Холлиокс». Бедная Кристал, которая каждые выходные спит с новым парнем, влюбляясь в него по уши, представляет собой лишь верхушку айсберга. Есть еще Стеф, список женатых любовников которой длиннее моей руки. А еще — два милых гомика, Тайрон и Клинтон, но в каждом из них живет зеленоглазое чудовище ревности, и их отношения лучше всего описать словом «взрывные», поскольку у обоих блуждающий взгляд и, вполне возможно, блудливые руки. И даже не начинайте говорить мне о той жизни, которую ведут некоторые мои клиентки! Поверьте, однажды я напишу об этом книгу. Все эти драмы, все эти страдания — не для меня. Я совершенно счастлива сама по себе.

— Мое время целиком уходит на то, чтобы делать счастливым Арчи, — продолжаю я.

— Пожалуй, мы будем стареть вместе, оставаясь одинокими, — предполагает Майк.

— Возможно, — соглашаюсь я. — Вот, смотри. — Я держу перед ним зеркало. — Достаточно коротко?

Глава 5

— Мне неинтересно, — уверяю я Нину. — Я же говорила.

— Он хорош собой, — вкрадчиво продолжает она, очищая банан, одну из двадцати порций фруктов в день, заменивших ее двадцать ежедневных сигарет. — Это же будет всего лишь одно крохотное свиданьице.

Я раздраженно вздыхаю. Нина вопреки моему желанию вынудила своего обманщика мужа устроить мне свидание вслепую.

— Откуда Джерри знает этого типа?

— Он с ним работает.

— Сама-то ты его видела?

На самом деле я хочу спросить «Он хоть немного похож на Джерри?». Потому что если «да», то лучше мне бежать далеко и быстро. Я вполне проживу без тирана в моей жизни, даже если он и очарователен. Нет уж, спасибо.

— Естественно, — говорит Нина.

— Когда?

Теперь она смущается.

— Точно не помню. Должно быть, на одной из вечеринок в офисе.

— Значит, он не произвел на тебя впечатления?

— Ну...

— Я не хочу этого делать, Нина. Не хочу.

— Он женат? — В наш разговор влезает Стеф. Сегодня она в салоне. У нее неполный рабочий день, что дает ей возможность обслуживать клиентов на дому, сразу получая наличные.

— Разведен.

Стеф морщит носик.

— Ты должна встречаться только с женатыми, как я, — предлагает она. — Никакой мороки. Встречаешься с ними, когда захочешь, потом легко их бросаешь. Никаких привязанностей. Все, что тебе надо делать, — это звонить им, когда захочется. Секс без обязательств — это именно то, что надо.

Кажется, ничего более депрессивного я никогда не слышала.

— А что насчет дружеских отношений?

— О чем это ты? — Стеф действительно не понимает меня.

— Не важно.

— Ради бога, Дженни. Это всего лишь свидание. Стакан вина, ужин, немного дружеской болтовни. Ничего больше. Я не прошу тебя отдать ему почку, — говорит Нина.

— А если он начнет приставать? — спрашиваю я.

— Не думаю, что с восьмидесятых годов прошлого века кто-нибудь использует слово «приставать».

— А я бы ему позволила, — опять вмешивается Стеф.

— Я не сомневаюсь, что ты бы позволила, — насмешливо говорит Нина, — но я прошу не тебя. Это свидание для Дженни.

Стеф что-то бормочет с досадой.

— Скажи «да», Дженни, и Джерри все устроит за пять минут. Чем это навредит тебе? Ты не можешь потратить всю жизнь на то, чтобы тусоваться с Несчастным Майком, — советует подруга.

— Он не несчастный...

— Он грустный, — говорим мы вместе, как делали это много раз. Это смешит меня.

— Он не несчастный, — повторяю я. — Он очень любезный.

— Это самое худшее, что ты можешь сказать о парне. «Он очень любезный», — передразнивает меня Нина.

Входит Кристал.

— Пришла твоя следующая клиентка, Дженни.

Слава небесам. Я оставляю Нину с ее фруктовым безумством, импровизированным бюро знакомств и презрительными отзывами о моем соседе и устремляюсь из комнаты персонала в поисках спокойствия с миссис Вайн, ее стрижкой и укладкой волос феном.

Глубоко вздохнув, я говорю:

— Здравствуйте, миссис Вайн. Как дела?

— Совсем сбилась с ног, дорогая. Рада прийти сюда, чтобы посидеть.

— Хотите просто привести волосы в порядок?

Моя клиентка кивает.

— На твое усмотрение.

И я велю Кристал помыть голову миссис Вайн, а затем подхожу к ней с ножницами в руке.

— Как твои дела, Дженни? — спрашивает она. — Есть мужчина на горизонте?

— Нет еще, — отвечаю я.

В профессии парикмахера есть одна неприятная сторона — клиенты рассказывают тебе все, даже такое, во что невозможно поверить. Но еще хуже, что ты чувствуешь себя обязанной открыться им в ответ. Все мои клиентки знают о моем разрыве с Полом, и вот опять у меня в сердце «День открытых дверей».

Я размышляю о попытке Нины пристроить меня. Возможно, пойти на свидание — не так уж и плохо. Хотя бы пойму, могу ли я еще делать это. Да и мои клиентки будут счастливы узнать, что я пытаюсь найти парня, и не станут так беспокоиться обо мне.

Вчера вечером мы с Несчастным Майком, после того как я его постригла, смотрели фильм и не заметили, как прикончили бутылку вина — так были поглощены «Превосходством Борна», и уже не в первый раз. Мэтт Дэймон, кажется, единственный, кто заставляет мой пульс биться быстрее. Просмотр фильмов стал вроде как нашей с Майком привычкой. Два или три раза в неделю мы смотрим что-нибудь вместе. Составляем друг другу компанию, не испытывая ни особых чувств друг к другу, ни напряжения. Разве что-то не так? Просто поддерживаем друг друга. Как приятели.

— А ты не хочешь подумать о свиданиях через интернет? — говорит моя клиентка. — Это очень популярно в наши дни.

Не могу придумать ничего хуже. Это все равно, что купить онлайн незнакомца, одного из многих, о которых я и не слышала.

— Могла бы устроить себе небольшое развлечение.

Ну, вот почему все думают, что мне нужны «развлечения»? Неужели я выгляжу столь печальной? Глядишь, скоро не только Майка будут называть несчастным.

Я начинаю расчесывать волосы миссис Вайн и останавливаюсь.

— Можете секунду подождать? — спрашиваю я ее. — Я сейчас вернусь.

Войдя в комнату персонала, останавливаюсь перед Ниной.

— Сделай это, — говорю я. — Устрой мне свидание.

Подруга смотрит на меня, открыв рот.

— Ты же не всерьез?

— Всерьез. Возможно, оно помешает всем вам преследовать меня. Завтра же вечером, — велю я ей. — Пока я не передумала.

Нина так ошеломлена, что опускает гроздь винограда и начинает копаться в сумочке.

— Сейчас же позвоню Джерри.

— Хорошо, — говорю я и возвращаюсь к миссис Вайн.

— Все хорошо, дорогая?

— Да, прекрасно, — отвечаю я, расчесывая ей волосы. — Завтра вечером у меня свидание.

Глядя в зеркало, не могу понять, кто выглядит более потрясенной — она или я.

Глава 6

Четыре платья на кровати и одно на мне. Скромное черное платье чуть выше колен, с вырезом, но не слишком низким.

— Что скажешь?

Арчибальд открывает один глаз и лениво оценивает меня.

— Грустная женщина, у которой есть только кот, собирается на жаркое свидание. — Я оглядываю свое отражение в зеркале. Кто бы мне подсказал, как к восьми часам скинуть несколько фунтов? — Я хорошо выгляжу?

Кот зевает. Надеюсь, моя внешность не вызовет такой же реакции у того, с кем я встречаюсь.

— Не хочу посылать неправильные сигналы, — делюсь я со своим четвероногим другом. — Если я слишком подчеркну свою сексуальность, он подумает, что я очень доступна. Если же пойду в джинсах и топе, он решит, что мне лень сделать усилие.

Арчибальд вытягивается, выпускает когти и погружает их в пуховое одеяло. Если когда-нибудь я приведу сюда мужчину, мне придется сначала раздобыть новые постельные принадлежности, так как этот комплект постепенно превращается в лохмотья из-за того внимания, какое ему уделяет Арчи.

— Ну, помоги же мне, — умоляю я. — Мне нужен совет.

И тут раздается знакомый стук Майка. Я спешу вниз, чтобы открыть дверь, помня, что часы тикают, а я должна быть в модном винном баре в Милтон-Кинсе меньше чем через полчаса.

— Ух ты! — только и может сказать мой сосед, когда я распахиваю дверь. — Ты выглядишь потрясающе.

Я стою и вспотевшими ладонями разглаживаю платье.

— Ты и вправду так думаешь?

— Черт возьми, да. — Он теребит недавно подстриженные волосы и хмурится. — Особый случай?

— Страстное свидание, — отвечаю я, неуверенно вздыхая.

Сосед изумлен так, будто узнал, что Папа Римский собрался в стриптиз-клуб с танцами у шеста.

Потом лицо Майка мрачнеет.

— С кем?

— Без понятия, — признаюсь я. — По причинам, известным только мне, я позволила своей чокнутой подруге устроить мне свидание вслепую.

Теперь Майк совершенно потрясен.

— Ты шутишь?

— Нет. — Я смотрю на часы. — Не хотела бы разочаровать тебя, но я опаздываю, а это плохое начало.

— Да, — соглашается Майк, все еще недоумевая. — Это так.

— Ты уверен, что я выгляжу нормально? Я спрашивала Арчи, но от него никакого толку.

— Ну, я не Гок Ван[1].

— Я не хочу подавать неверные сигналы.

Майк внезапно становится серьезен.

— Если хочешь сказать, что ты потрясающая красавица, в которую может влюбиться любой мужчина, то это платье работает.

— Спасибо, — отвечаю я, и мне становится неловко. Я и комплименты — несовместимые вещи. Когда просто говорят: «Хорошо выглядишь», я довольна. — Мне уже пора. А ты чего хотел?

— Да ничего, — говорит он, пожимая плечами. — Просто нечем заняться. Вот и подумал, что мы могли бы посмотреть еще один фильм. У меня есть «Молодая Виктория» на DVD.

Майк знает, как я обожаю исторические фильмы. Теперь я разрываюсь. Я бы предпочла остаться дома и провести с Майком спокойный вечер за фильмом, а не подвергать себя пытке. Честно говоря, сейчас я скорее дала бы вырвать себе ногти, чем пошла бы на это свидание. Я уже начинаю думать, не набрать ли мне номер мобильного телефона, который получила вместе с именем Льюис Моран, чтобы отмотаться от свидания. Но потом я решаю, что это грубо, а меня воспитали вежливой и приятной. Как бы мне этого ни хотелось, я не могу оста-

---

[1] Гок Ван — британский стилист (мать — англичанка, отец — китаец).

вить Льюиса с носом. Я бы возненавидела того, кто так поступил бы со мной.

— Завтра, — говорю я, чтобы успокоить Майка. — Давай отложим это на завтра.

— Я могу приготовить ужин, — нерешительно предлагает мой друг.

— Нет, не беспокойся. Я поем там и вернусь поздно. Часам к девяти.

— Ну, да. Ведь это же свидание, — говорит он, и мы оба неловко смеемся.

Тут он замечает, как я ерзаю. Мне еще надо подобрать украшения, а времени уже почти нет.

— Я пойду, — говорит Майк. — Оставляю тебя со всем этим. Повеселись.

— Пожелай мне удачи!

— Да, — отвечает сосед, поворачивается и идет домой. Первый раз за много месяцев он выглядит действительно несчастным, и мое сердце стремится к нему. Какое ужасное совпадение, что я отправляюсь на свидание так не вовремя. — Удачи тебе.

Я думаю, она мне понадобится. Ведь это мое первое свидание с мужчиной за очень долгое время, больше чем за девять лет.

Глава 7

Когда я наконец приезжаю в «Бла-бла бар», там уже полно народу. Почему-то я боюсь войти и замираю у двери, а ведь мне тридцать пять! Это же просто смешно, говорю я себе. В наши дни женщины в одиночку пересекают Атлантику, прыгают с парашютом с небоскребов, занимаются свободным скалолазанием, управляют целыми странами. Войти без провожатого в бар не так уж и трудно.

Я беру себя в руки и вхожу. Моя храбрость лишь чуть вздрагивает, когда я обнаруживаю, что всем остальным в этом баре нет и двадцати пяти. Куда ходят женщины моего возраста, чтобы общаться, если хотят чего-то изощренного? Я бы не возражала против того, чтобы приехать сюда с кучей девушек из салона, ведь для них здесь просто идеальное место. Но самой прийти сюда на свидание? Мне интересно, кто выбрал этот бар? Льюис Моран? Или Джерри со своим представлением о том, как надо весело проводить время? Это важно для меня.

Бар оформлен явно в стиле ретро, а пурпурные и оранжевые тона образуют психоделические узоры. Звучит музыка шестидесятых, причем очень громко. Танцовщицы гоу-гоу в сапогах до колен и серебристых цельнокройных платьях-рубашках плавно вращают бедрами в свисающих с потолка клетках, чуть выше наших голов. Не желая того, я вижу их трусики, такие же серебристые, как и платья.

Оглядывая бар, не нахожу никого, похожего на Льюиса. Нина сказала, что он высокий, темноволосый и красивый. Это может относиться примерно к дюжине находящихся здесь мужчин. К сожалению, большинство из них так молоды, что годятся мне в сыновья. Я же надеюсь увидеть кого-то достаточно взрослого, кто бы мог составить мне пару на этом свидании.

Заняв пустующее место у барной стойки, я в конце концов достаточно долго удерживаю взгляд бармена, чтобы заказать выпивку. В «Бла-бла баре» есть блистательный список коктейлей, который я успела тщательно изучить, но поскольку я за рулем, то заказываю диетическую кока-колу.

Задумчиво сидя на табурете, потягиваю кока-колу и стараюсь не выглядеть столь же грустной и одинокой, какой я себя чувствую.

Проходит десять минут. Я почти допила свой напиток. На один стакан не уходит много времени, когда вам больше не на чем сконцентрироваться. Меня кто-то толкает. Я сижу, не желая ничего заказывать, поскольку в прошлый раз на это потребовалось чересчур много времени.

Проходит еще десять минут. Интересно, Льюис появится в конце концов или нет? Набираю номер, но ответа нет. И теперь я не знаю, как себя вести. Даже не знаю, как полагается сидеть. Должна ли я положить ногу на ногу или следует просто держать их вместе? И с руками у меня не лучше. Если я скрещу их, будет ли это выглядеть, будто я защищаюсь, будто я неприступна? Но, с другой стороны, я же не хочу, чтобы ко мне приближался кто-то, кроме того, кого я жду. Надеть это платье оказалось плохой идеей. Я выгляжу старомодной и непривлекательной среди оравы молодых людей, одетых в модные туники и легинсы.

Прошло полчаса, и я более чем уверена, что меня продинамили. Это мое первое свидание за много лет, для которого я собрала всю свою храбрость, а у этого ублюдка даже не хватило вежливости показаться. Последний раз со мной так обошлись, когда мне было пятнадцать, и, поверьте, сейчас мне не легче, чем тогда. Слезы жгут глаза, но я не позволю себе плакать. Ни один мужчина не доведет меня до такого, тем более тот, кого я даже не знаю. Ну, погоди у меня! Все расскажу Нине. Возможно, она перестанет принуждать меня к еще одному свиданию вслепую.

Взяв сумочку, направляюсь к двери. Я буду дома задолго до девяти. Может быть, Майк еще не ляжет спать, мы посмотрим фильм и посмеемся над моим приключением. А потом я смогу выпить несколько бокалов лечебного виноградного сока и больше об этом не думать.

Проталкиваясь через толпу, я оказываюсь почти у двери, когда чувствую, как чья-то рука ловит мою и разворачивает меня.

— Привет! — Передо мной стоит низенький лысеющий мужчина. Я понятия не имею, кто это. Он наклоняется ближе и кричит: — Ты — Джемма?

— Дженни, — поправляю я его.

— О, конечно. Это я и хотел сказать, — говорит он. — Я — Льюис. — Он льстиво улыбается мне. — У тебя со мной свидание сегодня вечером.

— Я уже иду домой, — говорю я. Он немного смущается. — Я ждала полчаса.

— Застрял в интернете, — поясняет он. — Знаешь, как бывает?

Вообще-то нет, не знаю, думаю я. Но это все, что я получаю от него вместо извинений. Совершенно ясно, что Льюис Моран не прошел через такие же муки подготовки к свиданию, каким подвергла себя я.

Конечно, внешний вид — это не все, но относительно этого человека я имею полное право жаловаться на нарушение Закона об описании товара. И я начинаю размышлять — как бы сказать ему, что я все еще собираюсь домой, поскольку он совсем не соответствует тому образу, который я создала в своем воображении, когда Нина описывала его. В этот момент он сильнее сжимает мою руку и тянет меня назад, к барной стойке.

— Водка-тоник, — говорит он бармену и в ожидании заказа набирает сообщение на своем телефоне. Я стою рядом, как ненужная вещь. — Сделайте две. — Он кивает в мою сторону. — Тебе тоже?

— Диетическую кока-колу, пожалуйста.

Почему случается так, что слова вырываются изо рта прежде, чем мозгам хватает времени их обдумать? Мне следовало бы сказать: «Нет, спасибо!», развернуться на каблуках, сохраняя достоинство, и немедленно отправиться домой, но я парализована ужасом происходящего.

— Не хочешь дать мне напоить тебя и воспользоваться этим? — оглушительно хохочет Льюис.

— Нет, — отвечаю я. — У меня на уме совсем другое.

Его телефон пищит — пришло сообщение.

— Твиттер, — говорит он. — Чертовски классная забава. Столько людей там встречаешь. — Его внимание наконец-то обращается на меня. — Ну, так откуда ты знаешь старину Джерри?

— Я работаю с его женой Ниной.

— Значит, ты, как и Нина...

— Парикмахер.

— Сделаешь мне прическу здесь? — Он опускает глаза себе на брюки, потом смотрит на меня и опять ржет.

Мне уже хочется убить его. А потом себя.

— Послушайте, — говорю я. — Я уже давно не была на свидании...

— Неужто? Такая красотка?

— Не по своей воле, — поясняю я. — Но здесь мне не место.

Я смотрю на молодежь в баре, на танцовщиц, на мебель в стиле ретро, которую я слишком хорошо помню, — такая была в доме моих родителей.

— Сейчас допьем и двинем куда-нибудь. — Он проглатывает водку и толкает меня под локоть, из-за чего я чуть не проливаю кока-колу на платье, которое уже почти ненавижу. — Ну, пошли. — Мой спутник направляется к двери и громко рыгает, даже не пытаясь сдержаться. — Мы можем поехать в отель «Джармен», и, если ты передумаешь насчет того, чтобы я воспользовался тобой, оттуда недалеко до моей квартиры.

Ха-ха-ха.

Глава 8

Мы проходим несколько сот метров до отеля, но, хоть место и другое, вечер не стал лучше. Атмосфера здесь мягче, но мне от этого не легче. Чувствую, как мое кровяное давление растет с каждой минутой.

— Я собирался раздобыть для тебя розы и все такое, — сообщает мне Льюис, когда мы располагаемся в уединенном отсеке на обитом кожей диване, — но мы оба достаточно взрослые, чтобы быть благоразумными. Так ведь? У тебя нет лишнего времени, чтобы тратить его впустую на все это романтическое дерьмо, в твоем-то возрасте. Каждая женщина старше тридцати следит за своим весом, поэтому шоколадок ни-ни. Столько калорий, а? Официант! — кричит он.

Мне очень трудно удержать челюсть, чтобы она не отпала. К нам подходит молодой человек.

— Двойную водку с тоником — мне. Кока-колу — ей.

— Диетическую, пожалуйста.

Льюис удивленно поднимает брови. Молодой бармен делает то же самое, будто озадачен моим выбором, но, надеюсь, не выбором напитка.

Мой партнер — а я использую этот термин в широком смысле — опять набирает какой-то текст, пока говорит:

— Ты можешь впустую потратить много времени на вино, ужины, всю эту ерунду только чтобы убедиться, что вы не совместимы и ты опять в пролете. Понимаешь, что я имею в виду?

Не совсем. Но мой вклад в беседу, кажется, вообще не имеет значения.

— Я встречался с каждой Темми, Дебби и Харриет, — говорит он, и ясно, что это одна из его любимых шуток. — Это теперь так легко. Выбирать их в интернете. Ты не пробовала?

И он опять не замечает, что ответа на его вопрос не последовало.

— Там полно странных личностей. — Льюис корчит страшную рожу.

Вот в это я могу поверить.

— Вегетарианцы. Любители группповухи. Сексуально озабоченные. Готы. Я встречался со всякими. Не так уж много «нормальных»... — он изображает пальцами кавычки —...женщин в старой доброй сети.

Как же я ненавижу этот жест!

Официант возвращается с напитками и смотрит на меня с жалостью. Одними губами я говорю ему: «Убейте меня!» Он усмехается в ответ, но не предпринимает никаких попыток гуманным способом избавить меня от мучений и возвращается за барную стойку.

— Я не прошу многого, — продолжает звучать голос Льюиса. — Я покладистый. Так все говорят. Я жизнь и душа любой вечеринки. Я всего лишь хочу такую женщину, у которой собственные зубы и волосы. И огромные буфера. — Опять много смеха, пока он изображает огромные груди на потеху остальным посетителям. — Такую, которой нравится футбол, пусть она и не болеет за «Арсенал». Мне понравится женщина, которая не станет возражать против того, чтобы оплатить свою долю счета.

Он смотрит на свой быстро пустеющий стакан. Мне кажется, он намекает, чтобы я платила за себя сама.

— Итак, что рассказать о себе? У меня успешный бизнес, — продолжает он и снова смеется. — А вот в любви не очень везет.

Интересно почему?

— Я занимаюсь информационными технологиями.

Он улыбается так самодовольно, будто ждет, что сейчас последует шквал аплодисментов. Неужели он думает, что его работа некоторым образом эквивалентна работе контрразведчика в ЦРУ? Почему-то мне кажется, что именно так он и считает.

— У меня собственный дом, особняк в Вафтен Ли. Четыре спальни. — Он делает паузу, чтобы я успела прочувствовать и удивиться. — Удалось кое-что спасти при разводе. У меня был чертовски хороший адвокат, который спрятал от моей бывшей большую часть денег. — Он, очевидно, очень доволен ловкостью своего адвоката. — Люблю путешествовать за границей. В этом году я уже два раза был в Таиланде.

Странно, но это меня не удивляет. Судя по рубашке в цветочках и плохим шортам, Льюис представляет собой тип мужчины, на котором просто написано большими буквами «СЕКС-ТУРИСТ».

— У меня яхта «Легенда», пришвартованная в Портсмуте. Сорок два фута. Мне нравится называть ее лодкой любви. — Его смех начинает уже по-настоящему доставать меня. — Сколько мужчин может сказать тебе такое?

Оказаться в невыгодном положении из-за своего внешнего вида не так уж важно, если у вас есть индивидуальность, которая это компенсирует. У Льюиса, к сожалению, ее нет.

— Не хочешь ли подняться ко мне на борт? — Он с хитрецой смотрит на меня, явно довольный двусмысленностью.

Честно говоря, не могу придумать ничего хуже.

— А еще у меня есть «Ауди ТТ»[1]. В душе я гонщик. — Ха-ха-ха. — Обычно я оставляю машину здесь и еду домой на такси, но раз ты не надралась, то могла бы отвезти нас ко мне. У меня всегда в запасе новая зубная щетка, если захочешь остаться. — И тут он подмигивает мне. Вправду подмигивает!

---

[1] «Ауди ТТ» — маленький спортивный автомобиль.

Неужели я выгляжу такой отчаявшейся? Как я могу испускать какие-то поощряющие вибрации, если за последний час не сказала больше трех слов? Как он может думать, что нравится мне, если все фибры моего существа велят мне немедленно отправляться домой и там, в горячей ванне, долго скоблить себя жесткой щеткой только из-за того, что сидела рядом с ним? Как могут существовать в этом мире мужчины, у которых вообще отсутствует очарование? Если я останусь здесь еще хоть ненадолго, то узнаю всю историю его жизни, а он так и не узнает обо мне ничего, кроме того, что я парикмахер.

Меня воспитывали хорошей, вежливой, доброй к маленьким пушистым животным, но оставаться с этим человеком я больше не могу. Никак не могу.

— Извините, я на минутку, — говорю я.

— Нужно в комнату для маленьких девочек?

— Да.

Я встаю с низкого дивана и вижу, что брюхо бизнесмена Льюиса, который даже не привстал, скрыть невозможно.

— Возвращайся скорее.

Он небрежно машет мне рукой и, прежде чем я успеваю сделать шаг, опять начинает набирать текст на мобильнике.

Разглядев указатель, направляюсь в комнату отдыха и, проходя мимо бара, обращаюсь к бармену:

— Сколько мы должны за напитки?

Он называет сумму. Убедившись, что Льюис не может меня видеть, протягиваю деньги и хорошие чаевые.

— Есть здесь запасной выход?

— Боюсь, что нет, — отвечает молодой человек.

Вот ведь черт. Придется мне собрать всю свою храбрость и опять предстать перед Льюисом. Нужно всего лишь сказать ему, что у нас ничего не получится, и отправиться домой.

Глава 9

Пятиминутная передышка в женском туалете даст мне возможность придумать вежливые слова, которые я скажу, чтобы выпутаться из этой ситуации. Я проскальзываю внутрь, закрываю за собой дверь и вздыхаю с облегчением. Здесь никого нет, и я рада, что немного побуду одна. Свидание с Льюисом похоже на пытку шумом — у меня в ушах все еще звучит раздражающий звук его голоса.

Я мою руки, поправляю прическу и обновляю помаду, только чтобы хоть чем-нибудь занять себя. И тут мое внимание привлекает большое — хоть и не очень — окно в дальнем конце комнаты. Я осматриваю себя, пытаясь оценить свои размеры. Пролезу ли я через окно? Интересная мысль. Правда, бедра могут создать проблему. Возможно, они слегка застрянут, но я, конечно, справлюсь. Значит, решено: я ускользну в ночь, а Льюис ничего не узнает.

Я смогу.

Проверяю кабинки и убеждаюсь, что все они пусты. Подхожу к окну. К счастью, оно не заперто. Я обретаю уверенность, хотя во мне еще шевелится разумное сомнение. «Просто думай о том, как Арчи пролезает через кошачий лаз в двери», — говорю я себе.

Сняв туфли, пододвигаю к стене маленький пуфик. Затем влезаю на него, подтягиваюсь на подоконник и открываю окно. Ооо. Женский туалет находится на первом этаже, но земля оказывается намного дальше, чем я представляла. Окно выходит в проход между барами, и в этот ночной час здесь прогуливается компания веселых женщин.

Просунув верхнюю часть тела в окно, я расслабляюсь, сжимаюсь и извиваюсь, пока половина меня не оказывается снаружи. Но другая-то половина все еще внутри! Теперь я точно похожа на толстую кошку, застрявшую в кошачьем лазе. Я слышу, как рвется платье, но мне плевать. Разорванное платье — это цена, которую стоит заплатить, чтобы выбраться отсюда до того, как я умру со скуки. И теперь я свисаю над проходом.

— Эй! — кричу я девушкам, идущим подо мной и не замечающим моего тяжелого положения. — Привет! — Я даже рискую помахать руками.

Шесть дам довольно плотного телосложения останавливаются, чтобы посмотреть, кто вопит. Наверное, они возвращаются с девичника. На них розовые балетные юбочки и ярко окрашенные, светящиеся вязаные гольфы.

— Все хорошо, лапуля? — улыбается одна из них.

— Можете дать мне руку и помочь спуститься? — спрашиваю я.

— Конечно, можем. А какого черта ты там делаешь?

— Сбегаю с отвратительного свидания, — объясняю я.

— У меня было несколько таких, — говорит танцовщица, которую я приняла за главную. — Очень хорошо понимаю, каково тебе. Но ты же не хочешь сломать себе шею? Бросай сюда туфли.

Я послушно бросаю туфли, которые были у меня в руке, и она их ловит.

— Отлично. Теперь спускайся, мы тебя держим, лапуля.

С сильно бьющимся сердцем я перелезаю через край. Кирпичная стена царапает колени, и я чувствую, как уверенные руки танцовщиц хватают меня и удерживают в воздухе. Они все семенят то в одну сторону, то в другую, и у меня в уме возникает причудливая картина диско-версии «Лебединого озера». Через несколько секунд они, как и обещали, аккуратно опускают меня на землю.

— Спасибо, — говорю я. — Огромное вам спасибо.

— Всегда рады помочь, лапуля. — Я думаю, это невеста, потому что у нее на голове розовая диадема и короткая вуаль. — Рановато идти домой. Пошли с нами. — Она раскрывает руки, и у меня возникает ощущение, что я попала в объятия осьминога, пусть и очень пьяного.

Глядя на свою разорванную одежду, я понимаю, что это платье отныне будет связано только с плохими воспоминаниями.

— Не думаю, что я одета, как подобает. — Сейчас мне хочется только чашку чая и горячую ванну. — Но я бы очень хотела, чтобы вы выпили за меня. — Я открываю сумочку.

— Да нет, не надо. Мы всегда рады помочь сестричке, попавшей в беду.

— Пожалуйста, ну, пожалуйста. — Из сумочки я достаю двадцатифунтовую банкноту. — Позвольте угостить вас парой бутылок.

Танцовщица-невеста опять обнимает меня.

— Надеюсь, что вы будете очень счастливы вместе.

— Обязательно будем, — отвечает она и, расслабленная алкоголем, плачет от охвативших ее чувств. — Мы же любим друг друга. Мы чертовски сильно любим друг друга, не так ли, Кайли?

— Любим, — соглашается девушка с прической номер один[1], и они тают в объятиях друг друга.

О. Ну ладно.

— Мы чертовски сильно любим друг друга, — повторяют они хором.

— Желаю вам всего счастья в мире, — говорю я, и у меня перехватывает дыхание.

_____
[1] Прическа номер один — стрижка наголо.

«По крайней мере этим дамам удалось найти свои родственные души», — думаю я. И прежде чем мой партнер сообразит, что меня нет слишком долго, я крадучись скрываюсь в ночи.

Глава 10

Когда я подъезжаю к «Маленькому Коттеджу», в доме Майка еще горит свет. Что мне делать? Постучаться к нему, узнать, не сможет ли он налить мне чашку чаю и посочувствовать? Возможно, я даже могла бы посмеяться над тем, что случилось, и счесть этот отвратительный вечер уморительно забавным, если бы только поделилась с кем-нибудь своей печальной историей.

Сейчас не слишком поздно, самое начало одиннадцатого. Я ступаю на дорожку Майка и вижу, что свет в гостиной гаснет, а через несколько секунд зажигается в спальне. Кажется, мой сосед хочет лечь пораньше. Разумный мужчина. Я должна сделать то же самое. И в одиночестве лечить свое раненое сердце.

Я поворачиваюсь, устало тащусь в свой коттедж и отпираю дверь. При звуке ключа в замке Арчи спускается по лестнице, горько жалуясь на то, что его оставили в одиночестве. Он трется о мои ноги, выражая свою любовь. Я беру его на руки, чтобы обнять и приласкать, прежде чем он приступит к своему любимому рыбному лакомству. Я подозреваю, что оно действует на него как наркотик, поскольку он сразу впадает в экстаз, не замечая ничего вокруг. О, если бы я могла найти еду, которая действовала бы на меня таким же образом...

У меня есть чай и тосты. Уже ясно, что обещанный ужин не состоялся и, похоже, не состоится никогда. В мире для меня нет и, наверное, никогда не будет никакого «романтического дерьма». Потом я иду отмокать в горячей ванне, налив в нее свою любимую пену с ароматом жасмина и жимолости, чтобы успокоить ум и тело, а заодно избавить ноздри от застрявшего в них невыносимого запаха — да будет проклят лосьон Льюиса Морана, которым он воспользовался после бритья! Арчи с надеждой сидит на полу рядом с ванной. Моему коту очень нравится ароматная пена, поэтому я протягиваю ему ладонь, и он совершенно счастлив. Если же он считает, что его желание выполняют недостаточно быстро, то наступают болезненные последствия.

— Почему я вожусь с тобой? — спрашиваю я у него. — Ты же, неблагодарный, только используешь меня, а я люблю тебя безоговорочно!

Он отвечает на мой вопрос серией недовольных мяуканий, и я опять начинаю размышлять, кто же мог с ним так ужасно обращаться, что это оставило шрамы на его крошечном кошачьем сердечке.

Я думаю о своем сегодняшнем свидании, вспоминаю подробности и не испытываю никакого удовольствия. Что в наши дни происходит с мужчинами? Неужели Льюис Моран — какой же он идиот! — действительно думает, что именно так и надо вести себя на первом свидании? А я не смогла достаточно быстро уйти.

Я дюжину раз рисовала в своем воображении, как пройдет мое свидание. Сначала может возникнуть некая неловкость, потом, пожалуй, немного химии, дружеский разговор, общение за восхитительным ужином. Может быть, капелька ненавязчивого флирта. Возможно даже, застенчивый поцелуй. Ну уж никак не могла я предположить, что не останется другого выхода, кроме как выпрыгнуть из окна туалета на руки танцовщиц-лесбиянок, только чтобы избежать дальнейшей пытки.

Я не безнадежный романтик. Я не жду появления рыцаря в сияющих доспехах. И не думаю, что меня вознесут в поднебесье или что мы вместе помчимся на лошади к закату. Но если я когда-нибудь наберусь достаточно храбрости, чтобы снова рискнуть и встретиться с мужчиной, — а сейчас это кажется весьма маловероятным, — то мне бы хотелось, чтобы со мной обращались галантно.

После ванны я натягиваю махровую пижаму и ныряю под одеяло.

Арчи расхаживает вокруг меня, решая, какую из тридцати двух поз для сна выбрать первой, хотя к четырем часам утра он все равно окажется в моих волосах. Я успеваю прочитать несколько страниц какой-то романтической чепухи, которая меня сильно разочаровывает, и мои веки становятся тяжелыми. К одиннадцати я выключаю свет и устраиваюсь поудобнее. Арчи втискивается мне под колени, и в тишине раздается мурлыканье, похожее на звук мотоцикла.

Я вглядываюсь в окружающую меня темноту и погружаюсь в раздумья. Неужели это все? Неужели так и будет всю оставшуюся жизнь? В одиннадцать вечера в постели в компании старого своенравного кота?

Неожиданно начинают литься слезы. Я несчастна в своем одиночестве. И не важно, как сильно я пытаюсь убедить себя, что счастлива. Я по-настоящему одинока. Хочу любить кого-нибудь. Кого-то хорошего и нормального. Неужели я хочу слишком многого?

Глава 11

На следующий день с трудом добираюсь до работы, так и не придя в себя после вчерашних событий. Ночью я спала урывками, проснулась перед рассветом и опять почувствовала жалость к себе. Я даже немного поплакала, уткнувшись в Арчи, чему он был не очень-то рад.

Достанется же от меня сегодня Нине! Я заставлю ее лебезить передо мной весь день. Может быть, она даже пожертвует мне несколько своих лучших фруктов, хотя обычно очень неохотно расстается с ними, если у нее их мало.

Некоторым девочкам нравится появляться утром всего за несколько секунд до начала работы. Они сломя голову вбегают в салон и, чтобы остановиться, скользят по полу, оставляя длинные следы. Но мы с Ниной относимся к старой школе. Мы приходим рано, раскладываем свои инструменты на рабочем месте и начинаем день с того, что неторопливо пьем кофе и беседуем. В те дни, когда мы были бунтующими подростками и любили покурить, мы наслаждались еще и сигаретой. Теперь сигарет уже нет — очень давно для меня и не очень давно для Нины, — но кофе мы пьем по-прежнему. Сегодня, однако, я чувствую, что мне нужно добавить в него бренди для восстановления сил.

Когда я вхожу, немного пошатываясь, то, конечно же, нахожу свою подругу в комнате персонала. Нина спокойно сидит и приканчивает гроздь винограда.

— Привет! Привет! — оживленно говорит она. — Только взгляните на нее! Да она вся в мечтах о новой любви!

— Да, очень смешно. — Я бросаю сумочку и снимаю пальто. — У тебя пропадет всякое желание устраивать мне свидания вслепую, когда услышишь, как все было.

Нина смотрит на меня так, будто не понимает, о чем я говорю.

— Но я уже слышала.

Эти слова заставляют меня резко повернуться, хотя в этот утренний час поворот на месте мне противопоказан.

— Что?

— Льюис сегодня утром позвонил Джерри, чтобы

радостно возвестить об этом. Джерри передал мне трубку, и я тоже выслушала рассказ Льюиса. Ты покорила его, от любви бедняга лишился дара говорить членораздельно. Он думает, что ты... дай бог памяти... — Нина напускает на себя задумчивый вид. — Восхитительная, божественная, очаровательная!

Неужели Льюис знает подобные слова? Я думала, у него в словаре всего-то и есть, что «оргии» и «каждый должен платить за себя».

— Не может быть, — говорю я.

— Именно так и сказал. Бог свидетель. Он отзывался о тебе восторженно. — Подруга подмигивает, будто не верит мне, и кладет виноградину в рот. — Кажется, ты произвела на парня неизгладимое впечатление, маленькая леди.

Я поджимаю губы.

— Интересно.

— А он тебе понравился?

— Да как-то не заметила.

— Разве ты не собираешься снова увидеться с ним? Кажется, он спятил от любви к тебе, дорогуша.

— Я бы сказала, просто спятил.

— Вижу, у тебя впечатления от свидания совсем не такие, как у него.

— А он не говорил о той части, где я протискиваюсь в окно женского туалета и прыгаю в руки спасающей меня танцовщицы-лесбиянки, только чтобы не оставаться в его гнусном обществе?

— Ну... — говорит Нина. — Нет. Нет, об этой части он не упоминал.

— Но ведь так и было, — со вздохом говорю я. — Я ни минуты больше не могла вынести его, Нина. Ради собственного душевного здоровья я сбежала.

— Позволь мне приготовить тебе кофе. — И, выглядя совершенно потрясенной моим признанием, она бросается к кофейнику. — Кажется, кофе тебе сейчас очень нужен.

Я плюхаюсь на стул.

— Он был ужасен, Нина, — признаюсь я ей. — Я знаю, ты все делала с наилучшими намерениями, но о чем ты только думала?

— Боже, я сожалею, — говорит она. — Прости меня, я и понятия не имела. Из того, что я слышала, я сделала вывод, что вы плыли по лунным лучам в лодке любви или что-то в этом роде. Так что же пошло не так?

— Легче перечислить, что пошло так. — Я вздыхаю и начинаю рассказывать историю моего адского свидания. — Для начала он опоздал. По крайней мере, на полчаса. Когда же объявился, то у него было явное намерение напиться в стельку и обойтись без всякого ужина. Он ясно дал мне это понять. Я узнала все, что должна была знать о нем, и даже больше — всего за десять минут, а он так ничего и не узнал обо мне. Он довольно грубо намекнул, чтобы я оплатила половину счета, а потом, когда он будет достаточно пьян, понеслась в его квартиру для быстрого секса.

— Фу, — делает вывод Нина.

— Очень даже фу, — соглашаюсь я.

— Но он отчаянно хочет видеть тебя снова.

— Понятия не имею почему. Это была катастрофа. *Настоящая* катастрофа. — Я закрываю глаза руками. Знаю, что это выглядит несколько мелодраматично, но чувствую, что ситуация того требует. — Я буду совершенно счастлива, если не увижу его больше ни разу в жизни.

— Э-э-э... — говорит Нина. — Вот тут-то и может возникнуть одна маленькая проблемка.

Я выпрямляюсь на стуле.

— Когда ты сказала, что он о тебе ничего не узнал... Ну, это не совсем так.

— О, Нина!

— Знаю, знаю, — говорит она, пытаясь оправдаться прежде, чем скажет мне, в чем дело. — Но он так восторженно отзывался о тебе! Вот я и подумала, что ваши чувства взаимны. Клянусь, я даже слышала звон свадебных колоколов!

— О, Нина, — повторяю я.

— Я дала ему твой адрес, — признается она. — Он сказал, что хочет прислать тебе цветы.

Я вешаю голову.

— Мне так жаль, Дженни. Какая же я дура.

С утешающей улыбкой она предлагает мне для примирения виноград.

— Ну, посмотри на это с хорошей стороны. Ты кое-что получишь после этого свидания. Ставлю фунт против пенни, что к тому времени, как ты доберешься домой, тебя будет ждать огромный букет великолепных красных роз.

От мужчины, который сказал мне, что все это «романтическое дерьмо» — абсолютно пустая трата времени. Плохо. Очень плохо.

— Надеюсь, что не будет.

— Просто вежливо скажи: «Спасибо!», и тебе никогда не придется видеть его снова.

Что ж, ладно. Мне не показалось, что Льюис Моран очень настойчив и будет следовать своим намерениям, если они кому-то нежелательны. Думаю, ему нужна легкая добыча. Он не будет гоняться за мной. Ну и слава богу, думаю я.

— Дженни, — говорит Нина, — а когда в этой истории появилась танцовщица-лесбиянка?

— Лучше тебе не знать, — отвечаю я, прекрасно понимая, что моя подруга, которая так любит совать нос в чужие дела, теперь будет сходить с ума от любопытства. — *Этого* тебе лучше не знать.

Глава 12

— Ты сама не своя, Дженни, — замечает Энджи Уотсон. — Все хорошо?

Она права. Я весь день не в духе.

— Я в порядке, — вру я. — Просто немного устала.

Энджи — одна из тех немногих клиенток, которые моложе меня. Она приезжает раз в шесть недель, чтобы подстричь, подкрасить и выпрямить волосы, которые у нее доходят до плеч.

Ей было четырнадцать лет, когда она пришла ко мне впервые. Тогда она еще была неуклюжим подростком, теперь же превратилась в красивую молодую женщину со стройной фигурой. Ее список бойфрендов все время пополняется, и я уже бросила попытки запоминать их имена.

— Не пора ли тебе сделать перерыв? — предлагает Энджи. — Ведь в этом году ты, кажется, еще не была в отпуске?

— Нет. — Я провожу утюжком по ее шелковистым локонам. — Цвет очень хорошо подошел.

— Да.

Она любуется своим отражением в зеркале.

Энджи Уотсон светится здоровьем и счастьем, а отражение моего лица совершенно белое, с темными тенями и синяками под глазами. Не хочу я выглядеть так, будто мне нужен отпуск.

— У меня было много расходов на коттедж.

Одной справляться намного труднее. Я знала это теоретически, но на практике давление счетов неумолимо. Мне приходится следить за каждым пенни. Не то чтобы я раньше была расточительной, — я всегда была миссис Осторожность, — но теперь все эти счета обрушиваются на меня и только на меня одну, и, в отличие от большинства моих современников, долги приводят меня в ужас. Каждый месяц я балансирую так, что мне позавидовали бы канатоходцы из Цирка дю Солей.

— Ты должна позаботиться о себе, — убеждает меня Энджи. — Нет ничего лучше, чем побывать за границей и погреться на солнце, чтобы снова почувствовать себя счастливой. — Мы с ней одновременно смотрим в окно и видим потоки дождя во внутреннем дворике. — Я каждый год стараюсь удрать на Рождество куда-нибудь в теплое место.

Если я правильно помню, у Энджи в этом году было три отпуска, которые она провела с разными парнями. Определенно, она чувствует себя очень счастливой. Я поступлю правильно, если буду слушаться ее.

— Никогда не знаешь заранее, но, может быть, именно там и встретишь мужчину своей мечты, — дразнит она меня.

Это намного лучше, чем пойти в «Бла-бла бар» и там встретить мужчину своих кошмаров.

— Я не знаю, куда поехать, — сознаюсь я.

— Тебе надо поехать подальше отсюда, чтобы догнать солнце в это время года. Отправиться в экзотическую поездку, например, на Карибы или в Таиланд. — Моя клиентка пожимает плечами. — Ты должна просто прыгнуть в самолет. У тебя нет обязательств, нет связей. Весь мир — твоя устрица[1].

У таких людей, как Энджи, всегда есть несколько пар шорт и сандалий, которые они в любой момент готовы бросить в чемодан. Я же никогда не была спонтанной. Мне нравится все планировать, готовиться к чему-то. Я не из тех, кто легко срывается с места.

— Как поживает твой бойфренд? — спрашиваю я.

---

[1] Здесь автор использует цитату: «Весь мир — моя устрица, которую я вскрою мечом», *Шекспир, «Виндзорские насмешницы», сцена 2.*

— Диллон замечательный, — вздыхает она. Сомневаюсь, что это был Диллон, когда я стригла и подкрашивала ее шесть недель тому назад. — Может быть, он тот самый, единственный, — доверительно сообщает она.

Но нет. Бедный Диллон протянет лишь до следующего визита Энджи в наш салон. К тому времени — а я могу поспорить на свою жизнь — Диллон и Энджи «отдалятся друг от друга», и какой-нибудь другой мистер Чудесный станет тем самым, единственным.

«А вот мне хочется, чтобы у меня был всего лишь один мужчина, но навсегда, — думаю я, — а вовсе не один на шесть недель. Только один мужчина. Моя вторая половинка».

Глава 13

Когда я выхожу с работы, дождь все еще льет как из ведра. Не только я была сегодня не в духе. Нина тоже вела себя тихо. Весь день она заботилась обо мне и даже, когда мы пили чай, любезно предложила мне свой последний банан. Совершенно ясно — она чувствует себя очень виноватой из-за того, что из нее получилась плохая сваха.

Она опять попыталась убедить меня поужинать у них, но я отказалась. Мне так не хотелось, чтобы Джерри, наслаждаясь собственным остроумием, отпускал дурацкие шуточки по поводу моего катастрофического свидания. Несомненно, он будет винить меня за то, что я была скованна, и ни за что не признается, что его друг оказался недоумком.

Я рада, что ухожу ровно в шесть. Стрелки только что перевели на час назад, и вечер одним махом перешел от заката к полной темноте. Весь день я была занята, и у меня не хватало времени вновь и вновь обдумывать свое затруднительное положение. В голове постоянно звучала песня, в которой Майкл Бубле[1] жаловался, что до сих пор не встретил меня. А еще я боюсь найти обещанные цветы, когда доберусь до дома.

И конечно, когда я поворачиваю к «Маленькому Коттеджу», мои фары выхватывают из темноты блестящий, мокрый от дождя целлофан, обернутый вокруг букета роз. «Черт возьми», — бормочу я. Припарковавшись, я неохотно расстаюсь с Майклом Бубле, покидаю уютное тепло своей машины и под дождем иду к входной двери. Ключ у меня наготове, и по дороге я лишь на секунду останавливаюсь, чтобы поднять букет. Поток воды разглаживает мне волосы. Букет огромный. Дюжина или больше прекрасных императорских роз кроваво-красного цвета на длинных стеблях. Я мчусь в дом, захлопываю за собой дверь, чтобы защититься от дождя, и иду в свою комнату.

— О нет!

Услышав безумный писк, я понимаю, что, пока была на работе, через дымоход в дом пролезла какая-то птица. В подтверждение тому есть пятно сажи на полу и — что, впрочем, неудивительно — черные следы Арчи на кремовом ковре, спинке дивана, обеих подушках, занавесках и обоях. По всей комнате разбросаны вырванные перья и кучки помета несчастной птицы. Одна из моих любимых ваз разбита вдребезги, и черепки лежат возле двери. Цветок перевернут. Горшок, груда земли, сломанные ветки и листья лежат на полу. Несколько безделушек упали с каминной полки и разбились о каминную решетку.

Кажется, Арчи очень рьяно преследовал незваного гостя.

— Арчи! — кричу я.

---

[1] Майкл Бубле — канадский певец, автор песен, актер.

На сей раз кот даже не выходит, чтобы приветствовать меня. Качая головой, я направляюсь в кухню. На окне скворец в ужасе от собственного отражения бьет крыльями о стекло. Учитывая прошлый опыт Арчи, я поражена, что птица еще жива. Обычно в подобных случаях я нахожу лишь слипшуюся кровь и клюв. Должно быть, вчера вечером кот объелся и сегодня был не достаточно голоден, чтобы слопать нашего гостя.

Стаканы и тарелки, стоявшие на сушке, тоже разбиты, и осколки валяются на плитках пола. Содержимое кастрюльки с макаронами разбросано по рабочему столу. И везде птичий помет. Везде. На передней стенке плиты, на холодильнике, на хлебнице. И среди погрома и птичьих воплей мирно и безмятежно лежит кое-кто.

Арчи растянулся на полу посреди кухни, смертельно устав от недавних баталий, и храпит, как оркестр, когда музыканты настраивают инструменты.

— О, Арчибальд, — вздыхаю я.

При этих словах кот вскакивает, поворачивается и угрюмо смотрит на меня, будто говорит:

«Как смеешь ты, женщина, нарушать мой отдых! И не забудь про мой ужин».

Его взгляд становится негодующим, горящим.

«А теперь, мистер, мне придется следующие два часа убирать весь этот беспорядок».

Тут я понимаю, что мысленно разговариваю со своим котом. Значит, я уже ступила на опасный путь.

Птица опять начинает безумно колотить крыльями. Одной мне никак не справиться. Я вообще не люблю все хлопающее, машущее, бьющее и просто ненавижу, когда такие вещи оказываются у меня на кухне. Беру мобильник и звоню Майку. Он у меня на быстром наборе.

— Привет! — отвечает он почти сразу. В этом единственном слове звучат доброта, спокойствие и готовность помочь, и глаза мои наполняются слезами.

— Майк, — начинаю я, стараясь не рыдать. — У меня птица залетела в дом. Не мог бы ты заскочить и помочь?

— Сейчас буду, — отвечает он и прерывает разговор.

Я кладу букет на стол и смотрю на цветы, ожидая, пока Майк не освободит мой дом от птицы, чтобы я могла закатать рукава и в очередной раз навести некое подобие порядка. И уже через секунду слышу, как Майк стучит в дверь.

— Вот это да, — говорит он, когда видит, во что превратилась моя гостиная. — Арчибальд потрудился на славу.

— Кот держит марку.

— Это точно.

Мы проходим на кухню и видим, что птица по-прежнему дико бьёт крыльями.

— Тише, тише. — Майк воркующим голосом обращается к нашему пернатому другу. — Всё будет хорошо.

Он медленно продвигается к птице, издавая утешающие звуки, бормоча успокаивающие слова. Птица бьёт крыльями всё медленнее и медленнее, пока наконец, не плюхается на подоконник, совсем обессилев.

Даже я расслабляюсь. И пока птица на мгновение успокоилась, Майк успевает тихо придвинуться к ней и нежно накрыть ладонями. Она тщетно пытается опять забить крыльями.

— Пожалуйста, Дженни, открой дверь на задний двор, — спокойно говорит Майк. — И не выпускай Арчи. Этой птахе, возможно, потребуется хороший отдых, прежде чем она сможет улететь. А я не хочу, чтобы местные челюсти на прощание пожевали её.

— Правильное замечание, как раз к месту, — говорю я и направляюсь к моему кошачьему злодею, чтобы поймать его.

Но Арчи этого вовсе не хочется. Видя, что его забавы вот-вот будут прекращены, он делает сумасшедший бросок на Майка, а я не успеваю схватить кота. С выпущенными когтями он набрасывается на ногу моего соседа, пытаясь вцепиться в своего крылатого врага. Возможно, кот уже жалеет, что так некстати задремал.

— Арчи! — прикрикиваю я. Схватив кота, отрываю его от ноги Майка, и человеческий вопль, который при этом раздается, сообщает мне, что разрывание плоти все-таки произошло. — Гадкий кот!

Через джинсы Майка начинают просачиваться маленькие капельки крови из двух четких кругов, образованных колотыми ранами. Вы не поверите, но губы Арчи растягиваются в улыбку!

— Дверь, дверь! — кричит Майк. Каким-то чудом ему удается удерживать птицу.

Мой друг выходит и устремляется в сад, а Арчи вырывается из моих рук и пытается его догнать. Но на этот раз я оказываюсь ловчее кота, и, когда Майк оказывается на траве, я успеваю захлопнуть дверь, из-за чего коту приходится тормозить так, что его лапы скользят по полу, и он врезается мордой в дверь. Выход отрезан, и раздается протестующий вой.

Выглянув из окна, я вижу, как мой сосед нежно поднимает пострадавшую птицу и сажает ее на нижнюю ветку вишни, на которой уже нет листьев. Я будто чувствую отсюда, как бьется ее крохотное сердечко.

Майк возвращается к двери, и я, отпихивая Арчи ногой, впускаю его. Мой сосед отряхивает руки.

— Отличная работа, — говорю я.

— Весь день совершаю подвиги, как супергерой, — шутит Майк.

— Как твои раны?

Он смотрит вниз, на запятнанные джинсы.

— Выживу. — Майк притворно морщится. По крайне мере, мне хочется думать, что притворно. — Будем надеяться.

Кровь по-прежнему медленно сочится через джинсы. Качая головой, он обращается к коту:

— Чувак, ну и когтищи у тебя! Прям как у Фредди Крюгера. — Он грозит пальцем Арчи, но тот и не собирается извиняться. — Сегодня останешься без ужина, юноша.

Кот бросает на него высокомерный взгляд, будто говорит: «Как бы не так! Смотри, что сейчас будет». Потом поворачивается ко мне, и на его милейшей и невиннейшей мордашке написано: «Разве я не проделал всю эту огромную работу, мамочка, самоотверженно защищая наш дом от непрошеного гостя?»

— Не все так просто, — говорю я Арчи, стараясь, чтобы мой голос звучал строго.

Коту остается только признать, что люди сговорились против него и в этот раз придется отступить.

Глава 14

— Большое тебе спасибо, Майк. Не знаю, что бы я без тебя делала! Хочешь чаю?

— Ты ставишь чайник, — предлагает он, — а я начинаю убирать весь этот мусор.

— О нет. Ты не должен этого делать. Ты и так мне здорово помог.

Майк разводит руками.

— Сегодня вечером я свободен, Дженни. Мне будет приятно немного повозиться с тряпкой.

— Ты очень любезен. — И когда я иду готовить чай, вижу, как он бросает настороженный взгляд на мой букет. — Думаю, должна поставить их в воду. — Я поднимаю розы, кладу в раковину и наполняю ее водой. Прекрасная ваза, предназначенная для них, разбита, поэтому надо срочно найти какой-то другой сосуд.

— Полагаю, свидание имело оглушительный успех.

— Ммм... — Я даже не знаю, что ответить. — Думаю, это был отвратительный опыт, который больше никогда не повторится. Я даже не совсем понимаю, как получилось, что здесь появились эти розы.

— Кажется, твой партнер так не думает.

— Кажется, нет. — Я вожусь с чашками. — Я вернулась со свидания очень рано и собиралась постучаться к тебе, но, когда подошла к твоему дому, у тебя погас свет.

— О, — говорит Майк. — Надо же, как совпало. Впрочем, это типично для моего невезения.

— Зато я счастлива, что приехала пораньше.

Майк подходит к шкафу, где я храню санитарные принадлежности, и достает тряпки и дезинфицирующий спрей. Конечно, он знает, где искать, поскольку неоднократно выручал меня в чрезвычайных ситуациях.

— Будешь опять с ним встречаться? — спрашивает он через плечо.

— Нет, — решительно отвечаю я. — Никогда.

Никогда, пока в моем теле будет теплиться жизнь.

Я решила покончить со свиданиями. Попробовала и обожглась. Этого оказалось достаточно.

Протягиваю чашку Майку и делаю глоток из своей. Я очень голодна, но не могу даже думать об ужине, пока все не будет убрано.

— Ты не должна сдаваться после одного неудачного опыта, — советует он. — Не все мужчины одинаковы. Попадаются и хорошие парни.

— У меня не осталось сил искать такого, Майк, — признаюсь я. — Не думаю, что у меня еще теплится вера в любовь.

— Бывает трудно подняться после того, как получишь сильный удар.

— Мы-то с тобой хорошо это знаем, — говорю я, признавая, что прошло слишком мало времени после ухода его жены.

— Я полагал, что делаю для Тани все, что могу, — говорит он мне, держа чашку в руках так же нежно, как держал птицу. — И все равно этого оказалось недостаточно. — Он пожимает плечами. — Женщины для меня полнейшая загадка.

— А мужчины — загадка для меня.

— Бедолаги мы с тобой, — с усталым смехом отвечает Майк.

— Давай все уберем, и я угощу тебя китайской едой из ресторана «Гонг Конг Гарден», если еще не поздно будет заказать доставку.

— Идет.

Майк ставит чашку, вооружается тряпкой и начинает протирать холодильник и плиту, разбрызгивая на них дезинфицирующее средство.

Я иду в гостиную с пылесосом, совком и щеткой и начинаю убирать сажу, битое стекло и черепки, снова и снова бормоча себе под нос: «Вот же чертов кот». А Майк трудится и очень мелодично насвистывает песню «Люблю, когда ты звонишь мне»[1]. Есть что-то успокаивающее, когда он рядом и мне не надо справляться со всем этим самостоятельно.

Прошел час, и почти не осталось следов домашней катастрофы. Все снова выглядит тип-топ. На горизонте чисто, и Арчи пользуется возможностью спуститься по

---

[1] Популярная песня английской группы The Feeling.

лестнице и начать тереться о мои ноги, обворожительно мурлыча.

— Полагаю, ты думаешь, что настало время ужина? Он выражает согласие мурлыканьем.

Майк появляется в кухонной двери.

— Нам тоже было бы неплохо подкрепиться. Здесь уже все чисто.

— И здесь. — Я взмахом руки показываю, какие у меня хорошие навыки по уборке дома. — Меню ресторана лежит в верхнем ящике. Выбирай все, что захочешь. Единственное, что не привлекает меня, — говядина с чили.

— Я это помню, — с легкой улыбкой говорит Майк.

Я следую за ним на кухню и по пути спотыкаюсь о кота, который направляется прямо к своей миске, опасаясь, как бы от пережитых волнений я не забыла о нем.

— Вот это да! — воскликну я, когда вижу, что сделал Майк. Каждый миллиметр моей кухни буквально сверкает. — Даже не помню, когда здесь было так чисто.

— Рад, что не зря потратил время на ту передачу, в которой учили наводить порядок в доме.

— Ким и Эгги[1] очень бы тобой гордились.

Усмехаясь, он звонит в «Гонг Конг Гарден» и заказывает еду. Я же тем временем думаю, чем накормить моего избалованного проказника. Арчи сидит на только что продезинфицированном подоконнике и вытягивает шею в направлении вишневого дерева. Его хвост дергается от возбуждения. Когда и я смотрю в окно, то вижу, что птица еще сидит на ветке и выглядит так, будто через день снова сможет летать.

— Даже не думай об этом, паршивец, — предупреждаю я Арчи.

---

[1] Ким Вудберн и Эгги Маккензи — ведущие английской телепрограммы «How Clean Is Your House» («Насколько чист твой дом»).

Я кладу корм в его миску, и, бросив последний злобный взгляд в направлении птицы, он спрыгивает на пол и приступает к своей законной еде.

Повесив трубку, Майк, объявляет:

— Они не доставят еду раньше чем через сорок минут, а я умираю от голода. Пожалуй, смотаюсь и заберу ее.

— Я подогрею тарелки, пока ты будешь ездить. Пиво?

— Да, конечно.

Я вынимаю из сумочки двадцатку и протягиваю ему.

— В этом нет необходимости, — уверяет он.

— Я все еще убиралась бы, если бы не ты. Это самое малое, что я могу сделать.

Двадцатка у меня последняя, и мне не следовало бы быть столь расточительной. Но помощь Майка стоит каждого пенни.

Майк берет деньги и кладет их в карман.

— Вернусь в десять.

Услышав, что парадная дверь закрылась, я открываю духовку и ставлю в нее тарелки. Потом накрываю на стол и выставляю стаканы для пива.

Секунду спустя раздается звонок. Должно быть, Майк что-то забыл, думаю я, бросаюсь к двери и распахиваю ее. За ней под проливным дождем стоит Льюис Моран. Да-да, тот самый, который может превратить любовное свидание в тягостный кошмар. У меня отвисает челюсть.

— Привет, — говорит он, переминаясь с ноги на ногу на моем крыльце. — Только что видел, как тот тип покинул твой дом. — У Льюиса появляется морщина на переносице. — Бойфренд, о котором ты не упомянула?

— Ну, ммм... нет, — запинаюсь я, не зная, что делать. — Сосед.

Видно, что Льюис испытывает облегчение.

— На секунду подумал, что у меня появился конкурент.

— Что?

— А розы? — спрашивает он. — Ты получила розы?

— Да, спасибо. — Интересно, будет ли невежливо вернуть их ему?

— И?

— Они прекрасны. — Наверное, надо было сразу написать ему эсэмэску, но должна признать, что из-за событий, связанных с попавшей в дымоход птицей, мне это даже не пришло в голову.

— Мы могли бы обсудить это внутри. — Он смотрит на шумящий дождь, а затем переводит взгляд в дом.

Я все еще не понимаю, зачем он появился у меня на пороге.

— Сейчас неподходящее время, — спокойно говорю я.

— О?

Я могла бы придумать оправдание, если бы мой ум мог работать достаточно быстро. Глубоко вздыхаю. С этим мужчиной нет никакого смысла ходить вокруг да около.

— Получить розы было приятно, — повторяю я. Выражение «романтическое дерьмо» снова непрошено выскакивает у меня в голове. — Но чувствую, у нас не слишком много общего.

Опять раздается раздражающий смех Льюиса.

— У нас все было прекрасно.

В какой же это момент? Даже интересно.

— Я выпрыгнула из окна туалета, вместо того чтобы продолжить свидание, — напоминаю я ему.

— Это было уморительно.

— Это было от отчаяния.

— Мне нравятся женщины, которые строят из себя недотрогу.

— Никого я из себя не строю, Льюис. Я решила, что больше не хочу свиданий. Ни с кем. — А уж с тобой тем более. — Сожалею.

— Ты — удивительная женщина, — отвечает он.

— А ты... Ты — тщеславный, раздражающий, неприятный, эгоцентричный, толстокожий... мужчина.

Льюис прислоняется к двери, отвратительно улыбаясь.

— Так когда мы снова увидимся?

Когда рак на горе свистнет. Или когда ад замерзнет. Или когда Кэти Прайс[1] уйдет в монастырь. Или когда Джонатан Росс[2] заговорит без дефектов речи. Или когда пройдет миллион, триллион, несметное количество лет.

То есть никогда.

— Я же только что сказала вам, Льюис. — Вдруг я замечаю, что говорю с ним, как с маленьким приставучим ребенком. — Я больше не хочу вас видеть.

Он улыбается.

— Это часть общего плана?

— У меня нет плана, ни общего, ни любого другого. Я просто не хочу вас видеть снова.

И, прежде чем я успеваю что-то сделать, он хватает меня и целует прямо в губы. Мне хочется сплюнуть.

— А теперь повтори, что не хочешь меня видеть.

— Я не хочу вас видеть, — говорю я сквозь зубы, пытаясь сдержать поднимающуюся во мне ярость.

Он показывает на меня пальцем и отступает под дождь.

— Я так легко не сдаюсь, — говорит он, потом резко поворачивается на каблуках и бегом направляется к своей «Ауди ТТ», которой хвастался тем вечером. Машина

---

[1] Кэти Прайс — английская певица, модель.
[2] Джонатан Росс — английский телерадиоведущий.

начинает двигаться задним ходом, потом разворачивается, на мгновение осветив меня фарами, и скрывается в ночи.

— Ну, тупой, — брезгливо говорю я, вытирая рот рукавом.

Когда я закрываю дверь, руки мои дрожат, и я напоминаю себе, что в следующий раз надо будет посмотреть в глазок.

Глава 15

Десять минут спустя Майк возвращается с китайской едой. Я раскладываю на тарелки горячую пищу из всех маленьких мисочек и, когда мы садимся, делаю глоток пива.

— Все хорошо? — спрашивает Майк, уплетая за обе щеки. — Ты выглядишь измотанной. Это птичье приключение Арчи так плохо сказалось на тебе?

Я раздумываю, не сказать ли ему просто «да», но потом понимаю, что честность, вероятно, будет лучшей политикой. Приезд напыщенного идиота Льюиса Морана несколько потряс меня. Я и вправду не хотела, чтобы он знал мой домашний адрес, и могла бы воздать Нине по заслугам за то, что она дала его ему. На улице ночью темно, хоть глаз выколи. Мне не нравится мысль о том, что кое-кто может выслеживать меня.

— Пока ты забирал еду, здесь появился мой партнер с последнего свидания.

Майк удивлен, но так и должно быть.

— Здесь?

— Да. Я не давала ему адреса, но моя подруга дала, чтобы он мог прислать розы.

— Подруга?

— Нина. Наверное, она думала, что оказывает мне добрую услугу, а я не успела сказать ей, какой он ужасный.

— Настойчивый парень.

— Да, — признаю я. — Даже чересчур. Странность в том, что в тот день он постоянно говорил о себе, и мое присутствие было ему не так уж важно. Теперь же он, кажется, решил, что я — чудесная неуловимая женщина, которая разыгрывает из себя недотрогу.

Майк смеется, и мое напряжение уменьшается. Я тоже смеюсь.

— Да он совсем чокнутый, — говорит Майк.

— Не могу не согласиться.

— Не давай ему доставать себя, — советует Майк. — И он скоро потеряет интерес. У таких типов всегда так происходит. — Он смотрит поверх тарелки с креветочными крекерами. — А вот тихие и скромные, те не сдаются.

— Да, верно.

До конца ужина мы хихикаем, как дети, а потом садимся на диван посмотреть «Ангелы и демоны» на DVD. Арчи сворачивается клубочком между нами, а омерзительный Льюис уже давно забыт.

Однако, когда я провожаю Майка и благодарно клюю его в щеку, уже близится полночь, и поэтому я особенно тщательно запираю дверь. Можете считать, что у меня паранойя, но я проверяю и заднюю дверь, причем дважды.

Когда я скольжу под пуховое одеяло и обнимаю Арчи, то, несмотря на все неприятности, мои страхи рассеиваются, и сон приходит ко мне немедленно. Поэтому я испытываю настоящий шок, когда в два часа ночи звонит мобильник. Я беру его и вижу слова «Номер неизвестен».

— Алло, — говорю я осторожно. — Кто это?

Но ответа нет, только нескончаемая тишина. Не говоря ни слова больше, я отсоединяюсь. Через мгновение слышу, как начинает работать мотор, и спальню на мгновение освещает свет фар.

Вскакиваю с кровати и пулей несусь к окну, но не успеваю заметить марку машины, с огромной скоростью проезжающей по переулку. Должно быть, это опять Льюис Моран. Кто еще это может быть? Возвращаюсь под одеяло, радуясь, что дом Майка всего лишь на расстоянии броска камня от моего окна. Если я буду кричать погромче, он меня услышит. А затем вспоминаю, что гораздо лучше просто позвонить ему.

Когда я только переехала сюда и впервые за семь лет начала спать в одиночестве, то по ночам была нервной развалюхой. Не имея привычки быть одной на двуспальной кровати, я металась по ней, запутывалась в одеяле и проводила половину ночи, пихая подушки кулаками. Меня будил любой звук. Лишь через много недель я привыкла к потрескиванию древних деревянных балок, звяканью незнакомых труб и посвистыванию современного центрального отопления. Крик совы на дубе через дорогу пугал меня до дрожи, как и непривычный шелест деревьев. Теперь же все эти звуки кажутся мне уютными и успокаивающими.

Вот только ночные безмолвные звонки по телефону выбивают меня из колеи. Натянув одеяло до шеи, я в конце концов засыпаю опять. Но в четыре утра меня снова будит телефон. Я его выключаю, но сон уже ушел, и к тому времени, как в семь звонит будильник, у меня песок в глазах, я раздражена и очень-очень устала. И то, что ночью Арчи стошнило в мою удобную туфлю для работы, отнюдь не улучшает начала моего дня.

В салоне я рассказываю Нине о визите Льюиса-идиота и о ночных телефонных звонках.

— Жуть, — говорит она. — Какой же он придурок!

Я полностью с ней согласна.

— А розы появились?

— Да. И теперь я жалею, что не велела ему засунуть их туда, куда не проникает солнечный свет.

— Я заставлю Джерри сказать Льюису, чтобы он отстал. Я и вправду сожалею об этом, Дженни. Понятия не имела, что он псих.

— У вас с Джерри опять все хорошо?

Нина пожимает плечами.

— Да, вроде того. Знаешь, как бывает.

Но знаю ли я? Мои отношения с Полом не были ужасными, но и прекрасными тоже не были. Они просто были, существовали без особых усилий каждого из нас. Могли ли мы, приложив усилия, превратить их в нечто гораздо лучшее? Бывают времена в моей жизни, когда я задаю себе вопрос: почему я вообще разошлась с Полом? Но затем вспоминаю, что это было не мое решение, и, в отличие от обычных причин для расставания, в моем случае это была женщина старше меня и к тому же разведенная. С ее появлением нашим отношениям пришел конец, поэтому теперь бесполезно пережевывать все снова.

В это утро пришли все клиентки, которым было назначено. Я до самого обеда стригла, укладывала волосы и делала перманент, чувствуя себя сварливой, измученной и — несмотря на то что у меня появился навязчивый ухажер — совсем нелюбимой.

Глава 16

Обычно я посылаю кого-нибудь из молодых принести мне в обед сэндвич из кафе напротив, но сегодня мне нужен глоток свежего воздуха, чтобы проснуться. Я захожу в комнату персонала и беру сумочку. Обеденный перерыв у меня сегодня всего полчаса, и это будет мой первый настоящий и очень желанный промежуток между клиентками.

— Заказы будут?

На листке бумаги я записываю просьбы, иначе все забуду к тому времени, когда дойду до кафе. Нина хочет еще фруктов. Полная сумка, которую она опустошает каждый день, уже наполовину пуста, из-за чего она явно нервничает. Вот вы, например, не хотели бы, чтобы у вас внезапно кончились фрукты?

— Возьми мне груши, — говорит она. — Но никаких яблок. Может быть, сливы или виноград. — Когда я начинаю нетерпеливо постукивать ногой, она завершает: — Просто возьми, что у них будет.

Выходя из салона, я поднимаю глаза — и вот прямо во внутреннем дворике, прислонившись к стене, стоит Льюис. Я озираюсь. Неужели, *неужели* он ждет меня? Прежде чем он успевает меня заметить, я ныряю назад.

— Кристал. — Я маню ее к себе. — Ты можешь получить для меня этот заказ в кафе и заскочить в овощной, чтобы взять фрукты для Нины?

— Да, конечно, — говорит она и исчезает в своем коротеньком топе и шортах. У нее голые ноги, обутые в угги.

Задушив в себе внутреннюю надзирательницу, я воздерживаюсь от вопроса — не хочет ли она накинуть что-нибудь потеплее, поскольку сейчас ноябрь и чертовски холодно.

Вернувшись в комнату персонала, я сажусь рядом с Ниной.

— Быстро ты, — замечает подруга.

— Я не пошла, — говорю я ей. — Угадай, кто околачивается возле салона?

— Ты шутишь, — говорит она в ответ на мой рассказ о том, кого я только что видела.

— Кто-то, может, и шутит, но боюсь, что не я.

— А это точно Льюис?

— Абсолютно.

— Пошли.

Она тянет меня в салон, и мы крадучись заходим за стойку администратора, приседаем и, выглядывая из-за ее края, смотрим во внутренний дворик.

— Это действительно он, — подтверждает Нина, будто у меня была хоть капля сомнения. — Давай я подойду к нему и задам ему взбучку.

— Мы не можем доказать, что он сделал что-то плохое, Нина. Он просто прячется здесь.

— Можно вызвать полицию.

— И что они сделают? — вздыхаю я. — Мне кажется, что телефонные звонки были от него, но, возможно, я не права. Вдруг кто-то ошибся номером? Или просто хулиганил?

Видно, что Нину мучает совесть.

— Не следовало мне давать ему твой чертов адрес.

— Урок усвоен, — утешаю я ее.

Мы отступаем в безопасную комнату персонала.

— У Дженни появился преследователь, — объявляет она мальчикам.

— Хотите, мы собьем его с ног и хорошенько вздуем? — предлагает Клинтон.

Честно говоря, Клинтон не смог бы сбить с ног даже Игл Пигла[1].

— Все в порядке, — уверяю я его и обращаюсь к подруге: — Просто заставь Джерри поговорить с ним, Нина.

---

[1] Игл Пигл — герой популярных мультфильмов, игрушка (тряпичная кукла).

Я чувствую, что она считает себя обязанной вытащить меня из этой заварушки, поскольку сама же и устроила ее.

— Пусть твой муж скажет ему, что я недоступна. Пусть скажет, что у меня герпес, СПИД, последняя стадия рака и совсем нет денег.

— Не шути такими вещами, — говорит Нина.

— Ну, тогда скажи ему, что я убежала с Джонни Деппом.

— Вот это уже лучше, — одобрительно кивает Нина. — Хотя я тебя знаю, ты нашла бы причину избавиться и от Джонни Деппа. — Она кладет голову мне на плечо и смотрит на меня снизу вверх. — Печально, что ты разочаровалась в любви, Дженни.

— Да не разочаровалась я в любви, — протестую я.

— Ты еще молода, — продолжает она. — Красива. Не закрывай свое сердце.

— Я не закрываю сердце, но и не хочу за диетическую кока-колу раздвигать ноги для высокомерного придурка через десять минут после встречи с ним. Мне нужна совсем не такая любовь.

— Знаешь, времена рыцарских романов давно прошли. Возможно, тебе следует по-другому воспринимать мир.

— Да лучше я останусь одна, чем регулярно буду проходить через это. — Я тычу большим пальцем через плечо в направлении Льюиса Морана.

— Не сдавайся, — умоляет Нина, — пожалуйста, не сдавайся.

— Ты и вправду так отчаянно хочешь, чтобы и у меня были такие же отношения, как у тебя с Джерри?

Это удар ниже пояса. Лицо Нины темнеет, и она выпрямляется.

— Я знаю, что мы не влюблены друг в друга по

уши, — говорит она, — но мы, в общем-то, хорошо ладим. В основном.

На самом деле Нина и Джерри ладят не так уж хорошо. Если они не бросают друг в друга посуду, то уж точно ругаются. Джерри регулярно ходит налево, и каждый раз Нина уходит из дома.

Моя подруга провела много ночей у меня на диване под запасным одеялом, кляня Джерри всеми словами, какие только существуют на свете. И каждый раз она обещает, что никогда больше не вернется к нему, — и все только для того, чтобы забыть обо этом на следующий же день. Должно быть, ее муж знает, как сказать нужные слова, потому что после нескольких пустых обещаний она всегда решает, что надо вернуться, и опять падает в его объятия. Неужели *это* и есть истинная любовь? Неужели любовь и вправду слепа? Неужели Нину необъяснимо тянет к этому человеку, какими бы ни были его ошибки и недостатки? А когда разум говорит, что нужно уйти от него, неужели сердце всегда отвергает такое решение?

Появляется мой обед, и я мрачно ем. Где-то глубоко во мне есть что-то такое, что не хочет отказаться от мучительных попыток испытать всепоглощающую, страстную любовь. Какую печаль она принесет? Стоит ли жить, если не вскарабкаешься на эти головокружительные высоты? Добраться до конца отпущенного мне времени, так и не приблизившись к беспредельному восторгу, который и есть суть самой жизни, к боли и блаженству, которые заставляют вращаться мир? Моим родителям было уже семьдесят лет, а они держались за руки и каждый день говорили, что любят друг друга. Когда папа ушел из жизни, мама последовала за ним почти сразу. Она говорила, что не стоит жить без него. Сохранить такие чувства после сорока с лишним лет совместной жизни — должно же это что-то значить, ведь верно? Такую любовь и я бы хотела обрести.

И пока я обдумываю радости предстоящей мне одинокой жизни, Кристал просовывает голову в дверь.

— Пришла миссис Сильвертон.

— Я подойду через пару минут.

Моя клиентка идет сегодня на какой-то шикарный вечер и в честь этого события хочет сделать высокую прическу. Я думаю о сложном шиньоне. Это большой шаг в сторону от ее обычного непарадного вида.

Заскочив в туалет, я мою руки, изучая себя в зеркале. Ничего хорошего. Из зеркала на меня смотрит ужасное видение. Изможденное, бледное, измотанное. Что мне делать с собой? К глазам подступают слезы, и я вытираю их клочком розовой туалетной бумаги. Нина входит и видит, как я плачу.

— О, дорогая. — Она обнимает меня. Может быть, именно этого мне больше всего и не хватает: физического контакта. Я не имею в виду секс, но объятия, крепкие ласковые объятия, уют чьих-то рук вокруг себя. — Не плачь.

— Я не хочу умереть в одиночестве, так ни разу и не полюбив, — причитаю я.

— Конечно, этого не будет, глупышка. Неужели ты думаешь, я позволю этому случиться?

— Нет.

— Вытри глаза, — командует она. — Ты храбрая девочка. — Подруга проводит большим пальцем у меня под глазами, стирая следы потекшей туши. — Не позволяй одному неудачному приключению с этим кретином выбить себя из колеи.

— Нет.

Я чувствую, что сейчас начнется икота, если я не

буду осторожна. Я пытаюсь взять себя в руки. Это смешно. Все это потому, что я устала.

— Тетушка Нина все уладит для тебя, — обещает подруга. — А теперь прими свой лучший профессиональный вид.

Я киваю. И прежде чем опять начну плакать или чувствовать жалость к себе, иду к миссис Сильвертон.

Мою клиентку уже усадили, и я через силу улыбаюсь, приближаясь к ней. Нервно выглянув из окна, я рада тому, что Льюиса нигде не видно.

— Все готово для вашего великого вечера? — обращаюсь я к миссис Сильвертон.

— Не могу дождаться, — говорит она. — Вчера я загорала в солярии, а сегодня утром сделала маникюр. — Она показывает пальцы, чтобы я могла восхититься им.

— Тогда начнем.

— О, — говорит она. — Я только принесу буклет.

— Буклет?

— Про сафари, на котором мы были. Ты сказала, что хотела бы туда поехать.

Я так сказала? Возможно, я просто болтала, хотя должна признать, что ее фотографии действительно были совершенно невероятными.

— О, чудно, — вежливо отвечаю я. — Спасибо. Я посмотрю.

— Возьми домой. — Она двигает буклет в моем направлении. На обложке написано «Великолепное сафари». — Оставь себе.

— Спасибо.

Я улыбаюсь про себя. У миссис Сильвертон полно благих намерений, но неужели она и вправду думает, что я собираюсь отправиться в Африку?

Глава 17

Почти сразу после обеда в комнату персонала заглядывает Клинтон.

— У стойки вас ждет мужчина, леди, — радостно сообщает он мне.

Мое сердце падает.

— Он назвал себя?

— Нет. — Клинтон подмигивает. — Красивый, однако. — И возвращается к своему клиенту.

Судя по описанию, это, конечно, не Льюис Моран. Если только Клинтон не соврал.

Я с опаской приоткрываю дверь и рискую взглянуть в щелочку.

Как бы я хотела, чтобы Нина была здесь и могла поддержать меня или чтобы я могла отправить ее как свою представительницу, но она выскочила на почту, чтобы послать подруге открытку ко дню рождения. Я поражена тем, что там не Льюис, но еще более поражена, что вижу своего бывшего, Пола, который стоит, лениво прислонившись к стойке.

Я не видела его уже много месяцев. За все время, что мы не вместе, я лишь несколько раз натыкалась на него, и мы всегда были приветливы друг с другом. Когда мы расстались, я несколько отошла от нашего обычного круга друзей, а когда переехала в Нэшли, у меня не было случая встретить Пола, поскольку я не оказывалась в наших любимых местах. И мне странно, что он ждет меня здесь точно так же, как часто ждал раньше, когда мы были вместе.

Но раз это не страшный мистер Моран, то я чувствую себя в достаточной безопасности, чтобы рискнуть и выйти из комнаты персонала, поэтому отправляюсь через салон вслед за Клинтоном.

— Пол? — окликаю я, приблизившись к нему.

Мой бывший смотрит в окно, но когда переводит взгляд на меня, то улыбается немного смущенно.

— Привет, — говорит он. — Просто подумал, что можно заскочить к тебе.

— О. — Заскочить? Я задумываюсь. Почему теперь? Я пытаюсь оценить Пола, при этом не подавая вида, что рассматриваю его. Прошедший год был для него хорошим. Возможно, появилось еще несколько седых волос, и, совершенно определенно, его талия расплылась, но дополнительный вес ему идет. Ясно, что его новая любовь готовит лучше, чем я. — Рада тебя видеть.

Он проводит рукой по волосам, возможно, вспомнив, что я больше не его парикмахер.

— Найдешь пять минут выпить кофе?

— Не получится. — Я говорю извиняющимся тоном. — Через десять минут у меня клиентка.

— Я просто хотел тебе кое-что сказать.

Я пожимаю плечами.

— Но не здесь, — добавляет он.

— Ладно, сейчас оденусь.

Я возвращаюсь в комнату персонала и надеваю пальто. Странные мысли проносятся у меня в голове. Неужели у него все так плохо с новой возлюбленной? Или он внезапно понял, что именно меня и хотел все это время? Или же он хочет, чтобы мы дали нашим отношениям еще один шанс? Когда мы выходим из двери, рука Пола скользит под мой локоть. И никто из нас не знает, что делать дальше. Присесть возле салона негде, и здесь нет никакого убежища. В конце концов мы идем за угол и прислоняемся к стене симпатичного цветочного магазинчика. Рабочие заняты тем, что поднимают на фонарные столбы рождественские украшения, и если бы я даже попыталась, то не смогла бы меньше чувствовать дух Рождества. Погода мерзкая, ветер мечется вокруг нас. Пол дует себе на пальцы — он без перчаток. Я скрещиваю руки на груди, ощущая где-то в желудке тревожное трепетание, но не могу сказать, то ли это из-за того, что у меня сохранились чувства к Полу, то ли потому, что он внезапно возник из ниоткуда.

— Как поживаешь? — спрашивает Пол таким тоном, будто уже жалеет, что пришел.

— Прекрасно, — говорю я. — Просто замечательно. А ты? — Странно, какой неестественной может стать беседа двух людей, живших вместе в течение семи лет.

— Тоже хорошо, — говорит он. — Все хорошо.

И возникает пауза, которая тянется и тянется. Мы больше не произносим ни слова, но мой ум работает безостановочно. Если Пол попросит меня начать все снова, что мне ответить? Это именно то, что я хочу? Может быть, опасность в том, что я брошусь в прежние отношения лишь только потому, что в них мне все знакомо? Будет ли это лучше одиночества?

Меня начинает бить дрожь.

— О чем ты хотел поговорить?

Он глубоко вздыхает.

— Я хотел сказать, что мы с Труди решили пожениться. — Пол переступает с ноги на ногу.

— О.

— Я подумал, — говорит он, — что ты должна это узнать от меня, а не случайно услышать от кого-нибудь или увидеть в местной газете.

— Спасибо, — говорю я, изо всех сил пытаясь не выдать голосом шок от новости, что узнала от бывшего. Он пришел повидаться со мной не потому, что передумал или решил, что я любовь всей его жизни. Совсем наоборот. — Очень заботливо с твоей стороны. Поздравляю. Надеюсь, вы будете счастливы вместе.

— Мы счастливы, — говорит он, и я замечаю гордую улыбку на его лице. — У нее будет ребенок, Дженни. У нас будет ребенок. — Похоже, ему хочется бегать туда-сюда по Хай-стрит и рассказывать об этом каждому встречному.

— Правда? — Я чувствую, как голова у меня идет кругом. — Это изумительно. Рада за тебя.

— Да? Действительно рада?

— Конечно. Мы оба движемся дальше. Мы с тобой в качестве пары — пройденный этап.

Я пытаюсь засмеяться, но у меня ничего не выходит.

— Я подумал о том, что надо бы пригласить тебя на свадьбу. Сейчас рождественская неделя. Но... — Он не договаривает.

— На этой неделе меня здесь в любом случае не будет. — Ложь вылетает из моего рта прежде, чем я успеваю закрыть его. — Я уезжаю.

— Куда?

— В Африку. — Черт возьми, это-то откуда выскочило?

— Ничего себе. — Теперь его очередь удивляться. — Большое приключение для тебя.

Я пожимаю плечами.

— Да, знаешь ли, решила посмотреть мир. — Почему я нагло вру ему? С тех пор как мы расстались, я даже на денек в Богнор Реджис[1] не ездила. Неужели я чувствую себя настолько неполноценной только потому, что он женится и заводит семью? Думаю, да. И вы даже не представляете себе, какой жалкой я себя из-за этого чувствую. — Кажется, у тебя все складывается как нельзя лучше?

— Так и есть, — говорит Пол. — Все замечательно. — Теперь он выглядит виновато из-за того, что вы-

---

[1] Богнор Реджис — курортный город в Западном Суссексе Англии.

плеснул на меня слишком много новостей о своей жизни. — Я не должен был так поступать с тобой. Это неправильно, глупо. То, что было между нами, совсем неплохо.

— Конечно. Но мы никогда не сходили с ума друг по другу, — указываю я. — Кажется, все к лучшему.

— Да, — неохотно соглашается он. — Труди замечательная. Она бы тебе понравилась. — В его глазах я вижу любовь к ней, а из-за меня они никогда так не блестели. — Ну, а сама-то ты как?

— Теперь я совсем другая женщина.

Нет, не другая. Я чертовски прежняя, и мне больно признаться в этом. От его новостей про женитьбу и ребенка мне гораздо больнее, чем от нашего расставания. Будто я внезапно и очень ясно увидела, чего не смогла достичь.

— В Африке должно быть чудесно.

— Да, мне так и говорили.

— А у нас очень долго не будет ничего такого. — У него такое выражение, будто на самом деле он не хочет этому верить. Кого угодно может подкосить одна лишь мысль, что в течение следующих десяти лет они будут проводить семейные отпуска в автомобильном прицепе где-нибудь в Корнуэлле или Уэльсе. Но Пол быстро принимает свой обычный вид. — У тебя есть кто-нибудь?

— Да. Встречаюсь кое с кем, — отвечаю я. — Его зовут Льюис. — Я не говорю Полу, что встречаюсь с ним исключительно в своих кошмарах. — Он прекрасный парень, у нас только что все началось. — Мне следовало бы отрезать себе язык, чтобы я не могла говорить такие вещи.

— Это хорошо. — Мой бывший, видимо, испытывает облегчение.

Я смотрю на часы.

— Пора возвращаться.

Пол прикасается к моей руке. Я чувствую нежность

в этом прикосновении, чего никогда не испытывала в наших отношениях, и мне становится интересно — неужели новая женщина сделала его мягче и заботливей? Или, может, это потому, что он скоро станет папой? Я грустно смотрю на него. Неужели он и есть Тот Самый Единственный и он ушел навсегда? Надо ли было любить его сильнее? Могла ли я любить его сильнее? А если бы я была более романтичной, более нежной? Можно ли насильно ввести это в отношения? Разве подобное не происходит естественно, если вы оба это чувствуете? Как сложится моя жизнь, если в ней больше не будет такого человека, как Пол? Я вот попробовала пообщаться со свободным мужчиной, и у меня почти не осталось надежды на хорошее будущее.

— Ты же знаешь, если тебе что-то понадобится, Дженни, то просто попроси меня.

— Да все у меня хорошо, — уверяю я его. — Честно.

— Ты уверена?

— Сообщи, когда родится ребенок.

— Мы ждем девочку в марте будущего года.

И опять он светится от гордости. Возможно, если бы у нас, у меня и Пола, были дети, то все могло бы пойти по-другому...

— Это чудесно.

Он клюет меня в щеку.

— Желаю прекрасно провести время.

— Да.

— В Африке.

— В Африке? — И тут я вспоминаю. — О да, в Африке.

— Увидимся, Дженни.

— Да, чудненько. Передай привет...

Но Пол уже не слышит.

Я мчусь назад в салон, запираюсь в туалете и начинаю реветь.

Глава 18

Вернувшись домой, собираюсь первым делом запереть входную дверь и задернуть занавески. Ну, если быть точной, первым делом надо накормить кота, иначе прольется кровь.

Я без сил, и не только потому, что весь день провела на ногах. В эмоциональном плане я тоже истощена. Встреча с Полом оказалась шоком. Нравится мне это или нет, но новости о его предстоящем браке и отцовстве оставили во мне чувство пустоты и одиночества. Весь мир движется дальше, а я стою на месте. Думаю, часть моих трудностей обусловлена тем, что каждая проблема кажется преувеличенной просто потому, что не с кем ее разделить. Каждое решение должно быть моим собственным. Обычно я справляюсь довольно хорошо. Сегодня же на это ушли все мои силы.

— Что у нас на обед? — спрашиваю я у Арчи, и даже от такого пустяка, как этот вопрос, у меня опять перехватывает дыхание. Я опять разговариваю с моим чертовым котом! Значит, я быстрее, чем расчитывала, становлюсь слабее рассудком и печальнее.

Арчибальд бодает шкаф, в котором хранится его еда. Интересно, насколько скучно жить, питаясь только сухим кормом, и не из-за этого ли он тоскует по мышиным потрохам и птичьим головам?

Весь его вид говорит: «Поторапливайся, стерва!»

Наконец кот накормлен. Для себя я делаю выбор в пользу замороженной лазаньи и открываю бутылку красного вина. И пока лазанья готовится в микроволновке, приканчиваю бокал.

Пить в одиночестве — тоже плохо, и среди недели я обычно так не поступаю, пытаясь продержаться до выходных. Но за последние несколько недель моя воля ослабла, и я стала выпивать несколько бокалов даже в будни. Иногда это единственное, что может облегчить мне жизнь.

Розы, доставленные вчера, все еще в раковине. Я не могу заставить себя снять целлофан и красиво оформить их, расставив в какие-нибудь сосуды. Никогда не видела столь опоганенных роз. Они для меня теперь просто жалкая пародия на то, что должны представлять собой.

Мне предстоит одинокая ночь. В доме Майка не было и признака жизни, когда я вернулась, и я лениво думаю о том, где он может быть. Наверное, задержался на работе. Я бы могла просто позвонить ему на мобильник, чтобы убедиться, что с ним все в порядке, но почти сразу же говорю себе, что нельзя звонить Майку каждый раз, когда какая-то мелочь идет не так, как надо. Он не может всегда быть моим убежищем для отступления. У Майка должна быть и собственная жизнь.

Я сижу за кухонным столом, потягивая вино. Арчи трется о мои ноги. Я начинаю расслабляться, хотя и помню, что следует опасаться его острых когтей. Вытащив из сумочки буклет миссис Сильвертон, начинаю перелистывать его. «Великолепное сафари». Вот из-за таких рекламных проспектов у меня в голове полно выдумок об Африке. Почему-то мне было приятно, хоть и немного совестно, от того, что Пол обалдел, когда я упомянула о своей поездке туда. Неужели настолько невероятно, что я могу совсем одна отправиться в путешествие? Неужели я так ужасно предсказуема? Возможно, так и есть. Хмм, думаю я. Кажется, путешествовать по Африке замечательно. Фотографии необъятных африканских равнин, роскошных домиков, фешенебельных стоянок и фотогеничных животных заполняют глянцевые страницы.

Микроволновка пищит. Лазанья вспузырилась и уже готова.

Я ем, мне становится легче, да и следующий бокал вина тоже не пропадает впустую. Я уже не могу оторваться от буклета. Арчи залез на стол, чтобы узнать, что я читаю.

— Смотри. — Я показываю ему страницу, которую почти полностью занимает морда льва с огромной гривой. — Он тоже из твоего кошачьего племени. Вот поедешь в Африку и побегаешь от него за свои же деньги.

Арчи не спорит.

Поев, я мою тарелку, потом отправляюсь в гостиную и кладу в камин пару поленьев. Майк, как обычно, оказался замечательным другом и пару недель назад принес мне дрова. Теперь у меня в сарае их столько, что, наверное, хватит на всю зиму.

Свернувшись поудобнее на диване, я подтягиваю под себя колени. Этот дом — мое убежище. Здесь я чувствую себя в безопасности, и мне очень повезло, что у меня хорошие соседи — все, не только Майк. Пара по соседству, Лин и Мартин, всегда рады помочь или просто поговорить через забор. Пол и Али тоже прекрасная пара, хотя оба работают в Лондоне на сумасшедшей работе и нечасто бывают дома. Я продолжаю листать буклет. Выглядит все это очень соблазнительно. Тут я слышу негромкий стук в дверь, и у меня в жилах стынет кровь.

Я знаю, кто это, даже не подходя к двери. Несмотря на нежелание, все же иду и смотрю в глазок. Конечно же, по ту сторону стоит Льюис Моран и держит руки в карманах. Он что-то насвистывает ради собственного удовольствия. Я прислоняюсь спиной к двери. Ни за что на свете не открою ему. Не хочу, чтобы он снова накинулся на меня и полез целоваться. Наверное, он увидел свет в окне, но сегодня вечером здесь его не ждут. Я могу лишь радоваться, что успела предусмотрительно задернуть занавески, поэтому твердо знаю, что он не может заглянуть внутрь.

Льюис скребется снова.

— Дженни. — Он пытается поднять створку щели для писем, чтобы кричать через нее, но я придерживаю ее бедром. — Я знаю, что ты там. Открой мне. Я просто хочу поговорить с тобой.

На всякий случай я проверяю, надежно ли дверь закрыта на засов — к счастью, так и есть, — и тихонечко, на цыпочках удаляюсь. Направляюсь к дивану, сажусь на него, примостившись на самом краю, и поднимаю Арчи к себе на колени.

— Поужинай со мной, — умоляет Льюис, по-прежнему стоя снаружи. — Выпьем. Какой вред может быть от выпивки?

Неужели он и вправду не может оценить, насколько ужасно все было в прошлый раз? И тянул же черт меня за язык, когда я сказала Полу, что встречаюсь с этим ужасным человеком! Ведь это же несусветная ложь! Я хватаю подушку и кладу ее на голову так, чтобы она закрыла уши и не пропускала звук. Через секунду начинает звонить мобильник, и мне даже не надо проверять имя звонящего. Я решаю не отвечать, чтобы сработала голосовая почта. Второй звонок, третий, четвертый.

— Я не сдамся, — кричит Льюис на прощание, и я слышу, как его шаги удаляются по дорожке.

Какое счастье! Метнувшись к окну, я чуть-чуть оттягиваю занавеску и смотрю, как в темноте его фигура направляется к машине. Он поворачивается, бросает взгляд на дом, и я отскакиваю назад, чтобы он меня не увидел. Кажется, получилось, потому что через мгновенье его машина, взревев, исчезает во тьме. Я сержусь на себя. Одно ужасное свидание, и теперь он смотрит на меня, как на некий вызов?

Иду назад к дивану и, конечно, не могу успокоиться. Думаю о том, что надо бы посмотреть фильм, но отвергаю эту идею — попадется что-нибудь романтическое или сентиментальное, и я опять разревусь. Или ужастик с горой трупов и лужами крови — я не смогу заснуть. Что же делать? Как избавиться от моего преследователя?

И вдруг в голове будто вспыхивает молния — я же могу уехать! Может быть, я не просто трепалась с Полом? Возможно, у меня было подсознательное желание сделать то, что мне действительно необходимо? Я могу уехать от всей этой мороки. А почему бы и нет? Конечно, на моем счете нет лишних денег, но что-то же я отложила на черный день, и, кажется, он настал.

Я грызу ногти. Конечно, можно дешево провести отпуск на Майорке, Ибице или где-нибудь в этом роде. Это все безопасные места, и я там уже бывала. Но я могла бы рискнуть и отправиться туда, где еще осталась дикая природа. Я смотрю на буклет миссис Сильвертон, и мои губы сами собой растягиваются в улыбке. Я на самом деле могу поехать в те места, о которых сказала своему бывшему.

В Африку!

Глава 19

— Ты едешь куда? — Нина смотрит на меня в ужасе.
— Я еду в Африку. На сафари.

Мы на пятнадцать минут удрали с работы, чтобы быстренько выпить кофе через дорогу от «Волшебных ножниц». Я заняла большой кожаный диван возле окна. Очистив кончиком пальца квадратик на запотевшем стекле, чтобы можно было видеть улицу, я всматриваюсь в хлопья раннего снега, медленно падающие на землю. Он еще растает, но сейчас все выглядит очень красиво. Интересно, будет ли зима долгой?

— Черт меня побери, — говорит Нина, качая головой. С ее волос падает несколько снежинок. — Кто вложил тебе в голову эту сумасшедшую идею? Это как-то связано с тем, что ты встретилась с Полом?

— Вроде того, — признаю я. Вчера у меня не было шанса рассказать Нине про его новости, а вечером я выключила мобильник, чтобы не слышать нежелательных звонков, и поэтому не получила дюжины ее сообщений с просьбой позвонить. — Он собрался жениться, Нина. У них будет ребенок.

— Проклятие!

— Я должна была сказать ему о чем-то хорошем в моей жизни.

— И сказала, что едешь в Африку?

— Да.

От признания мои щеки становятся пунцовыми. Но я не упоминаю, что наврала Полу про мои якобы встречи с Льюисом и что тот вчера вечером опять приезжал к моему дому.

— Могла бы придумать что-нибудь получше, — размышляет Нина, играя с пеной на своем капучино.

— Например?

— Например, что переспала с Джорджем Клуни или что-то вроде этого.

— Ну, должно было звучать правдоподобно.

— А твоя поездка в Африку правдоподобна?

— Миссис Сильвертон только что возвратилась оттуда. Она в полном восторге. Вчера она принесла мне буклет, чтобы я взглянула.

— Мы могли бы на несколько дней поехать в Испанию. Или еще куда-нибудь. Только ты и я.

— Келли не даст нам обеим отпуск перед Рождеством. Она и моей поездке не больно-то обрадовалась, но я должна взять отпуск, иначе он пропадет. Поэтому ей ничего другого не оставалось, кроме как отпустить меня. — А еще вчера вечером я нажала несколько кнопок в интернете, и теперь у меня все на мази. — Сегодня после обеда обзвоню своих клиенток и, если они захотят, передам их тебе.

— Но ты же не можешь ехать в Африку одна, — хнычет Нина.

— Я и не одна, — объясняю ей. — Это групповая поездка. Нас будет пятеро.

— И ты можешь их всех возненавидеть.

— Могу, — соглашаюсь я. — Но это всего на неделю.

Двухнедельная поездка в самое загруженное время года могла чрезмерно разгневать Келли, а кроме того, я подумала, что лучше не снимать со счета в банке все до последнего пенни.

— Джерри отправляется в Таиланд на холостяцкий уик-энд, — жалуется подруга. — Это мог быть мой шанс отомстить ему. Раз можно ему, то можно и мне.

— В Таиланд на уик-энд?

— И не говори. — Нина закатывает глаза. — Я даже вообразить не могу, что он будет там делать.

А я могу. Даже слишком хорошо.

— Мальчишник накануне нашей свадьбы был в местном пабе, где жених с несколькими друзьями выпил пару пинт пива, — продолжает она. — Теперь мальчишники и девичники стали крупным самостоятельным событием. И денег на них уходит едва ли не больше, чем на чертову свадьбу! — Нина отпивает кофе. — Невеста отправляется на Сейшелы с десятком подруг. Нечто столь же расточительное, как раньше медовый месяц. Я, по правде говоря, не знакома с ней, поэтому меня не пригласили. А жаль.

Во всяком случае, совершенно невозможно, чтобы ее дорогой муженек позволил ей куда-нибудь поехать, несмотря на то какие развлечения он устраивает для себя.

— Джерри ходил с женихом в школу, поэтому у него есть прекрасное оправдание, чтобы смыться и позабавиться.

— Вот и поедем в Африку.

Нина фыркает.

— Это вряд ли.

— Почему?

— А зачем мне туда ехать?

— Там ошеломляющие пейзажи. Удивительная дикая природа. И животные. К ним можно подобраться очень близко. Как на картинках миссис Сильвертон.

— Прекрасно, — говорит Нина, но, судя по ее виду, она так не думает. — Дикая природа. Животные. — Она раздраженно вздыхает. — Все это ты можешь увидеть и в зоопарке.

— Но это же совсем другое дело!

— Еще бы. В зоопарке тебя вряд ли съедят.

— Там тоже не съедят.

— Там будет скучно. Почему бы тебе вместо Африки не отправиться на море, позагорать на пляже? Тогда бы и я с тобой поехала. Мы бы повеселились.

— Я уже заказала билет, — напоминаю я ей. — А кроме того, я не хочу так проводить отпуск. Мы с Полом много раз ездили на море, и я никогда не получала настоящего удовольствия. Ты должна радоваться за меня, ведь я хочу попробовать что-то новое.

— А еще ты хочешь уехать от хитрого Льюиса?

Я вздыхаю и помешиваю капучино.

— Отчасти, — признаю я. — Он опять приезжал к моему дому вчера вечером, Нина. Колотил в дверь, кричал через щель для писем. И весь вечер названивал мне.

— О боже, — говорит подруга. — Неудивительно, что ты выключила телефон. Какая мерзость. Позволь мне вмешаться, я пошлю Джерри, и он отобьет Льюису ноги. Этот кретин не будет беспокоить тебя после этого.

— Я просто подумала, вот уеду на неделю, а к моему возвращению он поймет, что я им не интересуюсь, и будет двигаться дальше.

А Пол уже будет женат и тоже будет двигаться дальше.

— Ну, если я не могу отговорить тебя, то где точно у тебя будет эта легкомысленная прогулка? Расскажи-ка все тетушке Нине.

— Я еду в Масаи-Мара[1].

— Я не так уж сильна в географии, как следовало бы, — говорит Нина. — Где это, черт, возьми?

— В Кении, — отвечаю я. — Я заказала элитное приключение.

— Дорого, наверное?

Я пожимаю плечами в знак согласия.

— Да уж, недешево.

— И куда заведет тебя элитное приключение, если ты будешь жить в доме?

— Я заказала роскошный кемпинг.

— Палатка?! — Ее взгляд наполняется ужасом. — Рядом со львами, бегающими на свободе?

Теперь моя очередь пугаться.

— Не думаю, что они бегают на свободе вокруг кемпинга.

— Не думаешь? — говорит она. — На твоем месте я бы проверила, что там напечатано мелким шрифтом. И еще, кто будет заботиться об Арчи?

— Уверена, что Майк. Иначе придется отправить его в кошачью гостиницу.

---

[1] Заповедник Масаи-Мара расположен на юго-западе Кении и, по сути, является северным продолжением Национального парка Серенгети. Заповедник назван в честь племени масаи — традиционного населения региона — и реки Мара, которая разделяет его.

— Да уж, конечно, — говорит Нина. — Этот кот может разгрызть железные прутья, но как бы то ни было, он не будет счастлив.

Она права. Арчибальд Агрессивный, конечно же, заставит меня почувствовать свое неудовольствие. Но я-то уже готова к этому.

Глава 20

Сегодня Ночь костров[1], и я согласилась пойти с Майком на вечеринку с фейерверками, которая будет у нас в деревне. Несколько ракет уже разорвалось в небе, и Арчи, как и большинство котов, напуган. Обычно в таком случае он распластывается в невозможной позе и заползает под диван в гостиной, под которым и места-то всего два дюйма. И остается там, пока шум не стихает. Но сейчас его кое-что очень отвлекает от необходимости удрать. Я испекла целый поднос шоколадных пирожных, которые охлаждаются на стойке и ждут, когда я положу их в коробку для печенья и возьму с собой. Арчи сидит под ними, пытаясь решить, нравится ли котам их есть, и если да, то сколько штук в один присест.

— Даже не думай об этом, — сурово говорю я и получаю в ответ злобный взгляд.

Время отъезда быстро приближается — осталась всего неделя. Я должна сказать Майку про Африку и спросить, сможет ли он побыть Арчибальду нянькой. Мой сосед где-то работал всю неделю, и его не было видно. Я начала собирать вещи и складывать их в чемодан.

_____

[1] Ночь Гая Фокса, также известная как Ночь костров и Ночь фейерверков — традиционное для Великобритании ежегодное празднование в ночь на 5 ноября.

Уже заказала деньги в банке, а моя виза пришла из посольства Кении как раз сегодня утром. Приступы волнения и паники все время следуют один за другим. Миссис Сильвертон очень обрадовалась, что я последовала ее советам, и рассказала много полезного.

Пока я надеваю теплые меховые сапоги, Майк стучит в дверь. Хоть я и уверена, что это «особый стук», все равно сперва смотрю в глазок. Льюис не перестал преследовать меня, несмотря на то что Джерри, кажется, поговорил с ним. По-видимому, он не может контролировать своего друга так, как жену. Нина сказала, что если Льюис будет продолжать преследовать меня после моего возвращения из Кении, то мне надо будет обратиться в полицию. Только разве они будут заниматься этим? Льюис, конечно, докучает мне, но не думаю, что может причинить настоящий вред. Он звонит несколько раз в день, и я никогда не отвечаю. Раз в несколько вечеров он появляется у моей двери. Иногда оставляет шоколад, однажды — розового плюшевого мишку с вышивкой на груди «Я ♥ ТЕБЯ». Изредка — записку с мольбой о свидании. Время от времени я замечаю, как он прячется во внутреннем дворике возле салона, но никогда не входит внутрь. Разве этого достаточно, чтобы пойти в полицию? Вот если он начнет совать собачье дерьмо в щель для писем или посылать оскорбительные эсэмэски с требованием видеть меня в белье или что-нибудь в этом роде, тогда мне придется пересмотреть свое решение. Пока же я еще надеюсь, что он устанет гоняться за той, кто вовсе им не интересуется, и найдет какую-нибудь не столь подозрительную и разборчивую женщину, которая его полюбит.

Я впускаю Майка. Под мышкой он держит коробку с фейерверками.

— Готова и сгораешь от нетерпения? — говорит он, хлопая в ладоши. Думаю, он имеет в виду вечеринку. Но эти же слова могли бы относиться и к моей поездке, о которой, кстати, надо ему рассказать.

Майк одет в мягкую теплую куртку. На нем — джинсы и сапоги, а на голове — разноцветная перуанская шапка чульо[1]. Она связана из красной, белой и желтой шерсти, а свисающие уши заканчиваются яркими красными кисточками.

— Ты одет несколько необычно.

— Купил ее, когда несколько лет назад шел по Тропе инков[2], — объясняет он, крутя кисточками. — В Андах было жутко холодно по ночам. Хорошо, что у меня была эта шапка. С тех пор она лежала на дне платяного шкафа. Таня ни за что не хотела, чтобы я ее надевал. Так что это одно из преимуществ холостяцкой жизни. — Он натужно смеется. — Теперь я могу надевать ее, когда захочу. И вот подумал, что пора бы ее проветрить. Это немного рискованно для добрых людей, живущих в Нэшли. Думаешь, мистер и миссис Кодлинг-Бентем впустят меня в этой шапке в свой сад?

— Уверена, что впустят. — Я улыбаюсь. — Она тебе очень идет. — Вижу, что Майк все равно сомневается. — Я не знала, что ты из тех, кто любит приключения, — поддразниваю я.

— Раньше я делал много всего такого. — Он печально пожимает плечами. — Ну, до того как встретил Таню, конечно. Я побывал в Гималаях, Бутане, Южной Америке, Индии — везде. Но она этого не любила.

— Жалко.

Он пожимает плечами.

— Возможно, когда-нибудь я вернусь к этому.

— А я собираюсь в приключение, — признаюсь я.

---

[1] Чульо — головной убор индейцев аймара с высокогорных Анд, нынешних Перу и Боливии.

[2] Тропа инков — туристический маршрут, позволяющий увидеть достопримечательности индейского племени инков.

Майк в удивлении поднимает глаза.

— Я только что забронировала недельную поездку в Кению. Еду на сафари. — Я кладу пирожные в коробку, пока говорю это, а потом надеваю пальто. — Роскошный кемпинг в Масаи-Мара.

Мой сосед безмолвствует.

— И не смотри на меня так. Я знаю, что я парикмахер, но мы не обязаны проводить отпуск в Бенидорме[1]. Мне хочется испытать что-то новое.

— А что тебя сподвигло? — озадаченно спрашивает Майк. — Ты никогда не говорила, что хочешь уехать.

— Всего на неделю, — смеюсь я. — Не на полгода. Ты готов?

— Если ты готова.

Я целую Арчи в голову.

— Иди, прячься под диван, — советую я. — Мы очень скоро вернемся.

Вид у кота такой, будто он с удовольствием показал бы мне средний палец, если бы мог.

Мы выходим в холодную ночь. На небе — красные, зеленые и золотые всполохи от ракет. Наше дыхание облачком висит в воздухе, пока мы с Майком идем рядом по переулку.

— Это было внезапным решением, — объясняю я Майку, когда он открывает калитку в сад Кодлинг-Бентемов, и мы вместе ступаем на дорожку.

Мистер и миссис Кодлинг-Бентем живут в величественном древнем доме из камня цвета меда. Он стоит рядом с церковью, по другую сторону от дома приходского священника, и вместе эти здания составляют часть доброй старой Англии. У нас больше нет ни лорда, ни его леди, но если бы были, то Кодлинг-Бентемы были бы прекрасными кандидатами. Они

---

[1] Бенидорм — город в Испании.

состоят в счастливом браке уже больше пятидесяти лет, их дети — дипломаты, военные и тележурналисты — разъехались по всему миру. Кодлинг-Бентемов очень уважают в деревне, и не только потому, что они открывают ворота своего изумительного поместья для всех жителей каждый раз, когда требуется: зимой — на Рождество; весной — на барбекю и сельские танцы; летом — тоже на барбекю. А сегодня будет вечеринка с фейерверком.

Здесь уже человек двадцать, то есть практически все население деревни. На полпути к саду уже горит костер, сияя ярким пламенем. На террасе рядом с домом накрыт стол, там горячий суп и чесночный хлеб. Викарий жарит колбаски на гриле, а из кухни струится аппетитный запах картофеля в мундире и перца чили. Конечно, попозже мне очень захочется все это попробовать. Я передаю свой шоколадный вклад, а Майк уходит, чтобы положить свою коробку с фейерверками поверх огромной груды таких же.

Когда он возвращается, то сразу же говорит:

— Но, надеюсь, это никак не связано с тем мерзавцем, который преследует тебя?

— Ну... отчасти. — Я пытаюсь притвориться беззаботной, чтобы скрыть, как это беспокоит меня на самом деле.

Мистер и миссис Кодлинг-Бентем приветствуют нас и протягивают пластмассовые стаканчики подогретого вина с пряностями. Аромат замечательный, а теплый алкоголь — как раз то, что нужно.

— В нем есть чуточку бренди, — говорит миссис Кодлинг-Бентем, объясняя крепость напитка. — Это согреет ваши сердца.

— Давно мне не согревали сердце, — говорит Майк.

— Значит, сегодняшний вечер для тебя счастливый.

Мы направляемся к костру и становимся так, чтобы лицом чувствовать теплоту. Мороз уже пытается кусать пальцы на руках и ногах.

— Знаешь, Дженни, в следующий раз, когда появится этот тип, позвони мне. Я тут же прибегу и скажу ему пару ласковых.

— Не хочу впутывать тебя в свои проблемы, Майк. Ты и так уже сделал для меня больше чем достаточно. Кроме того, у меня есть отпуск, который необходимо использовать. — Именно сейчас я могла бы сказать ему про женитьбу Пола и про ребенка, но зачем? Ведь тогда я буду выглядеть как грустная старая дева, которая никого не интересует.

— Я мог бы поехать с тобой.

Такая мысль никогда не приходила мне в голову — просить Майка сопровождать меня. Честно говоря, первой мыслью, пришедшей мне в голову, было «не позаботится ли он об Арчи». Это плохо? Не хотелось бы думать, что я считаю Майка само собой разумеющимся.

— Об этом я даже не подумала.

— Ты бронировала поездку онлайн? Я могу сегодня же вечером попытаться присоединиться к тебе. Если тебе хочется, конечно.

— Это было бы замечательно, — говорю я. Если Майк будет рядом со мной, мне будет намного спокойнее. Да и уживаемся мы хорошо. — Я еду на следующей неделе.

— О, черт возьми, — говорит он, и его хмурый взгляд не соответствует веселой расцветке его шапки. — Так скоро?

Я киваю.

— На той неделе я буду на конференции и никоим образом не могу пропустить ее, ведь я готовлюсь стать боссом. В любое другое время не было бы никаких проблем.

В свете костра я вижу беспокойство на его лице, и мне приятно, что он волнуется за меня — ведь я в одиночку еду в неизвестную страну.

— А есть вероятность, что ты перенесешь поездку? Мне годится любое другое время.

Я качаю головой.

— Мы будем безумно заняты следующие несколько месяцев. Моя начальница позволила мне уехать только потому, что у нее не было выбора.

— Жаль, — говорит Майк. — Чертовски жаль.

Да уж, думаю я. Мне бы очень хотелось, чтобы он поехал со мной — и не только потому, что он лучше меня обращается с фотокамерой.

Кто-то начинает пускать фейерверки, и ливень серебряных искр освещает кусты гортензии и клены. Майк потирает руки.

— Кажется, я нужен там. Меня ждет мужская работа.

— Так иди. А я выпью это чудное вино. Оно очень хорошо идет.

— Оставь немножко и для меня, — велит он и направляется к группе мужчин с фейерверками.

Ну почему мальчишки никогда не взрослеют?

Я любуюсь садом, из которого открываются просторы Бакингемшира, вместе со всеми охаю и ахаю при вспышках фейерверка, и все мысли об Африке бесследно исчезают.

Глава 21

У меня стресс. Еще так много всего надо сделать, а до отъезда в аэропорт остались считаные минуты, если не секунды. Майк уже ждет — он взялся меня подвезти. Сейчас он чистит мой холодильник, а я должна сесть на крышку чемодана, чтобы он закрылся, при этом я и понятия не имею, что в нем лежит.

— Это тебе не понадобится? — спрашивает Нина, держа в руках утюжок для волос.

— Не думаю, что там есть электричество, Нина.

Она недоверчиво смотрит на меня.

— Как же ты собираешься выпрямлять волосы?

— Пожалуй, львы не будут возражать, если на одну неделю я останусь в своем естественном виде, как ты думаешь?

— Все еще не пойму, почему ты не можешь поехать на Ибицу, — бормочет она шепотом. — Ну, если он тебе не нужен... — она отбрасывает утюжок в сторону, — то тебе точно понадобится вот это. — Нина бросает на кровать пару упаковок презервативов и закатывается от смеха. Как раз в этот момент входит Майк, и я чувствую, что мое лицо начинает гореть.

— У нее же должен быть шикарный отпуск, Майк, правильно?

Я торопливо подбираю презервативы, но не знаю, что с ними делать.

— С большим количеством выпивки и необузданным сексом, — добавляет подруга.

У Майка появляется встревоженное выражение.

— Но не слишком много необузданного секса. — По его лицу видно, что он бы предпочел, чтобы у меня вообще не было никакого секса, и я согласна с ним.

— Не будет ничего такого, Нина, — строго говорю я, пряча презервативы в прикроватную тумбочку. — Это будет вовсе не такой отпуск.

— А что, отпуск бывает другим?

— Я хочу познакомиться с иной культурой и, надеюсь, увижу прекрасную дикую природу.

И больше ничего.

— Повеселись, дорогая, — говорит она, закатывая глаза.

Майк, кажется, так же смущен, как и я.

— В холодильнике уже пусто, — говорит он.

Арчи с несчастным видом сидит у него за спиной.

— Парень, мы же будем в порядке без нее, так ведь? Кот громогласно жалуется в ответ.

— Я мог бы поспать пару ночей здесь, на диване, — говорит Майк. — Чтобы он не был один.

— Это лишнее. На самом деле. С ним все будет хорошо. — Да не будет с Арчи все хорошо. Уж он-то постарается это устроить. Первые несколько дней он будет корчить из себя обиженного, перестанет есть, будет притворяться, что умирает. А потом начнет вить из Майка веревки и забудет, что я уехала. Уж таковы коты.

Впервые я отправляюсь совсем одна и, честно говоря, беспокоюсь. Впрочем, я буду частью небольшой группы и могу надеяться, что они окажутся приятными людьми. А потом напоминаю себе, что уезжаю всего лишь на неделю, и, даже если я их всех возненавижу с первого взгляда, мне придется выносить их всего лишь несколько дней. А если они сразу возненавидят меня, то терпеть им придется тоже недолго. Но все равно мне отчаянно жаль, что Майк не едет вместе со мной.

— Закончила возиться с чемоданом? — хочет знать мой сосед.

— Думаю, да. — Я прикусываю губу, беспокоясь, не забыла ли я что-то важное.

— Ты можешь купить все, что забыла взять с собой, — советует Нина.

— Не уверена, что на африканских равнинах полно магазинов, — напоминаю я ей и удивляюсь, как и Нина, почему я не выбрала безопасную Испанию.

Майк, тяжело выдыхая, поднимает чемодан.

— Кажется, у тебя в нем лежит чугунная кухонная раковина.

Он выходит из моей спальни, спускается по узкой лестнице и направляется к машине.

— Несчастный Майк сохнет по тебе, — шепчет Нина, когда спина моего соседа скрывается из виду.

— Да нет же, — настаиваю я.

— Еще как!

— Он просто вежлив.

Она кивает в знак согласия.

— С ним тебе было бы не так уж и плохо.

— Но ты же называешь его Несчастным Майком, — напоминаю я ей. — И говоришь, что я провожу с ним слишком много времени!

— Возможно, я не так его понимаю, — признает она. — Теперь он забыл свою бывшую жену и кажется очень милым и вовсе не несчастным.

Он забыл свою бывшую жену? Возможно. И начал возвращаться к своему нормальному состоянию. Это похоже на то, как справляешься с огорчениями. Уж я-то знаю. Я, может, и не была без ума от Пола, но то, что он ушел, поразило меня, как сокрушительный удар молнии. А Майк обожал даже землю, по которой ходила Таня. Когда такой человек уходит, требуется время, чтобы приспособиться к этому. Особенно когда всей душой хочется, чтобы этот человек все еще был рядом. Майк был сам не свой, когда она уехала. Приятно видеть, что теперь он приходит в себя и что я хоть чуть-чуть, но смогла помочь ему в этом.

— Мы опоздаем, — зовет Майк с нижней площадки лестницы.

— Кажется, пора, — говорю я Нине.

— Пожалуйста, возьми их. — Она опять хватает презервативы и засовывает их мне в сумочку. — Ну просто так, на всякий случай.

Я делаю круглые глаза, но не спорю. Так легче. И мы с шумом спускаемся по ступенькам лестницы. Подхватив на руки сопротивляющегося Арчи, я целую его в нос.

— Веди себя хорошо, — говорю я ему, а он извивается в моих объятиях, как строптивый подросток. — Майк будет заботиться о тебе. Не кусай и не царапай его. Это нехорошо.

Кот смотрит на меня так, будто пытается сказать, что такая идиотская мысль никогда и не приходила ему в голову.

Я закрываю дверь. Нина стоит у ворот, пока я сажусь на переднее сиденье машины Майка.

— Чемодан в багажнике, — говорит он. — Ты взяла паспорт, бумажник, билет, деньги?

Я быстро проверяю.

— Да.

— Презервативы? — поддразнивает он.

Я вспыхиваю.

— Да.

Он смеется надо мной, но, вероятно, был бы потрясен, если б узнал, что они на самом деле у меня.

— Тогда поехали.

Мы отъезжаем, и я опускаю стекло, чтобы помахать Нине, которая прыгает на месте и вообще устраивает суматоху.

— Благополучного возвращения, — кричит она. — И помни, что я хочу услышать о твоем необузданном сексе!

Почтальон, который едет нам навстречу, чуть не падает с велосипеда.

Идет дождь. Холодно. Майк очень хороший водитель, и мы движемся по дороге М25 без всяких проблем. Через полтора часа мы благополучно и без опозданий прибываем к третьему терминалу аэропорта «Хитроу».

Майк сворачивает на стоянку и настаивает на том, чтобы сопровождать меня в терминал и нести мой багаж.

— Рейс уже на табло, — говорю я. — Найроби, Кения, стойка двадцать шесть.

Мой сосед ведет меня к стойке регистрации и ждет вместе со мной, пока я стою в очереди и сдаю свой битком набитый чемодан. Потом мы быстро пьем кофе в переполненном «Старбаксе», чтобы успокоить мои нервы, перед тем как я пойду в зал отлета.

И вот мы стоим у барьера безопасности — отсюда Майк должен пойти домой, — и я делаю первый шаг на неведомую территорию.

Из сумки я вытаскиваю полиэтиленовый пакет с туалетными принадлежностями, готовясь к утомительным проверкам.

— Ну, — говорит Майк, и в его голосе слышатся нотки горечи, — я буду скучать по тебе.

— Я тоже буду скучать по тебе, — соглашаюсь я. И пока я это говорю, то понимаю, что совсем бы пропала без этого надежного человека, который всегда рядом и готов помочь.

Пассажиры толпятся и толкают нас.

— Не волнуйся об Арчи, — говорит он. — Я буду заботиться о нем.

К моим глазам подступают слезы, но вовсе не из-за моего несносного кота.

— Может быть, когда ты вернешься, — неуверенно говорит Майк, — я приглашу тебя на хороший ужин или что-то в этом роде?

— Это было бы прекрасно.

— Я имею в виду, что все будет как полагается, — застенчиво добавляет он на тот случай, если я не поняла, что он хотел сказать. — Не просто как соседи. Не просто как друзья.

— О, — говорю я, полностью пропустив смысл его слов. — О.

И он обхватывает меня неловким медвежьим объятием и сжимает руками.

— Возвращайся ко мне, Дженни Джонсон, — шепчет он мне в ухо. — Возвращайся благополучно.

— Да. — Собственный голос я слышу будто издалека. — Да.

Майк разжимает объятия и отходит от меня на шаг. Он пристально смотрит на меня, будто пытаясь запомнить каждую черту моего лица, а оно, конечно, должно выражать удивление. Потом громко целует меня в щеку, поворачивается и, в последний раз помахав мне рукой, уходит.

Я остаюсь в некотором ошеломлении. Кажется, моя подруга Нина вполне права. Майк сохнет по мне.

Я улыбаюсь самой себе и чувствую себя прекрасно.

Глава 22

Солнце неистовое. Я такого никогда не видела. С кожи у меня пятнами сходит верхний слой. Сейчас утро, начало десятого, и температура все растет и растет. У воздуха здесь совсем другой вкус. Он пахнет засухой и пылью. Прошло восемь часов после вылета из Лондона и два часа после отправления из Найроби. Надежный полноприводной микроавтобус, в котором я сижу, останавливается у придорожного сувенирного магазина с довольно оптимистической вывеской «Харродс[1] Африка».

Этот африканский филиал всемирно известного лондонского универмага «Харродс» размещается в хибаре,

---

[1] Harrods — самый известный универмаг Лондона. Он считается одним из самых больших и фешенебельных универмагов мира.

кое-как сколоченной из грубых досок. Она напоминает мне сарай в саду на заднем дворе «Маленького Коттеджа». На стенах полно деревянных резных изделий, сделанных на продажу. Здесь есть страшные африканские маски, стройные жирафы, сверкающие чаши из голубого эвкалипта, оливкового и эбенового деревьев. На земле вокруг лачуги громоздятся резные фигурки из талькового камня нежных кремовых, зеленых и розовых оттенков. Через проволоку, висящую на двери, перекинуты очень яркие алые, розовые и оранжевые тканые одеяла. Под ними — маленькие щиты из козлиных шкур.

Наша группа вываливается из микроавтобуса. Все мы покупаем по чашке сладкого чая с молоком и выходим на хлипкий балкончик, также созданный из беспорядочно расположенных обрезков досок и других остатков древесины. Перед нами великолепный вид Восточно-Африканской рифтовой долины, огромной геологической трещины, которая тянется от Красного моря до реки Замбези. Эти места часто называют колыбелью человечества, так как считается, что именно здесь зародилась человеческая жизнь. Я чувствую, что в первый раз по-настоящему смотрю на Африку. Как я ждала этого момента! Пейзаж огромный, древний. За всю свою жизнь я ничего подобного не видела. Ничего столь обширного, столь первобытного. Это место отделено миллионом миль от Нэшли, от маленьких элегантных коттеджей и аккуратно подстриженных изгородей. Над нами простирается купол лазурного неба, и равнины цвета охры уходят в бесконечность и даже дальше. Очень далеко отсюда возвышаются огромные горы с реденьким пухом облаков. С моих губ срывается долгий утомленный вздох. Я здесь. Наконец-то я здесь. Мне хочется смеяться и плакать. Я одновременно и обессилена, и взволнована.

Несколько минут отдыха проходят быстро, и водитель торопит нас назад в автобус. Нам предстоит очень долгий путь, прежде чем мы достигнем Масаи-Мара. Еще часов пять или даже больше — это зависит от состояния дороги, как объясняет нам водитель. Я усаживаюсь на свое место и любуюсь пейзажем, проплывающим за окном.

Мы проезжаем через деревни, состоящие из лачуг, ветхих домов и магазинов с яркими рекламами мобильных телефонов. Зебры и газели пасутся вдоль дороги. Иногда стада коз переходят дорогу перед нашим автобусом, рискуя испытать на себе гнев нашего водителя, который неистово гудит, но хода не замедляет. Чем дальше мы едем, тем ухабистее становится дорога.

Мы въезжаем в шумный, переполненный туристами город Нарок. Теперь предстоит свернуть на единственную дорогу, ведущую в Масаи-Мара.

Мои спутники совсем не такие зловредные, как я себе воображала. Нас пятеро. Молодая пара, Шон и Маура, — они тоже впервые приехали в Африку. Затем Пэт, одинокая дама старше меня. И наконец, пожилой мужчина по имени Джон, который, кажется, уже положил глаз на Пэт.

Нас трясет и мотает на раскаленной дороге, усыпанной желтыми камнями и изрезанной поперечными бороздами. Деревенские дети с перепачканными лицами и ангельскими улыбками выбегают поприветствовать нас, изо всех сил стараясь не отставать от автобуса. Они машут нам и выкрикивают свои имена. Время от времени мы останавливаемся, когда встречаем пастуха, перегоняющего свой тощий скот через дорогу с одного поля, кажущегося совсем бесплодным, на другое такое же. В Масаи-Мара, говорит нам водитель, почти два года не видели дождя, и теперь вода стала редким и крайне необходимым товаром.

Еще два часа зубодробительной езды, от которой ноют все суставы и кости, растрясаются внутренности. Теперь из окон видны лишь плоские открытые равнины с редко растущими акациями. Дорога кончилась, остался только грязный след от колес. Нет никаких указателей, кроме тех, которые предоставила сама природа. Обширные стада гну бродят по заповеднику, и я думаю, что если за всю оставшуюся часть путешествия ничего больше не увижу, то одно это уже далеко превзошло все мои представления о том, на что может быть похожа Африка.

Водитель по-прежнему умело ведет машину, и скоро наша долгая, прекрасная и тряская поездка заканчивается. Мы видим два воткнутых в землю скрещенных копья и, радуясь прибытию, въезжаем на участок с травянистыми кустами. Кемпинг *Kiihu*. Следующие семь дней здесь будет мой дом.

Пока мы паркуемся, зебры, пасущиеся в кустах, поднимают головы и окидывают нас внимательным взглядом, а потом отбегают, когда открывается дверь микроавтобуса. Мы очень устали, и улыбающиеся люди помогают нам выгрузить багаж. Близится вечер. Все мышцы болят, во-первых, из-за того, что мы много часов провели в самолете, а во-вторых, из-за того, что мы долго подпрыгивали в автобусе, как мраморные шарики в жестянке. Но когда я вижу кемпинг, мое настроение улучшается, и я сразу же забываю про все свои боли и ушибы.

Большие оливково-зеленые палатки свободно расположены по периметру кемпинга. В центре — круг для костра. Есть и большая общая палатка для отдыха.

Водитель ведет меня к моей палатке. Внутри двуспальная кровать, настоящий туалет и душ. Это не кемпинг, это глемпинг[1], и я очень благодарна за это. Моя кровать покрыта разноцветным одеялом, а на полу лежит толстый хлопковый ковер. У кровати стоят роскошный туалетный столик и пуфик. Узел беспокойства в моем желудке начинает развязываться.

---

[1] Глемпинг — гламурный отдых на дикой природе, экотуризм.

Водитель уходит, чтобы помочь кому-то еще, и оставляет меня распаковывать вещи и отдыхать. Кровать призывает меня. Я и правда не знаю, с чего начать, поэтому сбрасываю кроссовки и ложусь на кровать, пользуясь минутой отдыха. Через минуту я чувствую тень на своем лице и открываю глаза, мгновенно выходя из полусна, в который так счастливо погрузилась.

Впервые в жизни я вижу воина племени масаи. Мужчина, стоящий у входа в палатку, на удивление высокий — метр девяносто или даже выше. Он стройный, мускулистый, и я никогда в жизни не видела никого, у кого было бы больше мышц. Его голова выбрита, а кожа темная, как оливковое дерево, чашу из древесины которого я видела раньше. Почти черная. Блестящая. Красная хлопчатобумажная туника покрывает его тело, а шея скрыта ожерельем из цветных бус. А еще есть браслеты на запястьях и лодыжках. Вокруг бедер обвязано уже знакомое мне традиционное одеяло в ярких красных и оранжевых полосах. Он бос. В руке у него длинная палка. Мужчина ошеломляюще красив.

Я в растерянности сажусь на кровати.

— Привет.

В ответ получаю великолепную белозубую улыбку. Его глаза сверкают, и я чувствую, как в моем сердце что-то звенит. Я никогда не видела мужчину столь внушительного и столь гордого.

— *Jambo*[1]. Привет. — Его улыбка становится шире, и он протягивает мне руку для пожатия. Она прохладная, сухая, и чувствуется сила в его пальцах. — Я — Доминик, миссис Дженни Джонсон, — говорит он мягким мелодичным голосом. — Я — воин масаи. Я буду заботиться о вас.

---

[1] J a m b o — общепринятая форма приветствия (на языке суахили) между друзьями и знакомыми людьми.

— Спасибо. — Я застенчиво улыбаюсь в ответ и думаю, что если Доминик, мой собственный воин масаи, будет заботиться обо мне, то я никогда ничего не буду бояться.

Глава 25

Мы сидим в складных парусиновых креслах, стоящих на веранде перед моей палаткой.

— Вы никуда не должны уходить без меня, — внушает мне Доминик. — Я буду защищать и охранять вас.

Его движения изящны и элегантны. А я едва понимаю, о чем он говорит, — так меня завораживает один лишь его вид.

— Как только вы захотите, чтобы я пришел, — продолжает он на безупречном английском, — вы должны пошуметь.

Эти слова привлекают мое внимание.

— Пошуметь?

— Да, издать звук. Не выходите из палатки и не ходите по равнине в одиночку. Оставайтесь в низкой траве, никогда не заходите в высокую.

— А что со мной может случиться в высокой траве?

— Там спят львы.

— Львы?

— Да.

У меня во рту мгновенно пересыхает, и я с благодарностью отпиваю ананасовый сок из стакана, который мне только что принесли.

— В ту же минуту, как вы меня позовете, я примчусь к вам. — Доминик откидывается на спинку кресла. — А теперь мне надо услышать ваш звук.

— Мой звук?

— У каждого из нас есть свой звук. Когда мы издаем его, наши любимые узнают нас, где бы мы ни были. Если мы потерялись или нам нужна помощь, мы издаем звук. — Он смотрит на меня, проверяя, поняла ли я, но совершенно ясно, что я не понимаю и, возможно, даже испугана. — Запомните мой. — Он издает высокий звук, заканчивающийся щелчком. — Теперь вы меня узнаете, где бы я ни был.

Он смотрит на меня, ожидая услышать мой звук, и внезапно я чувствую себя до смешного косноязычной англичанкой. Звук. Не так уж трудно придумать звук!

Хорошенько покопавшись в памяти, я насвистываю нечто похожее на мелодию телефонного звонка «Контртеррористическое подразделение» из американского сериала «24 часа». Если Доминик не прибежит мне на помощь, то, возможно, прибежит Джек Бауэр, главный герой сериала. Правда, сейчас мне кажется, что он вряд ли сможет заменить воина масаи.

Доминик серьезно смотрит на меня и говорит:

— Это хороший звук. Теперь я всегда смогу узнать вас.

— Это из телешоу, — объясняю я непонятно зачем. — Очень хорошее шоу.

Он кивает в знак того, что все понял. Хотя я думаю, что это, возможно, и не так.

— Вокруг кемпинга бродит много животных, — продолжает Доминик после того, как узнал мой звук. — Львы, бегемоты, гиены, кабаны-бородавочники. Они все очень опасны, миссис Дженни Джонсон. Чтобы вы могли делать хорошие фотографии, нам придется подбираться к ним очень близко, но не настолько, чтобы позволить им съесть или искалечить вас.

— Хорошо, — соглашаюсь я, затаив дыхание.

Ну, я хоть не убежала со страху.

Доминик откидывает голову назад и громко смеется. У него замечательный и свободный смех.

— Вы не должны так сильно волноваться, миссис Джонсон.

Хорошо ему смеяться. Он же воин масаи и, наверное, привык ко львам, бегающим на свободе. А я — парикмахер из графства в окрестностях Лондона и к такому не привыкла. Единственное дикое животное, с кем я имею дело, — это Арчибальд Агрессивный. Заказывая путешествие в кемпинг с палатками, пусть и в роскошный кемпинг, я даже не подумала, что там могут оказаться животные — дикие животные! — которые будут бегать в двух шагах от моей двери. Или о том, что у меня вообще не будет двери. Или стен. Только ткань. Тонкая ткань. Тонкая ткань между мной и львами, бегемотами, гиенами и кабанами-бородавочниками.

Доминик перестает смеяться и становится серьезен.

— Не хмурьтесь. Я буду оберегать вас.

— Спасибо, — выдыхаю я.

И только сейчас начинаю понимать — я очень-очень признательна, что у меня есть мой собственный воин масаи, который будет охранять меня.

Глава 24

Когда солнце начинает садиться, мы все возвращаемся к микроавтобусу, чтобы, пока готовят ужин, успеть совершить короткую поездку к диким животным. Другой водитель занят в служебной части кемпинга, и Доминик становится нашим гидом. Я замечаю, что даже мужчины нашей группы испытывают благоговение перед этим гордым воином.

— Садитесь сюда, миссис Дженни Джонсон, — велит Доминик, похлопывая по сиденью рядом со своим. Выполняя то, что мне велено, я проскальзываю на переднее сиденье, а все остальные рассаживаются в задней части автобуса. — Вы счастливы? — спрашивает Доминик всех нас, широко улыбаясь. — Ведь если вы счастливы, то и я счастлив.

Мы уверяем его, что никогда не были счастливее, — я-то, конечно, не кривлю душой. И мы отправляемся к нашей цели, подпрыгивая в автобусе по немилосердным кочкам. Наш первый набег на равнину с намерением посмотреть дикую природу начался.

Верх автобуса поднят, поэтому мы прекрасно видим все вокруг. Жара еще не спала, поэтому мы рады даже слабому ветерку. Опытный Доминик аккуратно ведет автобус через колеи и борозды на выжженной солнцем дикой африканской земле.

— Все это, — Доминик охватывает рукой весь пейзаж, — должно быть покрыто травой, высокой, как пшеница.

Пока же вокруг только пыль и редкие кусты.

— Нам очень нужен дождь, — говорит он, и на его красивом лице появляется озабоченное выражение.

Думаю, мы могли бы послать ему немножко лишнего дождя из Англии. До чего же это несправедливо — мы горько жалуемся, что у нас слишком много дождей, а в это время Масаи-Мара так отчаянно нуждается в них.

— Теперь представьте, что у нас игра. Наша роль — найти животных. Их роль — скрываться от нас.

Доминик смеется от всего сердца.

Через несколько минут мы замечаем на горизонте десятка полтора жирафов, чьи силуэты даже неопытный глаз не может спутать ни с чем. Они разных размеров, от огромных самцов до симпатичных малюсеньких детенышей. Мы направляемся к ним, держась на почтительном расстоянии, и едем следом, пока они не добираются до рощи акаций, в которой останавливаются попастись. Жирафы не обращают никакого внимания на людей, у которых глаза от удивления вытаращены, а рты раскрыты. Примерно полчаса мы сидим и смотрим, как они отщипывают листья, обеспечивая себе существование в здешнем суровом климате. Конечно, мы фотографируем, но в основном просто наблюдаем за ними.

Потом Доминик разворачивает автобус.

— Теперь мы опять поиграем.

Автобус движется дальше, на равнину. Мы проезжаем мимо бородавочника с четырьмя поросятами, которые сломя голову несутся по бугристой земле. Мать останавливается, несколько секунд угрожающе смотрит на нас, а потом бежит за своими малышами. Затем совсем рядом с нами появляется страус, который бежит, хлопая крыльями. Доминик указывает рукой на полдюжины разных газелей — Томсона, Гранта, импал. У них у всех отчетливо видны пятна. По огромной равнине бегут полосатые мангусты, играя друг с другом, останавливаясь погрызть то вкусненькое, что только что нашли, мудро торопясь домой, прежде чем хищники выйдут на сцену со своей ролью.

Мы въезжаем в тенистую рощу, а там под деревьями мирно и счастливо дремлют три львицы, отдыхая перед вечерней охотой. При приближении автобуса одна из них поднимает голову, внимательно смотрит на нас, с удовольствием потягивается и снова возвращается к своей кошачьей дремоте. Я вспоминаю, как Арчи потягивается перед огнем, но чтобы стать таким огромным, как львица, ему придется долго сидеть на стероидах.

— Они великолепны, — шепчу я Доминику.

— Да, — соглашается он. — Очень скоро они опять захотят есть.

После этих слов я начинаю волноваться, ведь наш автобус без крыши. Может ли львица проникнуть сюда? Думаю, это зависит от того, насколько она голодна.

Но зрелище, конечно, прекрасное. Я не могла даже вообразить, что окажусь так близко к львице, уж не говоря о том, что к трем сразу. И вот мы сидим и смотрим на них через окно, а солнце опускается все ниже и ниже. Наконец наше терпение вознаграждено — львицы просыпаются, садятся, приводят себя в порядок, зевают, потягиваются, все как одна встают и медленно отправляются на ночную охоту.

Доминик отъезжает задним ходом, и движение автобуса возбуждает их любопытство. Они бредут рядом с нами так же медленно, как движемся мы, и так близко, что мой фотоаппарат бесполезен. Я едва могу поверить своим глазам. Три львицы в метре от нас! Но вот они поворачивают и так же не торопясь уходят в ночь. Не сомневаюсь, эти огромные кошки скоро наполнят страхом сердца всех гну в округе.

— Вы счастливы, миссис Дженни Джонсон? — спрашивает Доминик.

— Я очень-очень счастлива.

— Хорошо. — Он улыбается. — Раз вы счастливы, то и я счастлив.

Глава 25

В начале восьмого мы возвращаемся в лагерь. Последние лучи солнца погасли, и стало намного холоднее.

Моя палатка закрыта, а между простынями лежит грелка. Я наслаждаюсь горячим душем, вода в который поступает из бочки, расположенной над крышей палатки. Я рада возможности смыть с себя всю пыль, которая накопилась за этот трудный, но великолепный день.

Моя одежда грязна и помята после долгого путешествия, и поэтому так приятно переодеться в чистые джинсы и джемпер! Я расчесываю влажные волосы и оставляю их сохнуть естественным образом. Я взяла с собой увлажняющий крем и теперь наношу его, но в течение недели не собираюсь пользоваться декоративной косметикой — разве что буду наносить немного туши. Должно же у девушки быть хоть что-то красивое! Потом встаю у входа в палатку и, немного смущаясь, издаю свой звук из сериала «24 часа». Доминик тут же возникает из темноты. Его красное одеяло на этот раз повязано вокруг плеч, а в руках по-прежнему длинная палка.

— Сегодня вечером холодно, — говорит он. — Вы надели теплые вещи, миссис Дженни Джонсон?

— Да, конечно, — уверяю я его. — И пожалуйста, зовите меня Дженни. Просто Дженни.

— Тогда, Просто Дженни, вы должны пойти посидеть со мной у костра.

Он предлагает мне руку и провожает к костру, который уже вовсю горит, и искры улетают в окутавшую все темноту. Звездное небо здесь совершенно ошеломляющее. Вокруг костра расставлены кресла для всех нас. Мои спутники уже сидят с напитками в руках и восхищаются цифровыми фотографиями, сделанными за день. На столе стоит бутылка красного вина. Доминик предлагает мне бокал, который я с благодарностью принимаю и, подняв, громко говорю:

— За Кению, за Масаи-Мара и за всех здешних обитателей!

Доминик смеется.

— Очень любезно.

— Вы не присоединитесь ко мне?

— Я не пью алкоголя, Просто Дженни. Воин масаи всегда должен быть готов к опасности.

— Вы живете далеко отсюда?

— Это моя земля, — гордо отвечает он. — Когда у нас гости, я живу здесь, в кемпинге. Все время. Когда никого нет, возвращаюсь в свою деревню. Надо пройти всего десять километров. Недалеко.

— У вас превосходный английский, Доминик.

— Я говорю на своем языке, на суахили и по-английски. Мы с двух лет изучаем эти три языка. Я знаю много ужасных английских ругательств, Просто Дженни.

— Но это первое, что выучивают на любом языке.

— Это точно, — говорит он, смеясь.

Подают ужин, и мы переходим к длинному столу, накрытому под звездами. Всем нам дают тарелки с жареным мясом, рисом и бобами. На блюдах лежат ароматные овощи и зелень. Керосиновые лампы создают романтическую атмосферу. Я опять оказываюсь рядом с Домиником. Шон и Маура совершенно поглощены друг другом, а пожилые, Пэт и Джон, наслаждаются обществом друг друга.

— Вы не едите?

У всех есть тарелки, но перед Домиником нет ничего.

— Воины масаи не едят, Просто Дженни. Мы живем на традиционной диете из кислого молока, которое смешиваем с кровью нашего рогатого скота. Я пью это в полседьмого утра и потом вечером. От этого наши тела делаются сильными.

— И все?

Он пожимает плечами.

— Иногда я съедаю немного мяса или *ugali*[1], который похож на вашу овсянку.

— А я не могу представить себе жизнь без шоколада.

---

[1] Ugali — каша на воде из кукурузной муки.

Он снисходительно улыбается мне.

— Думаю, ваша жизнь очень сильно отличается от моей.

— О боже! Очень отличается, — соглашаюсь я. — Моя жизнь по-настоящему скучна.

— Я вам не верю.

— Но так и есть. — Я пожимаю плечами. — Я живу в хорошей деревне, но там не такая дикая природа, как здесь. Работаю парикмахером, и мне это нравится, но в этом нет ничего особенного. Вечером я возвращаюсь домой и смотрю телевизор. Мне нравятся фильмы, — говорю я, а потом понимаю, что мои слова звучат не очень убедительно. Я должна бы сказать что-то такое, от чего моя жизнь покажется более интересной, но не могу ничего придумать. Я говорю с человеком столь же экзотическим, как и дикие животные на равнине, и который так же сильно отличается от меня, как мел от сыра. Что бы я ни сказала, все будет не к месту. — Я впервые отправилась в по-настоящему другую страну, — сознаюсь я. — Я одна приехала сюда в отпуск, и это самое смелое, что я когда-либо сделала. Честно говоря, я чувствую себя немного не в своей тарелке.

— Думаю, вы очень интересный человек.

— Правда? — Это смешит меня. Я, и вдруг интересная? — Нет, неинтересная, — уверяю я его. — Я не так уж много знаю о мире. На самом деле — ничего.

— Тогда я буду счастлив разделить с вами мою часть мира.

— Спасибо. — Я смущенно улыбаюсь.

— *Asante*[1], — говорит он мне. — Спасибо.

— *Asante*, — повторяю я.

Поев, мы возвращаемся к теплу костра. Вскоре Шон и Маура начинают притворно зевать и уходят к себе. Пэт

---

[1] Asante — спасибо.

и Джон тоже уходят, но расходятся по своим палаткам. День был долгим и утомительным, однако мне почему-то не хочется, чтобы он закончился. Мы с Домиником одни под звездами. Я очень хорошо себя чувствую после хорошей еды и двух бокалов вина.

Доминик достает традиционное одеяло масаи.

— Это *kanga*[1], — объясняет он, заворачивая меня в него. — Теперь вы масаи.

— Спасибо.

— *Asante*, — напоминает Доминик.

— *Asante*, — повторяю я, разглаживая одеяло и плотнее заворачиваясь в него. — Оно очень красивое.

— *Karibu*[2]. Пожалуйста.

Мгновение мы сидим в тишине, и Доминик поворачивается ко мне.

— Могу ли я спросить, где ваш муж? Почему он не в Африке вместе с вами?

— Я никогда не была замужем, — объясняю я.

Он очень удивлен.

— Женщины масаи выходят замуж в очень молодом возрасте. Разве в Англии не так?

— Нет, нет. У себя дома мы стараемся откладывать это насколько возможно. — Раньше я думала, что это говорят в шутку, но сейчас почему-то уже так не считаю. — Должно быть, произошла ошибка при заказе сафари, раз я здесь числюсь как миссис Джонсон.

По правде говоря, я, вероятно, поставила галочку не в тот квадратик, когда заполняла бланк на своем компьютере.

— У меня был кое-кто. Мы вместе жили семь лет, но так и не поженились.

---

[1] Kanga — кусок хлопчатобумажной ткани (два куска такой ткани составляют национальную одежду: один завязывается на груди, другой накидывается на плечи или голову) (на языке суахили).
[2] Karibu — пожалуйста.

— Он был вашим мужем во всем, кроме имени?

— Да.

— Но почему вы не стали его женой?

— Не знаю, — признаюсь я. — Не думаю, что мы достаточно любили друг друга.

Доминик молча обдумывает мои слова.

— Примерно год назад он оставил меня ради другой женщины. — Я и сама не понимаю, почему рассказываю историю своей неудавшейся личной жизни этому красивому незнакомцу.

— Очень плохо, что он так поступил, — заключает он.

Пожимая плечами, я отвечаю:

— Может быть, это к лучшему. Теперь он счастлив. — Я вспоминаю о приближающемся браке Пола, о его будущем ребенке, о том, как он оставил меня. — Думаю, что и я тоже.

— Есть другой мужчина?

Я думаю о Майке, моем друге и соседе, о его неуверенном и очень неожиданном поцелуе в аэропорту. Что будет у нас с Майком, когда я вернусь домой? Мы продолжим с того, на чем закончили? Изменится ли то, что есть между нами? Будет ли у нас свидание с ужином? Увидим ли мы друг друга в ином свете? Мне самой слишком сложно представить, что ждет нас, уж не говоря о том, чтобы объяснить это кому-то другому.

— Нет, — отвечаю, — никакого другого мужчины нет. — Беседа о моих неудачах становится слишком долгой, поэтому я меняю тему: — А у вас есть семья, Доминик? Жена? Дети?

Он качает головой.

— Это ожерелье, — он поднимает нити с цветными бусинами, которые лежат вокруг его шеи, и показывает мне, — это ожерелье женатого мужчины. Я взял жену, когда стал воином. Таков наш обычай. Так мы должны поступать. Родители сговорились о нашем браке, когда мы были еще малыми детьми. Мы были очень счастливы вместе, но моя жена умерла два года спустя при рождении нашего первенца. Ребенок, мальчик, тоже умер.

— Мне жаль.

Доминик пожимает плечами.

— Воин масаи берет несколько жен. Но я понял, что не могу, Просто Дженни. Это обычай моего народа, моей культуры, но он не для меня. — Доминик бросает в огонь полено, и взлетают искры. — У моего отца четыре жены. Это хорошо. У мужчины должно быть много коров, много жен и много детей, тогда он богат. У меня много скота, Просто Дженни. Я могу купить себе много жен. У меня могло бы быть много детей. Это очень важно для нас, для народа масаи. Сейчас я ношу ожерелье женатого мужчины, но живу один.

— Возможно, вы просто еще не готовы, — предполагаю я.

— Прошло уже много времени. То, что у меня нет жены, считается слабостью.

— Только не там, откуда я родом.

Я улыбаюсь ему. Он отвечает мне тем же.

— Мы долго говорили. Теперь вы должны лечь спать, иначе завтра будете слишком усталой.

Я встаю.

— Вы должны позволить мне отвести вас к палатке.

О боже. Львы! Как я могла забыть о них?

Он провожает меня, и, как только мы отходим от костра, я ничего не вижу впереди себя. Доминик же идет по-прежнему уверенно. Его рука под моим локтем успокаивает и направляет меня. Наконец мы подходим к палатке, и я с облегчением вздыхаю.

Мы с Домиником стоим вдвоем в кромешной тьме.

— Спасибо, Доминик. *Asante*.

— Karibu. Всегда пожалуйста, Просто Дженни.

Вдруг тишину раздирает жуткий шум, от которого дрожит ночной воздух. Будто что-то грохочет под землей, и в мое сердце вселяется ужас. Я изо всех сил сопротивляюсь желанию броситься в объятия Доминика.

— Что это?

Он смеется.

— Это наши три львицы. Не бойтесь. Они просто сообщают всем, что вышли на охоту. Они еще очень далеко.

— Насколько далеко?

— В двух километрах.

— А кажется, что очень близко.

— Скоро они подойдут сюда.

— Сюда?!

— Да, — кивает Доминик. — Ложитесь в кровать и наслаждайтесь звуками ночи. Вы будете в безопасности, Просто Дженни. Я здесь.

Но знаю, что не смогу сомкнуть глаз.

Глава 26

Я заставляю себя раздеться. Если мне суждено быть съеденной львицей и ее подругами, не хочу быть в пижаме, пока они будут делать свое дело.

Как это ни смешно, но я проверяю, насколько надежно застегнута молния в моей палатке, будто это может спасти меня от прайда голодных львов. Потом залезаю в постель, потея не только из-за грелки, которая все еще такая горячая, что можно обжечься. Я никогда раньше не ходила в походы и не жила в палатке, пусть и шикарной. И вот сейчас сомневаюсь в том, что лучшее начало — ночевка в одиночку, да еще в обществе львов и разных других зверей.

Я неохотно выключаю свет. Черная-черная, непроглядная тьма, какой я никогда не видела, встает у меня перед глазами. Я даже проверяю, открыты ли они, потому что не вижу ничего, вообще ничего! Хорошо хоть, прежде чем обосновалась здесь, успела тщательно осмотреть палатку в поисках насекомых и не нашла никого многоногого.

Пока мы сидели у костра, потрескивание поленьев и тихий разговор с Домиником перекрывали звуки ночного африканского буша. Теперь же я могу слышать, как снаружи, прямо рядом с моей головой, кто-то медленно шевелится в кустах и чавкает. Мне кажется, что этот «кто-то» очень большой.

— Ой-ой-ой, — бормочу я, холодея от страха.

Кто-то прыгает на крышу моей палатки, и я слышу его шаги. Судя по звуку, это животное размером со слона, и в любой миг оно может прорвать ткань. Интересно, львы залезают на деревья? Уверена, что должны. Разве я не видела этого в программах Дэвида Аттенборо?[1] Я сажусь и заворачиваюсь в одеяло, сопротивляясь желанию снова включить свет.

Львы опять рычат. Это не театральный рев льва студии MGM[2], а дикий басовый рык, должный вселять страх в сердца всех, кто его услышит. Он действует и на меня. Ужас переполняет мое сердце. Этот рык означает: «Не связывайся со мной, я — царь зверей!» В этот раз они ревут совсем рядом, прямо за хилой оградой из кустов, которая едва ли способна отделить нас от обширных, внушающих страх равнин. Подумав об этом, я сдаюсь и включаю свет.

---

[1] Сэр Дэвид Фредерик Аттенборо — один из самых знаменитых в мире английских телеведущих и натуралистов. Многие считают его пионером документальных фильмов о природе.

[2] Metro-Goldwyn-Mayer — американская компания, специализирующаяся на производстве и прокате кино- и видеопродукции.

Мгновение спустя слышу снаружи знакомый голос, но от неожиданности чуть не подпрыгиваю.

— Просто Дженни, — говорит Доминик, — вы счастливы?

Надо бы ответить «У меня все хорошо», но, оказывается, я вообще не могу говорить. Вместо этого выскакиваю из кровати, расстегиваю молнию палатки и вижу, как Доминик буквально возникает из темноты. Он завернут в свое веселенькое одеяло, в руке — крепкая палка. Достаточно одного его спокойного вида, чтобы я мгновенно почувствовала себя лучше и весь ужас исчез. Мой защитник смотрит на меня с беспокойством.

— Я не привыкла к шумам, к кемпингу, — лепечу я. — Я напугана.

— Не надо бояться.

— На крыше моей палатки кто-то есть.

— Генета[1], — объясняет Доминик. — Эти животные очень симпатичные. Как ваши домашние кошки.

Если генета хоть немного похожа на *моего* домашнего котика, то мне надо бояться, бояться и бояться. Она же может войти и оторвать мне голову.

— Она не причинит вам вреда.

— Но, судя по звуку, это кто-то огромный.

А еще очень свирепый и с острыми зубами.

Я понижаю голос.

— А еще кто-то чавкает рядом с моей палаткой. Я слышу, как он дышит и как у него урчит в животе.

— Ааа, это, — улыбаясь, говорит Доминик. — Это бегемот.

— Бегемот? — взвизгиваю я. — Разве они не опасны из-за своих размеров?

— Да он уже ушел, — смеется Доминик. — Вы еще не привыкли к диким животным, Просто Дженни.

---

[1] Генеты (*лат.* Genetta) — род хищных млекопитающих из семейства виверровых; похожи на кошек.

Оставьте их в покое, и они не причинят вам вреда. Наслаждайтесь их присутствием.

— Хорошо.

Но даже я слышу сомнение в собственном голосе. В этот момент шелестит кустарник, и я хватаю Доминика за руку.

Он прижимает пальцы к губам, давая мне знак, чтобы я сохраняла спокойствие. Через несколько секунд в кемпинг, будто на цыпочках, входят два крошечных оленя, семенят через угасающие угольки костра и исчезают в кустах на другой стороне.

— Это дик-дик[1], — объясняет Доминик. — Ну как, симпатичные?

— Прекрасные.

— И вы не были напуганы?

— Нет. — Я смеюсь над собой. — Теперь я чувствую себя глупо.

— Не чувствуйте себя глупо. Для вас здесь все необычно.

— Спасибо, — говорю я. — Спасибо за то, что вы понимаете.

— *Hakuna matata*[2]. Без проблем. Я буду здесь, — уверяет меня Доминик. — На веранде. Я всю ночь буду возле вашей двери.

— Вы будете здесь спать?

— Воины масаи не спят. День не начинается жарким солнцем и не кончается мерцающими звездами. Для нас он течет, как река. Наша работа состоит в том, чтобы охранять деревню, наших женщин, скот. В темноте мы бодрствуем и наблюдаем, как животные.

— Значит, вы будете сидеть здесь всю ночь? Прямо здесь?

Он садится в одно из складных кресел.

---

[1] Д и к - д и к — мелкая восточноафриканская антилопа.
[2] Без проблем.

— Прямо здесь.

— Всю ночь? — Не лишним будет перепроверить, просто на всякий случай.

Доминик кивает.

— Всю ночь. — Он кладет палку и опускает руки на колени. — Спокойной ночи, Дженни.

— Спокойной ночи, Доминик.

Я отступаю в свою палатку и тщательно застегиваю молнию. Потом проскальзываю в кровать и устраиваюсь под одеялом. Я лежу неподвижно и позволяю ночным звукам окутать меня. Кто-то кричит, потом еще, и живот у меня напрягается.

— Это гиена. — Тихий голос Доминика проникает через ткань. Его голова совсем рядом с моей. Если бы не ткань палатки, я могла бы протянуть руку и коснуться его. — Это такая пушистая собака.

Пушистая собака, думаю я, пушистая собака.

Потом все снова успокаивается. Генета топает по крыше моей палатки, и теперь этот звук заставляет меня думать об Арчи. Все мое тело устало, а кровать очень удобна. Веки становятся тяжелыми.

— Доминик, — сонно говорю я.

— Я здесь, Просто Дженни. — Его тихий голос успокаивает меня. — Я здесь.

— Просто проверила.

И я засыпаю.

Глава 27

Доминик приносит мне чай в половине шестого утра.

— Вы хорошо спали, Просто Дженни?

Я улыбаюсь ему, проводя рукой по волосам, чтобы узнать, насколько они растрепаны.

— Хорошо. Еще раз спасибо, Доминик.

— *Hakuna matata.*

Он стоит и смотрит на меня сверху вниз. Я все еще лежу в постели, и в этот рассветный час черты его лица кажутся мягкими.

Я хочу сказать ему намного больше, объяснить, как хорошо он успокоил меня темной ночью, но не могу найти правильных слов. Я чувствую себя другой женщиной просто потому, что он рядом со мной.

— Если вы счастливы, то и я счастлив, — говорит он, наливая мне чай. — Через полчаса начинаем нашу игру. Завтрак возьмем с собой и устроим пикник. Хорошо?

— Замечательно!

Через полчаса мы все уже в автобусе. Едем в Масаи-Мара. Шон с Маурой, Пэт и Джон сидят сзади. Я же, как и вчера, заняла место впереди, рядом с Домиником, будто так и должно быть. Интересно, на самом ли деле между мной и Домиником сегодня появилась какая-то особая связь или это всего лишь игра моего воображения? Мне кажется, что его теплая улыбка предназначена мне одной, и я уверена, что его глаза блестят ярче, чем вчера.

Мы едем следом за стадом гну, которое зигзагами движется к реке Мара. Доминик объясняет, что животные ежегодно мигрируют в Серенгети, а эти отстали от остальных. Среди них видны зебры и разные газели, которые тоже направляются туда.

— Антилопы гну будто собраны из частей других животных, — говорит он нам.

Да уж, выглядят они странными и нескладными.

— У них морда саранчи, борода козы, тело коровы, хвост лошади, мозги комнатной мухи и ноги Пош Спайс[1].

---

[1] Пош Спайс — Виктория Кэролайн Бекхэм — английская певица и дизайнер. В составе поп-группы Spice Girls Бекхэм была известна как Posh Spice (Шикарная специя).

Он посмеивается над собственной шуткой, и я улыбаюсь в ответ.

Вдалеке мы видим стадо слонов, которые пересекают равнину в поисках воды. С ними бредут два малыша, и мы восторженно охаем и ахаем. Стадо окружает их, поскольку детеныши слонов, как и антилоп гну, не могут давать отпор хищникам.

Подъехав к краю воды, мы останавливаемся, но не вылезаем из автобуса, верх которого по-прежнему поднят. Мы смотрим, как дюжина крокодилов подползают все ближе, пока нерешительные гну раздумывают о том, совершать ли опасный переход через реку или нет.

— В воде полно крокодилов, которые только и ждут, чтобы их съесть, — говорит Доминик. — Но гну готовы рискнуть даже жизнью, чтобы добраться до зеленых пастбищ на той стороне.

Проходит час. Нерешительная закуска и голодные крокодилы по-прежнему остаются на расстоянии друг от друга, поэтому Доминик поворачивает автобус и находит спокойное место для пикника — возле реки, но подальше от крокодилов. Здесь мы сможем позавтракать.

С нашего довольно высокого берега мы видим около сотни счастливых бегемотов, которые лежат в воде, прижавшись друг к другу. Их розовые животики обращены к солнцу. Шон и Маура вовсю фотографируют их, а я помогаю Доминику выгружать коробку для пикника. Завтрак в саванне состоит из теплых блинов, свежих фруктов и йогурта. В одном огромном термосе — кофе, в другом — апельсиновый сок. Среди чахлых деревьев у края воды летают симпатичные желто-зеленые птицы-пчелоеды, добывая утреннюю еду.

Мы раскладываем припасы на масайском одеяле в синюю и красную клетку.

— Это клетчатый *kanga*, — говорит Доминик. — *Kanga* Мак-Масая[1].

Я любезно смеюсь над его глупой шуткой, и от этого он хихикает еще больше.

— Взгляните! — вдруг говорит он, кладет сильные руки мне на плечи и поворачивает меня к стоящей неподалеку акации. — Сиреневогрудая сизоворонка.

Поразительно красивая птица с сиреневым, синим и золотистым оперением поет, будто приветствует нас.

— Боже мой!

Но пока я смотрю на потрясающую птицу, невольно отмечаю, какая же я маленькая рядом с Домиником и какой он подтянутый. У него совсем нет лишней плоти поверх мощных мышц, и его сильные руки, лежащие на моих плечах, обжигают меня через ткань моей футболки.

— Это так прекрасно.

— О да. — Думаю, он все еще говорит о птице. — Замечательно!

Шон и Маура присоединяются к нам, а сизоворонка улетает.

— Ой, улетела.

— Мы увидим еще очень много прекрасного, Просто Дженни, — говорит он и слегка сжимает мои руки. — Не беспокойтесь.

А потом снимает руки с моих плеч и обращает все свое внимание на наш пикник. Пока Пэт и Джон уплетают завтрак, я фотографирую Шона и Мауру, которые, переплетя руки, сидят на краю одеяла и улыбаются в объектив. Впервые я чувствую муки ревности при виде столь очевидного счастья. Неужели мне предназначено судьбой провести жизнь в одиночестве и я никогда не смогу любить и быть любимой?

---

[1] *Kanga* Мак-Масая — Доминик в шутку соотносит клетчатый узор *kanga* с клетчатым рисунком тканей национальной шотландской одежды; с приставки Мак начинаются многие шотландские фамилии.

Мы поглощаем завтрак. Доминик наливает нам кофе и апельсиновый сок, потом начинает хлопотать над Джоном и Пэт, помогая им наполнить тарелки.

Убедившись, что у всех есть еда, он подходит ко мне. Я сижу на удобном камне, который нашла в тени акаций. Доминик садится на корточки рядом со мной. Он сдвигает одеяло с плеч, кладет его на камень, и я пересаживаюсь на одеяло. Постоянная забота Доминика успокаивает меня и согревает мне сердце. Дома, в Англии, найдется немного мужчин, которые ведут себя так же учтиво, как Доминик.

— У вас есть имя масаи? — спрашиваю я.

Доминик кивает.

— Лемасолаи, — говорит он, — что значит «гордый». А мое семейное имя — Оле Нангон. Имя Доминик мне дали христианские братья в школе при миссии, где я учился. — Мой гид смотрит куда-то вдаль. — Мне очень повезло. По закону, каждая семья обязана отправить в школу одного ребенка. Туда должен был попасть мой старший брат, но он не захотел, и вместо него папа послал меня.

— Вам понравилось?

— О да, Просто Дженни. Я много чему выучился. Я играл в футбол и теперь болею за «Арсенал».

Я смеюсь.

— Вы меня дразните.

— Да нет же, конечно, нет. Это и вправду моя любимая команда. Арсен Венгер[1], Тео Уолкотт[2]. Вперед, канониры![3] — Он громко смеется, и я присоединяюсь к нему. До чего же странно сидеть на африканских равни-

---

[1] Арсен Венгер — французский футбольный тренер, с 1996 года работающий с лондонским «Арсеналом».

[2] Тео Джеймс Уолкотт — английский футболист, выступающий за лондонский «Арсенал».

[3] Канониры — прозвище команды «Арсенал».

нах рядом с воином масаи, верным болельщиком «Арсенала»!

Доминик снова становится серьезен.

— Моя семья принесла большую жертву, чтобы послать меня в школу-интернат в Накуру[1]. Четыре коровы. Для масаев это огромные деньги.

— Думаю, оно того стоило, Доминик, — говорю я. — Вы — прекрасный человек.

— Теперь моя очередь сказать вам спасибо. *Asante,* Просто Дженни.

Он застенчиво улыбается.

Перед нами появляется Шон.

— Фото?

Доминик кивает, обнимает меня за плечи и со смехом притягивает к себе. Шон фотографирует нас и — для истории — записывает: «Доминик Лемасолаи Оле Нангон, гордый воин масаи, и Дженни Джонсон, простой английский парикмахер, сидят в тени акации, укрывающей их от жгучего африканского солнца».

Глава 28

Вот мы и вернулись в лагерь. Под столь желанным душем из бочки я смываю с волос и тела фунт пыли с равнин Масаи-Мара. Все мышцы и кости болят от тряски в автобусе, длившейся целый день, звенит каждая клеточка моего тела. Впервые за многие годы у меня ощущение, что я живу в полную силу.

Конечно, здесь некуда включить утюжок для волос, как надеялась Нина, но все же хотелось бы приукрасить себя. А потом приходит понимание, что мне хочется как

---

[1] Накуру — город на юго-западе Кении, административный центр провинции Рифт-Валли.

можно лучше выглядеть для Доминика, и сердце начинает подпрыгивать в груди.

Ужин опять подан на открытом воздухе. Нам предлагают нежную козлятину в сливочном кокосовом соусе. В больших мисках — пушистый рис и горячие чапати[1]. Доминик со своей огромной счастливой улыбкой, будто приклеенной к лицу, опять ничего не ест, а просто сидит и смотрит на нас.

Время от времени я ловлю его взгляд через стол, залитый светом керосиновых ламп, и его улыбка становится еще шире. Несмотря на то что его видят все, мне кажется, будто он таинственно улыбается мне одной — не Шону с Маурой, не Пэт с Джоном, а только мне. У меня в животе начинают трепетать бабочки, но не те, которые появляются во время собеседования при приеме на работу или на экзаменах по вождению, а те, которые хранят себя только для расцветающей любви.

После еды мы опять садимся вокруг костра. Искры взлетают в воздух, а тепло огня согревает нам пальцы ног. Сегодня вечером не очень холодно, но после беспощадного дневного солнца кажется, что стало прохладнее и приятнее. Мы веселимся, вспоминая поездку и животных, которых видели, — самых разных, от огромных буйволов до крошечных птиц-пчелоедов. Доминик и в этот раз оказался весьма квалифицированным и знающим гидом. Впрочем, это неудивительно. Здесь его дом, в котором он вырос и все знает. Доминик живет в полной гармонии с окружающей его природой.

Через полчаса, наговорившись, все расходятся по палаткам, а мы с Домиником остаемся, поудобнее устроившись в креслах. Кажется, это входит у нас в привычку. Я замечаю, что сегодня он расположился ближе ко мне.

---

[1] Чапати — лепешки из муки низшего сорта, обычная пища на севере Индии.

Он наливает мне бокал «Амарула», сливочного ликера из плодов марулы, который я потягиваю, наслаждаясь его экзотическим вкусом.

— Прекрасно, — говорю я, вздыхая от удовольствия. — День был утомительным, но великолепным.

Я откидываю голову и смотрю в черное небо с мерцающими звездами. Доминик берет меня за руку. Я поворачиваюсь, чтобы взглянуть на него. Огонь почти погас, и в темноте трудно понять выражение его лица.

— Мы с вами из очень разных стран, — тихо говорит он, — принадлежим к совершенно разным культурам, но я чувствую, что ваше сердце поет мне, Дженни Джонсон, и думаю, что мое сердце поет вам.

Дыхание застревает у меня в горле. Мы вместе смотрим, как в костре время от времени вспыхивают языки пламени, на секунду замирают и исчезают бесследно.

— Я ошибаюсь, когда так думаю? — с беспокойством спрашивает Доминик.

— Нет, — говорю я. — Вовсе нет. — К моим глазам подступают слезы. — Я не искала любви, Доминик. Я думала, она не для меня. И никогда, никогда в жизни не ожидала, что найду ее здесь, в Африке.

— Я тоже не искал любви, Просто Дженни. — Он улыбается. — Но, кажется, мы нашли ее.

И мы нерешительно смеемся.

— Это игра, — продолжает он, — это как поиск диких животных. Когда больше всего хочешь их увидеть, они прячутся! Любовь ведет себя, как они. Ты ищешь, ищешь и ищешь, но ничего не находишь. А когда не ждешь, она внезапно набрасывается на тебя или незаметно подкрадывается.

Ветерок шелестит листьями акации и раздувает пламя костра. Мы наслаждаемся теплом. Доминик плотнее запахивает теплый kanga на моих плечах.

— И что нам теперь делать? — недоумеваю я.

— Мы должны быть очень почтительны к нашим гостям, — серьезно отвечает он. — Я не хочу, чтобы они подумали, будто я пренебрегаю своими обязанностями по отношению к ним.

— Нет, нет. Конечно, нет.

— Тогда мы будем вместе любоваться моей страной. Я покажу вам замечательные вещи.

Но теперь у нас есть секрет, особая связь.

— Не могу дождаться.

— А теперь тебе надо поспать, Просто Дженни. Завтра опять будет долгий день.

— Я не хочу расставаться с тобой.

— Я всю ночь буду рядом с твоей палаткой. И каждую ночь, — уверяет он меня. — Столько, сколько буду тебе нужен. — С этими словами он встает и продолжает: — Ну же, Дженни, пойдем. — И сопровождает меня от костра до палатки, нежно обнимая за плечи.

В темноте веранды Доминик легко обнимает меня, потом крепко прижимает к себе, и я позволяю себе сильно прижаться к нему.

— Мужчины масаи не целуют женщин, — тихо говорит он, поглаживая мою щеку. — Думаю, это неправильно.

Доминик обращает мое лицо к своему, и его губы находят мои. Никогда раньше я не испытывала ничего подобного. Я ощущаю вкус Африки и девственного, неприрученного мира, а еще — неожиданно ласковую чувственность губ, нежность поцелуя. В этот момент я теряю себя, позволяя колдовству ночи и новым ощущениям овладеть мной. Если бы сейчас мне пришел конец, то я бы умерла очень счастливой.

А потом я вспоминаю о львах, которые бродят вокруг, и думаю, что мне, пожалуй, лучше все-таки не умирать. Возможно, лучше навсегда остаться в объятиях Доминика. За много-много миль от парикмахерской, от симпатичной деревеньки Нэшли, от жизни, которую я знала.

Доминик медленно выпускает меня из объятий и расстегивает молнию на палатке. Я делаю шаг внутрь. Где-то в темноте рычит лев, и ему отвечает трубный глас слона. В этот раз я не дрожу от страха, но только потому, что Доминик здесь. Вытянув руку, я касаюсь его руки.

— Ты будешь здесь?

— Всегда. — Он кладет одеяло на пол веранды поперек входа в мою палатку. — Прямо здесь. Сегодня тебе нечего бояться.

— Не буду. — Я встаю на цыпочки, чтобы опять поцеловать его. — Спокойной ночи, Доминик.

— *Usiku mwema*[1]. Спокойной ночи, Просто Дженни. Спи крепко, — говорит он с улыбкой. — Не давай львам искусать тебя.

И вот я лежу внутри палатки, в темноте.

Совсем рядом с ним.

Глава 29

Вот так всегда. Когда хочется, чтобы время шло медленно, оно летит. Семь дней — это так мало! Мне хочется провести здесь еще несколько недель или даже месяцев, а то и остаться навсегда. Ну не хочу я возвращаться в свой Бакингемшир!

Каждый день мы отправляемся на наши игры. Первый раз — рано утром, когда дневные животные только просыпаются, а ночные бродяги идут спать. Второй раз — ближе к вечеру, когда солнце уже опустилось и дневная жара медленно уходит. В это время хищники уже проснулись и готовы охотиться. Мы теснимся в ав-

---

[1] Доброй ночи.

тобусе и благодарим Бога за существование цифровых камер. Мы и надеяться не могли, что сделаем так много фотографий! Львы, гепарды, буйволы, зебры, носороги, бегемоты, жирафы, мартышки, бабуины, бородавочники, шакалы, дюжина видов антилоп, а еще странные и чудесные птицы, запомнить названия которых я не в состоянии. Доминик, как и обещал, показал нам самые замечательные места.

И вот настал наш последний вечер в кемпинге Kiihu.

Завтра другой водитель провезет нас по длинной пыльной дороге назад в Найроби. Я уже предвижу, что мое сердце будет разбито.

После ужина мы собираемся вокруг костра. Все желают, чтобы наш последний вечер тянулся подольше. Мне, как никому другому из нашей группы, хочется, чтобы эта ночь никогда не кончалась. Может быть, остальные легко и просто вернутся к веселой и полной жизни. Возможно, они даже хотят спать в собственных кроватях и уже торопятся вернуться к привычным чашкам чая, к тем, кого любят, и к работе, которую обожают. Я же могу думать только о том, что поеду домой *без Доминика*.

У нас с ним была прекрасная неделя, и я подозреваю, что нашу зародившуюся нежность друг к другу было трудно скрыть от наших спутников. Они снисходительно улыбались, когда мы с ним ходили, прижавшись друг к другу, или когда он обнимал меня рукой за плечи, или когда нежнее, чем другим, помогал спуститься из автобуса. При любой возможности мы проводили время вместе. Мы разговаривали, смеялись, узнавали о жизни друг друга. Так легко, как с ним, мне не было ни с кем и никогда. Я забыла обо всем, что ждало меня дома. Я просто жила — здесь и сейчас.

Но, как бы мне ни хотелось остаться или хотя бы отложить отъезд, время расставания неумолимо приближается.

Угольки гаснут. Ночные звуки — крики гиен, низкий угрожающий львиный рев, хрюканье бородавочников — становятся громче. Все мои компаньоны расходятся, чтобы готовиться к раннему отъезду. В тишине и темноте Доминик провожает меня к моей палатке и обнимает.

— Что же нам теперь делать? — спрашиваю я его.

— Ты вернешься к прежней жизни, Просто Дженни, и очень скоро забудешь меня.

— Нет, — протестую я. — Никогда!

— У каждого из нас своя жизнь. С этим ничего не поделаешь.

— Ты этого хочешь? Чтобы я уехала домой и забыла тебя?

— Нет. — Он поглаживает мое лицо длинными изящными пальцами. — Не хочу.

— Мы что-нибудь придумаем, — обещаю я. — Найдем способ поддерживать отношения. У тебя есть доступ к компьютеру?

— Да, — говорит он. — Есть один в городе, совсем недалеко, всего-то пятнадцать километров.

— Пятнадцать километров пешком, чтобы добраться до компьютера?

Доминик кивает так, будто это пустяк для него.

— Ну, мы могли бы, по крайней мере, пользоваться интернетом. — Я понимаю, что хватаюсь за соломинку. Как часто мы сможем вот так общаться? Доминику придется столько пройти, только чтобы прочитать письмо или сообщение от меня. Скоро ли ему это надоест? Я могу звонить. Даже на африканских равнинах мобильники работают превосходно. У Доминика есть рабочий телефон, но нет денег, чтобы звонить мне или слать эсэмэски. Для меня-то это смешная сумма, и я обязательно буду платить за регулярные звонки. Ну вот почему единственный мужчина, в которого я по-настоящему влюбилась, оказался не только на другом краю земли, но и в ином времени?

— Ты должна поспать.

— Нет, — отвечаю, — еще нет. Я не буду спать вместе с тобой. Всю ночь. Я хочу лежать в твоих объятиях.

В прежней, обычной жизни я бы даже не подумала об этом, но сейчас должна считаться с тем, что у нас с Домиником может и не быть второго шанса. Поэтому не могу позволить этой ночи утечь сквозь пальцы.

— Останься, — умоляю я, не в силах сдержать себя. — Будь со мной.

В темноте я чувствую, что он кивает. Мы расстегиваем молнию на палатке и вдвоем входим внутрь.

Впервые по-настоящему упав в объятия друг друга, мы страстно и самозабвенно целуемся, медленно раздевая друг друга. Помогая мне, Доминик движением плеч сбрасывает свой красный *shuka*[1] и оказывается передо мной голым. Его тело будто вырезано из тикового дерева, и меня бьет дрожь, когда я провожу пальцами по его коже. Я снимаю с его шеи нити бус — свадебное ожерелье — и осторожно кладу на *shuka*. Он поднимает меня на руки, опускает на кровать, и мы лежим в объятиях друг друга.

Аромат его кожи опьяняющий, незнакомый. Я хочу надышаться им на всю жизнь. Мой любимый пахнет мускусом, пряностями и Масаи-Мара.

Мы занимаемся безумной, сумасшедшей любовью, но я не могу справиться ни со своим телом, ни со своим сердцем. Я хочу, чтобы Доминик слился со мной и душой, и телом. Я задыхаюсь от наслаждения, когда мы соединяемся, и в ответ вижу радость в его глазах. Доминик надвигается на меня. Никогда раньше я не чувствовала

---

[1] S h u k a — туника, или тога, у масаев, чаще всего красная, что ассоциируется с цветом крови и символизирует храбрость.

себя столь состоявшейся, полноценной, удовлетворенной женщиной. Я и понятия не имела, что такое вообще возможно. У меня из глаз катятся слезы. Он стирает их поцелуем.

— Не плачь, Дженни, ты должна быть счастлива.

Я лежу в его руках, и мои пальцы обнаруживают шрамы на теле Доминика.

— Откуда это?

— Львы, — отвечает он и показывает мне сероватый шрам на своем бедре. — Это место, за которое большой лев ухватил меня зубами. Мой брат Джозеф спас меня.

— На тебя напал лев?

Мой любимый пожимает плечами.

— Я охотился на льва, — объясняет он. — Это часть ритуала, чтобы стать *ilmoran*[1] — воином, мужчиной. Способ показать свою силу.

— Было страшно?

— О да, — смеется он, — но этого нельзя показывать. Если ты выкажешь страх, твоя семья не будет разговаривать с тобой много-много лет. Воину масаи непростительно быть слабым. Люди должны тебя уважать, иначе позор будет невыносим. — Доминик забрасывает руку за голову. — Наши обычаи меняются. Мы больше не охотимся на львов. Теперь мы считаем львов нашими братьями. Если мы не будем заботиться о львах, то туристы не приедут посмотреть на них, а масаи больше не могут жить, только разводя скот. — Он улыбается мне. — Нам нужно, чтобы вы приезжали в кемпинг *Kiihu*.

— Хотелось бы мне, чтобы ты посмотрел мой мир, — задумчиво говорю я ему. — Наша жизнь так легка по сравнению с вашей.

---

[1] M o r a n, i l m o r a n — юноша масаи в возрасте от 12 до 25 лет, прошедший обряд инициации и ставший воином.

— Таков наш образ жизни, Просто Дженни. Мы должны принять его. — Темные пальцы бродят по моему телу. — Я вижу, у тебя нет шрамов, оставленных дикими животными.

— Нет. Вообще нет ни одного шрама.

Разве что на сердце, думаю я. И только что я получила еще один, который никогда не исчезнет.

Мы лежим рядом, и я борюсь со сном, пока первый луч солнца не освещает горизонт.

Настало время уезжать.

Глава 30

Дождь льет как из ведра, а на улице всего семь градусов. Я дрожу от холода. Майк ждет у барьера в зале прибытия «Хитроу», держа в руках написанное от руки объявление «ДОБРО ПОЖАЛОВАТЬ ДОМОЙ, ДЖЕННИ!». Я выдавливаю улыбку, когда вижу его, но на душе у меня свинцовая тяжесть. По дороге в Найроби и потом в самолете я не переставала ощущать, как с каждой следующей милей, отдаляющей меня от Доминика, отрывается еще один кусочек моего сердца.

Мой сияющий сосед похлопывает меня по спине, берет чемодан, приговаривая: «Ну, ну, ну».

— Ты чудесно выглядишь. Африканское солнце подарило тебе здоровый цвет лица и пару веснушек.

Мы идем от аэропорта к стоянке. Майк направляет меня, держа под локоть.

Я немного ошалевшая, будто еще не пришла в себя после сна — волшебного, чудесного сна. Пасмурная погода, ледяные иглы дождя, людская толчея — все это гораздо дальше от меня, чем выжженная трава и жаркое солнце африканских равнин. Неужели я и вправду живу здесь? Неужели мой дом — в этой серой, шумной, холодной местности?

— Арчи скучал по тебе.

— Скучал? — Только теперь я осознаю, как сильно мне хочется увидеть своего своенравного кота и обнять его, пусть и с риском получить раны от его когтей.

— Ну, ты же его знаешь.

Еще бы! Если кто-то регулярно открывает банки с кошачьей едой, то жизнь для Арчи прекрасна.

— Понравилось путешествовать? Я все время думал о тебе, — негромко говорит Майк. — И очень ревновал.

— Все было изумительно. — Слова выдавливаются с трудом, поскольку у меня перехватило голос.

— Лучше, чем ожидала?

— Да. Гораздо лучше, чем я вообще могла вообразить.

И это сущая правда!

— А Большую пятерку[1] видела?

— Да, — отвечаю. — Видела.

Мы пытаемся перейти дорогу. Совсем недавно, в Найроби, мы испытывали острые ощущения в плотном и быстром движении, о котором там ходят легенды, но нашему оно и в подметки не годится. Майк проворно лавирует между машинами, а я двигаюсь медленно и отстаю от него.

Какой же до смешного тесной кажется Англия по сравнению с просторами Масаи-Мара!

— Все хорошо? — спрашивает Майк, и на лбу у него появляется тревожная морщинка.

— Да, да, — отвечаю я. — Все хорошо. Просто я немного пришибленная. Возвращение домой было очень

---

[1] Большая пятерка, или Большая африканская пятерка — традиционное название пяти видов млекопитающих, являющихся наиболее почетными трофеями африканских охотничьих сафари: слон, носорог (оба африканских вида — черный и белый), буйвол, лев, леопард.

долгим. — Я устало улыбаюсь. — Ничего так не хочу, как чашку чая и горячую ванну.

Майк бросает мой чемодан на заднее сиденье, и мы садимся в машину. Неужели прошла всего неделя с того дня, когда мы с ним были здесь? И так много событий произошло! Кажется, они все еще никак не укладываются у меня в голове.

— Спасибо, Майк, так мило с твоей стороны, что встретил меня!

— Пустяки. Не надо благодарности. Для меня это удовольствие.

Мой друг и сосед, кажется, весьма доволен, что опять видит меня. При других обстоятельствах это придало бы мне сил. Но я чувствую, что его поцелуй перед моим отъездом в Африку изменил все, что было между нами прежде. А теперь — после того как полюбила Доминика — я чувствую, что мой мир пошатнулся на своей оси, и мне надо к этому привыкнуть.

— Я знаю, что ты устала. — Майк выводит машину из аэропорта и въезжает на автостраду. — Ну, я приготовил нечто вроде запеканки из овощей с мясом. Может, попробуешь? Я подумал, что сегодня у тебя не будет желания готовить еду.

— Спасибо, очень предусмотрительно.

Он прав, у меня нет желания готовить. Как и нет желания возвращаться на работу. И вообще нет желания быть такой, как прежде.

Я усаживаюсь поудобнее. Движение по автостраде убаюкивает меня, и я почти впадаю в транс. За окном — дождь и серые облака, но у меня перед глазами все еще огромное синее небо Африки и обширные равнины Мары.

— Ты в самом деле в порядке? — беспокоится Майк. — У тебя ничего не украли? Или, может, что-то случилось?

144

— Нет, нет, — уверяю я его. — Ничего подобного. Украдено только мое сердце, хочется мне сказать. И я точно знаю, кто его похитил. Оно осталось там, вдалеке, на африканских равнинах, у Доминика Оле Нангона, воина масаи и замечательного человека.

И я понятия не имею, как мне вернуть его.

Глава 31

Майк вносит мой чемодан в коттедж и бесцельно суетится вокруг меня. Арчи подходит и трется о мои ноги. Я наклоняюсь и глажу его, затем беру на руки и утыкаюсь лицом ему в шею. Несколько секунд он терпит, потом вырывается и стремглав убегает. Ритуал возвращения домой закончен. Арчи усаживается на кухне возле шкафа, где хранится его корм, и притворяется, что голоден. Он ведет себя так, будто не съел ни крошки, пока я была в Африке, а Майк, заменявший меня, всю неделю полностью пренебрегал им.

На столе стоит небольшая коробка.

— О, Майк, спасибо. — *Asante.* — Очень любезно с твоей стороны.

— Это поможет тебе продержаться, пока ты не соберешься с силами, чтобы пойти по магазинам. Не хотелось бы, чтобы наш мальчик голодал. — Он бросает быстрый взгляд на Арчи, а тот устраивает представление, за которое мог бы получить Оскара. — Пойду домой, поставлю кастрюльку греться. Увидимся через час?

— Это будет чудесно.

Майк уходит. Я обвожу взглядом коттедж, и он кажется мне чужим. У меня странное чувство — будто порвалась некая связь. Вот же мои элегантные безделушки, занавески в цветах! Неужели это я их выбрала?

Едва узнаю собственный дом. Как такое могло случиться за столь короткое время? Все здесь кажется таким английским. Даже смешно. Мы в миллионе миль от Масаи-Мара. Сравнивать мой дом с Африкой — все равно что сравнивать акварельный пейзаж с картиной, написанной большими смелыми мазками. Интересно, Доминик тоже бы так думал, будь он здесь?

Пять часов вечера, пора включать свет. В коттедже холодно, поскольку целую неделю в нем никто не жил, и я поворачиваю ручку термостата на пару щелчков. Трубы оживают и начинают потрескивать. Но здесь нет костра, у которого можно сидеть, прижавшись друг к другу...

Я кладу в миску еду для Арчи, который сразу же поворачивается ко мне спиной и начинает есть, — корыстная кошачья любовь! — и иду наверх, втаскивая за собой чемодан. В спальне я бросаю его на кровать и открываю. На самом верху лежит *kanga* Доминика — его масайское одеяло, которое он подарил мне на память. Я подношу к лицу ткань с красными и оранжевыми полосами и глубоко вдыхаю. Аромат Доминика, аромат Африки окутывает меня, и слезы начинают литься у меня из глаз.

Я должна быть счастлива, что вернулась в «Маленький Коттедж». Разве обычно не испытываешь чувство облегчения, когда возвращаешься домой? Уезжать — это прекрасно, но возвращаться домой, как правило, еще лучше. Дома у тебя все твое собственное — кровать, подушка, чашка чая, заваренного точно так, как ты любишь. Но на сей раз не так — эти вещи мне безразличны. Часть моей души осталась в Африке, и я не знаю, сколько должно пройти времени, чтобы я снова почувствовала себя целой.

На автоответчике мигает красная лампочка, и я нажимаю кнопку, чтобы прослушать сообщения. Одно от Нины — она надеется, что я вернулась благополучно.

Все остальные от этого идиота Льюиса Морана — хочет знать, когда же мы снова встретимся.

Никогда, думаю я. Ни в этой жизни, ни в следующей. Разве что, когда Джимми Карр[1] начнет рассказывать приличные анекдоты. Или Терри Воган[2] перестанет нести вздор. Или Саймон Коуэлл[3] обратится за пособием по безработице.

Я накидываю *kanga* Доминика на плечи, сажусь на кровать и погружаюсь в воспоминания о том, как позавчера ночью, среди африканских равнин, счастливо лежала в его объятиях.

Но через несколько секунд возвращаюсь к реальности. Мне надо шевелиться побыстрее, иначе запеканка Майка успеет сгореть, пока я буду сидеть и тосковать. В ванне я пускаю самую горячую воду, какую только возможно, и с чувством вины вспоминаю о тех людях, для кого вода — драгоценнейшая вещь. Потом сбрасываю одежду, в которой приехала, и погружаюсь в воду, позволяя ей успокоить усталые кости и измученное сердце.

Через полчаса вода уже остыла и приобрела цвет карамели. Кажется, будто я привезла на своем теле половину Масаи-Мара. Я смываю пыль с волос и беру фен. Странное ощущение — опять держать его в руках, да и от утюжка я тоже отвыкла!

Потом надеваю старый велюровый спортивный костюм Juicy Couture. Конечно, он не очень модный и уж совсем не шикарный, но я всего лишь иду к Майку. Он и не ждет, что я приложу много усилий. Потом начинаю

---

[1] Джеймс Энтони Патрик «Джимми» Карр — английский комик и юморист, известный своими невозмутимыми выступлениями, черным юмором и использованием острых подколок.

[2] Сэр Терри Воган — известный британский радио- и телеведущий.

[3] Саймон Филлип Коуэлл — английский телеведущий, продюсер, участник модных экранных шоу, активный деятель теле- и киноиндустрии.

копаться на дне сумки в поисках подарков, которые приобрела для своего соседа. Бутылка «Амарула» и два компакт-диска, купленные впопыхах в аэропорту Найроби. Спустившись вниз, беру со стойки бутылку красного вина и целую Арчи со словами:

— Я ненадолго. Просто зайду к соседу.

Кот укоризненно смотрит на меня, будто хочет сказать: «Ты вернулась пять минут назад и опять уходишь?»

Когда я стучу в дверь Майка, то начинаю нервничать, не знаю почему. Он впускает меня, широко улыбаясь.

— Пришла вовремя, — говорит он. — Как раз все готово.

Из кухни струятся замечательные ароматы.

— Вот. — Я передаю ему подарки и бутылку вина к ужину.

— Не стоило.

— Просто небольшая благодарность за то, что подвез меня.

— Я не смог бы поступить иначе, Дженни, — настаивает он. — Ты же знаешь.

— Все равно спасибо.

— Я поставлю это. — Он берет компакт-диск, вставляет его в плеер, и звуки ритмичной африканской музыки заполняют комнату. Они кажутся странными и неуместными здесь, в Нэшли.

Коттедж Майка немного больше моего, но очень уютный. Здесь три спальни, — а у меня только одна, — гостиная много больше моей и кухня. Здесь прекрасно, но я должна сказать, что многое здесь осталось так, как было при Тане. Правда, телевизор новый, больше прежнего. Есть также игровая приставка и несколько подростковых игр-стрелялок. Но в остальном мало что изменилось. Не думаю, что его жена увезла с собой много вещей. Хотя сегодня я замечаю, что с подоконника убраны десятки фотографий Майка с женой. Возможно, еще один знак, что Майк собирается двигаться дальше.

— Готова ужинать? — спрашивает он.

Я киваю, и мы проходим на кухню, где стоит стол, накрытый на двоих. В середине мерцает свеча. Я ужинала здесь миллион раз, но свечи не было никогда.

— Я могу помочь?

— Нет, нет, — решительно отказывается он. — Все под контролем.

Однако, когда я сажусь на стул, Майк немного смущается.

Он накладывает еду и ставит передо мной прекрасно выглядящее блюдо. Следует отметить среди прочих его способностей, что Майк прекрасный повар. Он вынимает пробку и наливает мне бокал красного вина, потом садится напротив. Поднимая свой бокал и приближая к моему, он говорит:

— Хорошо, что ты дома.

Я хочу сказать «Хорошо оказаться дома», но слова как-то не идут. Так ли хорошо быть дома? Думаю, не все так просто. И вместо ответа отпиваю вино и по-мужски киваю.

Итак, мы вместе ужинаем и слушаем африканскую музыку. Очень скоро вино заставляет меня расслабиться. И если очень постараться, то можно несколько минут не думать о Доминике. Может быть, диск с африканской музыкой был куплен напрасно?

Еще нет и девяти, а я уже зеваю и понемногу сползаю со стула.

— Вам, молодая леди, нужно пораньше лечь спать, — советует Майк.

Я смеюсь, но рада, что могу уйти.

— Очень устала, — оправдываюсь я. — Ужин замечательный, и ты был очень внимателен.

— Ты же знаешь, я всегда рад тебе.

— На неделе отвечу тебе тем же, — обещаю я.

— Ловлю на слове, — предупреждает он и придвигается ко мне, но я делаю шаг в сторону и направляюсь к двери.

Неужели Майк хотел поцеловать меня? Думаю, да.

— Спокойной ночи, — говорю я. — Еще раз спасибо.

Осторожно иду в темноте по дорожке и благополучно возвращаюсь домой.

Я уже готова лечь. Арчи, сделав несколько кругов по кровати, устраивается рядом с моей подушкой. Перед тем как залезть под пуховое одеяло, натягиваю на плечи *kanga* Доминика, подхожу к окну, смотрю на клочок затянутого тучами неба, который виден между высоченными дубами. Я думаю о бесконечном африканском небе, усеянном звездами, и о том, где же теперь моя любовь.

Доминик где-то там, под тем же самым небом, что и я.

— Спокойной ночи, Доминик, — обращаюсь я к вселенной. — *Usiku mwema*. Спокойной ночи.

Глава 32

Утро понедельника. Восемь часов. Я в салоне. Не испытываю никакого интереса ни к работе, ни к жизни.

Нина уже в комнате персонала.

— Боже мой, — говорит она, когда видит меня. — Только посмотри на себя! Неделя на мексиканском солнце пошла тебе на пользу.

— На африканском, — напоминаю я, сбрасывая с плеч зимнее пальто. — Я была в Африке.

— Мексика, Африка, — говорит она. — Какая разница? Хорошо провела время?

— Замечательно, — отвечаю я и вздыхаю.

— Хм, — сомневается подруга, — и почему же тогда у тебя такой мрачный вид?

Я сажусь рядом с ней. Моя первая клиентка должна появиться только через двадцать минут. Еще успею выпить кофе, чтобы восстановить силы. Я проснулась в четыре утра и сейчас, в самом начале рабочего дня, уже валюсь с ног от усталости.

— Я даже не хотела возвращаться сюда.

— Было так хорошо?

Я киваю.

— Осталась бы еще на недельку. Мне вообще не следовало затевать все это.

Подруга толкает меня локтем.

— Не обошлось без мужчины, так?

Нина сразу берет быка за рога.

— Не обошлось.

— Рада, что взяла презервативы? — смеется она.

— Да. Но, знаешь, я бы не переживала, если б даже забеременела, — опрометчиво говорю я. Возможно, не стоило мне, как обычно, быть благоразумной, а надо было отбросить осторожность и довериться судьбе. — Честно говоря, я бы хотела, чтобы во мне рос его ребенок.

По крайней мере, я привезла бы домой частичку Доминика.

— Ух ты, — удивляется Нина. — Совсем спятила? — Она смотрит на меня так, будто никогда раньше не видела. — Это уже ни в какие ворота не лезет. Что произошло с осторожной Дженни Я-Не-Ищу-Любви Джонсон? Кто ты, незнакомка?

— Я и сама себя едва узнаю.

— Кофе, — объявляет Нина. — Крепкий кофе. Вот что тебе нужно. — Она гремит посудой, играя роль хозяйки. Вручая мне чашку, спрашивает: — Во время отпуска тебе случайно не разбили голову?

151

Разбили сердце, думаю я.

— Или, может, солнце выжгло тебе мозги?

— Не знаю, — говорю я. — Но если и так, это все равно было великолепно.

— Ну, — велит Нина, — давай рассказывай о парне, который выбил тебя из колеи. У тебя есть его фотографии?

— Его зовут Доминик, — говорю я и чувствую, как возвращается улыбка. — Он чудесный. Впервые в жизни я чувствую, что... — Неужели я осмелюсь произнести это? —...люблю.

Кажется, Нина растеряна.

— Любишь?

Я пожимаю плечами.

— Что еще я могу сказать?

— Любишь? — в полном замешательстве повторяет она. — Он тоже?

— Да, наверное.

— Ничего себе. — Она начинает рыться в своей сумке с фруктами. Ясно, что она не может переварить такие новости без яблока или даже двух. — И когда ты собираешься увидеться с ним снова?

— Не знаю, — признаюсь я. — В этом-то и сложность.

— Где он живет?

Теперь я смотрю на нее так, будто она сошла с ума.

— В Африке, конечно. В Кении. В Масаи-Мара.

— О, — говорит подруга. — Я понимала, что ты встретила его во время поездки, но была уверена, что он родом из Англии.

— Нет. Он был нашим гидом. Он живет в Мара.

— Ты, видно, знаешь, как их подцепить. Я должна была догадаться, что ты не влюбишься в того, кто живет в конце твоей улицы.

Надо же! А ведь когда она подумала, что мы с

Несчастным Майком начали общаться чуть теснее, это ей тоже не понравилось. Но об этом я ей не напоминаю.

— И у меня на автоответчике дюжина сообщений от Льюиса, — говорю я Нине. — Я надеялась, что он сдастся, пока меня здесь не будет. Ты можешь еще раз поговорить с Джерри?

— А, — говорит Нина. — Вот это может оказаться немного сложнее.

Я жду ее объяснений.

— Мы с Джерри сейчас не разговариваем, — говорит она, пряча взгляд. — У него опять одна из его забавных фаз.

Это значит, что он исчезает без объяснений, отсутствует допоздна, приходит домой пьяный и пахнет духами другой женщины — и даже хуже.

— О, Нина.

— Уверена, он с кем-то встречается, — признается подруга. — Он клянется, что ничего такого нет, но... ты же знаешь, как все обстоит на самом деле.

Кажется, подобное случается с Джерри регулярно. Такие события повторяются все чаще и чаще. Годы идут, и нет никаких признаков того, что он хочет жить только с одной женщиной.

— Ты живешь дома?

Подруга кивает.

— Провела пару ночей у мамы, пока ты была в отъезде, но потом вернулась. Хотя между нами все еще чувствуется некоторое напряжение.

Нина яростно жует свое яблоко «Голден». Иногда мне хочется, чтобы моя подруга опять начала курить.

— Но ты не можешь так жить дальше, — указываю я.

— И что ты можешь мне предложить? Уйти от него? Но куда? Что мне делать?

— Я не знаю.

— Он — вся моя жизнь, Дженни. Он — единственный мужчина, которого я знаю с подросткового возраста. Как можно повернуться к этому спиной?

Вероятно, лучше мне не указывать, что именно это, кажется, и не будет проблемой для Джерри.

— А у твоего парня нет подходящего брата? Возможно, у меня появился бы стимул, который так сейчас нужен. — Она смеется над собственным предложением. — В любом случае, не надо больше о моих горестях. Так у тебя есть с собой его фото?

— Нет, — отвечаю я. — У меня не было времени просмотреть фотографии. Я вернулась довольно поздно, а потом Майк приготовил ужин для нас обоих.

— Господи, — говорит Нина. — Он ведет себя совсем как муж, в отличие от Пола.

Мы вместе смеемся, но я не рассказываю ей ни про поцелуй в «Хитроу», ни про робкое предложение Майка продвинуть нашу дружбу дальше. Чем меньше Нина знает об этом, тем лучше. Во всяком случае, пока.

В дверь просовывает голову Кристал.

— Ваши клиентки здесь.

— О, какая радость, — язвительно замечает Нина. — Взъерошенные бакингемширские волосы ждут нас.

С этого момента мой отпуск можно официально считать законченным. Я отодвигаю в сторону мысли о Доминике и готовлюсь к тому, чтобы опять взяться за ножницы.

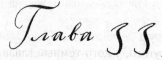

Глава 33

Когда я вечером возвращаюсь домой, то вижу, что Шон любезно прислал мне электронное письмо с вложенной фотографией, на которой мы с Домиником сидим под акацией. Я долго смотрю на фото, и мои эмоции бурлят. В конце концов решаю попросить у Майка немного фотобумаги, чтобы распечатать снимок.

— Хочешь посмотреть кино сегодня вечером? — спрашивает мой сосед.

— Пожалуй, пропущу, — отвечаю ему. — Все еще чувствую себя очень усталой.

Я не осмеливаюсь признаться, что по пути с работы заскочила в магазин и взяла напрокат диски с фильмами «Из Африки» и «Король Лев». И что мой план на вечер состоит в том, чтобы посмотреть их. Но поскольку я могу расплакаться, то хочу смотреть их в одиночестве.

— Может быть, в другой раз? — предлагает он. — Или мы могли бы пойти поужинать, как я обещал. В конце недели. Или когда захочешь.

Ааа. Значит, он не забыл.

— Посмотрим, как пойдут дела.

Майк явно разочарован, но старается не показывать этого.

— У нас с тобой все в порядке?

— Ну конечно. — Подходящее ли сейчас время, чтобы сказать ему о Доминике? Но какой в этом смысл? Ведь шансы таковы, что я больше никогда в жизни не увижу Доминика, в конце концов перестану страдать по нему и покончу со своими чувствами. Кто знает, может быть, когда-нибудь я и обрету способность смотреть на Майка другими глазами. Вероятно, многие женщины, и я в том числе, были бы счастливы с таким, как он.

Просто так уж случилось, что в настоящий момент я влюблена в другого, у кого темные глаза и шоколадно-коричневая кожа, а улыбка может соперничать с солнцем и кто считает рукопашный бой со львом одним из своих житейских навыков. С таким, как мой любимый, невозможно соперничать!

— Не беспокойся обо мне, — уверяю я Майка, поскольку его взгляд остается хмурым. — Я просто... немного не в своей тарелке. — На самом деле мне ужасно хочется сказать «безнадежно томлюсь от любви», но я не могу произнести это вслух.

Поблагодарив его за фотобумагу, тороплюсь домой. Там, в подсобке, где стоит стиральная машина, а рядом с ней уютно устроился мой компьютер, я нахожу убежище. Пыль Масаи-Мара еще лежит на плитках пола. Груда белья, оставшегося от отпуска, валяется возле стиральной машины и, кажется, смотрит на меня укоризненно. Ничего, полежит, ждать ей осталось недолго. Я сажусь у крошечного стола и распечатываю фотографию. Немного потрескивания и пыхтения, и она у меня в руках. Улыбка Доминика сияет, а я смотрю на него снизу вверх, и даже неопытному взгляду ясно, что я полностью очарована моим любимым.

Потом захожу на Фейсбук. Я не питаю особой надежды, что Доминик уже совершил долгую и трудную прогулку до ближайшего городка, где есть компьютер, чтобы попытаться вступить в контакт со мной. Но когда я перехожу на свою страницу, то с потрясением вижу запрос на дружбу от некоего Доминика Оле Нангона!

Мое сердце подпрыгивает от радости. А ведь еще есть и сообщение, и я читаю и перечитываю его пару раз, а потом читаю снова. Оно очень приятное. Он надеется, что я благополучно вернулась домой. Пишет, что так и не было дождя. На этой неделе, продолжает он, его новая группа видела на дереве леопарда. Большая редкость. И тут я вижу то, что так надеялась увидеть, — он пишет, что скучает по мне. Очень скучает! Я откидываюсь на спинку стула. Значит, это не плод моего воображения. Доминик любит меня так же сильно, как и я люблю его.

Я печатаю ответ, переполненный эмоциями. Сообщаю, что добралась благополучно. И надеюсь, что у них скоро будет дождь. Говорю ему, что тоже по нему скучаю, очень скучаю.

Теперь у меня на сердце становится легче. Я очень рада, что нам удалось пообщаться.

На Фейсбуке у меня всего около двадцати друзей — девушки из салона, школьные подруги. Я никогда не видела в нем проку и почти им не пользуюсь. Теперь-то, конечно, я буду каждый вечер проверять свой аккаунт, чтобы узнать, не пришло ли еще одно сообщение от Доминика. И, когда придет, я буду счастлива.

Ничто не должно лишать меня этой радости. Я гоню прочь мысли о том, как вообще мы сможем развивать наши отношения, каким образом и когда смогу увидеть его снова. Хотя, конечно, хорошо бы знать, что есть надежда и у нас, несмотря ни на что, все получится как нельзя лучше.

На кухне я открываю бутылку вина. Арчи получает объятие, от которого протестующе воет. Потом я бросаю белье в стиральную машину. Сообщение Доминика придало упругости моим шагам и заставило петь мое сердце.

Взяв бокал и бутылку, направляюсь в гостиную и ставлю диск с фильмом. Арчи сворачивается у меня на коленях, и я натягиваю на нас обоих *kanga* Доминика — под этим новым покрывалом я чувствую себя в безопасности. Его яркие цвета выделяются среди пастельных тонов в моем коттедже, и поэтому оно нравится мне еще больше.

Вдвоем с Арчи — без Майка — мы смотрим «Из Африки» и «Король Лев». У меня льются и льются слезы, но я не в силах разобраться, из-за чего — я одновременно чувствую и печаль, и счастье.

Глава 34

Утро вторника. Восемь часов. Второй день на работе. Никакого энтузиазма.

Рождественская гонка уже началась, и заказы расписаны на весь день. Да еще позвонила Нина — она простудилась, и некоторых ее клиенток переводят ко мне. Значит, у меня даже не будет перерыва на обед, а к концу дня заболят ноги. Остальных клиентов Нины распределяют среди других стилистов.

Меня беспокоит, что у Нины, видимо, стало больше проблем с Джерри. Обычно она очень редко болеет, и если бы захотела просто прогулять денек, то сказала бы мне заранее, чтобы я могла прикрыть ее. Я отправляю ей сообщение с вопросом, все ли в порядке, и через десять минут она отвечает, нет, не в порядке, и спрашивает, не смогу ли я зайти к ней домой по дороге с работы.

Мне хочется весь день сидеть в комнате персонала, любоваться фотографией Доминика и вспоминать виды и звуки Африки, но из этого, очевидно, ничего не выйдет. Я так занята, что даже нет времени показать Доминика моим постоянным клиенткам, которые входят и выходят с ужасающей скоростью, а ведь мне надо принять еще и клиенток Нины. А тех, кто захочет сегодня зайти без записи, чтобы отдохнуть и расслабиться во время укладки, ждет жестокое разочарование.

Я уверена, что мельком видела Льюиса, прячущегося возле салона, но я буквально сбиваюсь с ног и не могу даже думать о нем. Кристал целый день в плохом настроении, потому что ей кажется, будто работы слишком много. У мальчиков очередная склока, поскольку

Тайрон должен обслужить одну из клиенток Нины, а Клинтон считает, что ей нравится Тайрон. А клиентки весь день только и делают, что ноют и жалуются. У Келли тоже настроение не ахти, поскольку она любит, чтобы все шло гладко, а сегодня это далеко не так. К тому времени, как настает пора идти домой, я бы с радостью убила нескольких из них — а может, и многих. А ведь считается, что это в Масаи-Мара идет жестокая борьба за выживание!

В шесть часов я поворачиваю на дорожку, ведущую к дому Нины, хотя мне хочется ехать прямо домой, чтобы спокойно полежать в темной комнате. В салоне сегодня царило безумие, а завтра, если Нина не выйдет на работу, будет еще хуже.

Я еще не постучала, а моя подруга уже открывает дверь. У нее опухли глаза и лицо, значит, весь день она провела в слезах. Войдя в дом, я сразу же обнимаю ее и покачиваю, желая успокоить.

— Моя сладкая, что случилось? Расскажи-ка все тетушке Дженни.

— Он встречается с кем-то, — всхлипывает Нина. — Я это точно знаю.

— Давай я поставлю чайник. — Я веду подругу в кухню, усаживаю ее за стол и включаю чайник. Потом вручаю ей рулон бумажных полотенец, она отрывает одно и сморкается. — Ты ела?

Подруга качает головой.

— Куриный суп, — решаю я и начинаю рыться в ее шкафах, пока не нахожу нужную банку.

— Я всегда считала, что такой суп должна готовить мама, — указывает Нина.

— Нищие не выбирают, — поучительно говорю я, и она смеется.

— Его не было дома все выходные, — начинает Нина свой рассказ, пока я открываю банку и выливаю содержимое в кастрюлю. — Он сказал, что едет на бизнес-конференцию, но вчера я нашла у него в кармане счет. Номер на двоих на каком-то шикарном курорте. Я туда позвонила и спросила, была ли у них конференция, но нет, там были только он и она. Лживый ублюдок.

— О, Нина.

Я наливаю суп в тарелку и ставлю перед ней. Потом вручаю ложку. Моя подруга помешивает ложкой в тарелке, выбирает кусочки курицы и роняет их обратно.

— Брак должен быть совсем не таким, — жалуется она. — В нем должно быть доверие. Супруги должны стареть вместе, и у них должна быть общая история. А у нас только секреты, боль и неуверенность.

— Тебе надо поговорить с Джерри.

— Думаешь, я не пробовала? Но даже при виде этого, — она машет передо мной оскорбительной квитанцией, — он отрицает все. Он считает меня полной дурой. Всю ночь мы с ним спорили, и поэтому сегодня я не смогла прийти на работу. У меня больше нету сил, Дженни. — Нина опять начинает плакать. — Он ушел. Я не видела его весь день. Его мобильник не отвечает, и я не знаю, где он.

— Он вернется, — обещаю я. — Он всегда возвращается.

— Не знаю, — шепчет Нина. — Возможно, в этот раз он ушел навсегда.

— Ты должна решить, дорогая моя, желаешь ли ты, чтобы он вернулся или нет.

— Конечно, желаю, — говорит она. — Ведь я люблю его. Думаешь, мне хочется, чтобы какая-то стерва увела его у меня?

Почему любовь не может быть всегда прекрасной, радостной и счастливой? Почему с нею рядом обязательно идут боль и страдание? У меня в сумочке лежит фотография Доминика, и мне очень хочется показать ее Нине. Но как я могу счастливо щебетать о своей любви, когда ее любовь, похоже, рушится прямо на глазах?

Глава 35

Неделя проходит в суете, и кажется, что мой отпуск был миллион лет назад. Я вхожу на Фейсбук без особой надежды, но на своей странице вижу сообщение Доминика. Всего несколько строчек, но они заставляют мое сердце взлететь. Когда я уже ответила и нажала кнопку «отправить», в дверь стучится Майк.

— Привет, — говорит он, когда я открываю. — Вот подумал, мы могли бы согласовать дату нашего ужина.

— О, Майк, у меня была жуткая неделя, — объясняю я. — Нина не работала, и я должна была обслуживать ее клиенток. Я едва могу связать два слова и тем более, не могу обещать, что тебе будет интересно со мной за ужином.

— В Кранвее, рядом с каналом, открыли «Ресторанчик на барже». — У Майка появляется виноватое выражение. — Я уже сделал заказ на завтрашний вечер. Не думал, что ты будешь занята.

Неужели моя жизнь такая тусклая? И Майк убежден, что в субботу вечером я буду сидеть одна, поэтому ему даже не нужно спрашивать у меня заранее?

Но самое печальное в том, что он прав.

— Может, согласишься?

Он берет диски с фильмами и рассматривает их. Как же мне теперь сказать «нет»? Мое сердце смягчается. Я знаю, с каким нетерпением Майк ждал этого ужина. Я тоже смотрю на диски в его руках и думаю, сколько раз еще посмотрю «Из Африки» и «Король Лев»? Тоска по чему-то, чего я не могу получить, не приносит вообще никакой пользы.

— Прекрасно, — говорю я. — Во сколько?

— Заеду за тобой в половине восьмого.

— Хорошо.

Я не вернусь раньше половины седьмого, поэтому надо будет быстро переодеться. Но это же просто Майк, и он не ожидает, что я буду выглядеть как Николь Кидман на красной дорожке!

«Ресторанчик на барже» когда-то был убогим, старым пабом. В нем подавали несвежие сэндвичи и напитки, которые по запаху не отличались от жидкости для мытья окон. Его-то и переделали в ресторан, на что ушло, наверное, несколько миллионов фунтов, зато он стал неузнаваем. В обеденном зале тепло и уютно. Стойка из полированной нержавеющей стали, очаг посередине стены. Столы и стулья разные, не чувствуется единого стиля, и, правду сказать, это не очень приятно. Зато в меню много соблазнительных блюд. Майк заказывает стейк, а я — креветки карри. Мы с моим соседом десятки раз ходили куда-нибудь поесть, но обычно ужин состоял из пиццы и бокала недорогого вина. Сейчас все совсем иначе. На Майке очень красивая рубашка, которой я раньше не видела. Меня даже беспокоит, не купил ли он ее специально для этого случая, поэтому ничего о ней не говорю. К счастью, я надела вечернее платье и поэтому не чувствую, что одета недостаточно хорошо.

— Здесь неплохо, — говорит он, оглядывая ресторан.

— Прекрасно.

— Я слышал очень хорошие отзывы о нем.

Наш стол стоит у окна, из которого виден красиво освещенный канал. Летом здесь будет чудесно, и я уверена, что сюда будут приезжать семьями. Сегодня же вечером здесь, кажется, настоящее прибежище для романтически настроенных пар. Черт возьми!

— Давненько мы этого не делали, — замечает Майк, когда мы усаживаемся друг против друга.

Что-то я не помню, чтобы мы вообще когда-либо это делали!

Официант приносит бутылку шампанского.

— О! — Я удивлена. — Это нам?

— Я взял на себя смелость, — признается Майк. — Изредка можно себе позволить. Кроме того, у нас еще не было шанса отпраздновать твое возвращение из Африки.

— Да я ездила всего на неделю, Майк.

Официант наливает шампанское в высокие бокалы.

— Слишком долгой была эта неделя, — говорит Майк, поднимая свой бокал.

Мы чокаемся и отпиваем.

— Ты почти ничего не рассказала, — замечает он. — Все прошло так, как ты надеялась?

Гораздо лучше, хочется мне сказать, гораздо лучше! Надо бы рассказать ему о Доминике, но разве это возможно в такой ситуации? Совершенно ясно — Майк думает, что у нас нечто большее, чем редкая встреча двух приятелей за ужином, и я не хочу его разочаровывать. Потому и молчу о моем воине масаи.

— Прекрасная страна, и в кемпинге было превосходно. Я хотела бы как-нибудь вернуться туда.

О да, еще как хотела бы! Собрать бы сумку и уехать туда на следующей неделе...

Приносят ужин. Он восхитителен, как Майк и рассчитывал.

— Все было прекрасно, — говорю я, закончив поедать десерт. — Превосходная еда.

— И превосходная компания, — говорит Майк.

Я краснею.

— Спасибо.

Asante. Африканские слова, которым Доминик научил меня, выскакивают в памяти сами собой.

Глядя через стол на Майка, я изо всех сил пытаюсь думать не о Масаи-Мара, а о Майке, очень добром человеке, и о том, насколько он лучше таких, как мерзкий и отвратительный Льюис Моран. Почему я до сих пор не влюбилась в Майка? Если бы на сцене не появился Доминик, то стала бы я после сегодняшнего вечера испытывать к Майку другие чувства? Как я могу ответить на эти вопросы? Как вообще на них можно ответить? Если бы судьба не затеяла свою игру, кто знает, как бы все повернулось.

Мы едем домой, Майк за рулем. Он выпил всего один бокал шампанского, а это значит, что остальное выпила я. В машине, в тепле, мое сопротивление тает. Теперь, когда я ощутила вкус любви и знаю, чего лишена, мне хочется почувствовать себя в объятиях сильных рук любящего мужчины. Мое тело тоскует по Доминику, но Доминика здесь нет. Начался дождь, и ритмичное пощелкивание дворников по ветровому стеклу навевает сон.

Я знаю, что в таком случае сделали бы другие девочки — да и мальчики — из нашего салона. Они провели бы ночь с Майком. Да, именно так они бы и сделали. Стеф, в частности, уже много лет назад записала бы его как «помощника по дому». Их девиз очень прост: «Если ты не можешь быть с тем, кого любишь, то люби того, кто с тобой». Но может ли у меня быть такой девиз?

Майк подъезжает к коттеджу, поворачивается ко мне и улыбается.

— Все хорошо?

Вот и настал решающий момент. Я могу пригласить его выпить кофе и посмотреть, к чему это нас приведет.

— Я прекрасно провела вечер, — говорю я, и это правда. Майк хороший, надежный, добрый — у него есть все, что, по словам других женщин, мы больше всего ценим в мужчинах. — Но очень устала. Не возражаешь, если мы назовем это тем самым ужином?

Если Майк и разочарован, то не показывает этого.

— Конечно, не возражаю, — говорит он. — Спасибо, что составила мне такую приятную компанию.

Он наклоняется и целует меня в щеку, да так нежно, что мне хочется плакать.

— Ты очень хороший человек, Майк Перри. Кто-нибудь уже говорил тебе это?

— Да, — отвечает Майк. — Многие. Как раз перед тем, как выпрыгивали из моей машины и в одиночестве бежали домой.

Мы оба смеемся.

— Так ты и вправду не возражаешь?

— Нет, — отвечает он. — Ну, до завтра.

— Да, — говорю я. — До завтра.

Я вылезаю из его машины и в одиночестве бегу домой. Арчи смотрит на меня с презрением, когда я бросаю на диван сумочку.

— Ну не могла я пригласить его, — объясняю я коту, увидев кислое выражение у него на мордочке. — Никак не могла. Он бы неправильно понял.

Выглядывая из-за занавески, я вижу, как Майк идет по дорожке к своему дому, потом слышу, как за ним закрывается дверь. Меня грызет одиночество. А ведь так легко позвонить Майку и попросить его вернуться. И нужно-то для этого всего лишь взять мобильник и набрать его номер. Майк будет здесь через секунду. Я знаю, что будет. Он был бы нежным, внимательным любовником, и мне не пришлось бы просыпаться одной.

Я долго, очень долго смотрю на телефон, наверное, минут пять, а возможно, и больше. Потом поворачиваюсь и поднимаюсь по лестнице в спальню.

Пора спать. Компанию мне может составить только кот с плохим нравом, лежащий у меня под коленями. Я оборачиваю *kanga* Доминика вокруг себя, притворяюсь, что это он обнимает меня, и через пять минут погружаюсь в глубокий сон, вызванный шампанским.

Глава 36

Опять обычное утро понедельника в салоне. Кристал плачет, потому что очередной парень сбежал после ее обычного сексуального марафона субботней ночью. Сейчас ее утешает Стеф. Тайрон и Клинтон сидят в противоположных углах, потому что разругались и дуются друг на друга. Боже, помоги нам, ведь если сейчас появится какой-нибудь симпатичный мужчина, чтобы сделать прическу, то вполне может начаться третья мировая война.

Нина вернулась на работу. Возможно, дома у Далтонов и нет любовных грез молодости, но Джерри опять возвратился и в надцатый раз обещает быть верным Нине. Поэтому у Далтонов почти без перемен. По крайней мере, Нина улыбается и отправляет в рот одну виноградину за другой.

Несмотря на то что атмосфера в салоне насыщена безнадежностью, Келли развешивает и расставляет рождественские украшения. Для поддержания настроения она надела вспыхивающие рога северного оленя. Наша хозяйка украшает рабочие места мишурой, вешает игрушки на люстры, прикрепляет снежинки к окнам.

И во все горло распевает жизнерадостные песни из альбома «Вот что я называю Рождеством». Ну, хоть кто-то счастлив. Нина кивает в ее сторону.

— Скоро она опять начнет раздавать чертовы колпаки Санты.

Я закатываю глаза.

— Неужели опять?

Все сотрудники обязаны терпеть унижение, работая в колпаках Санты весь декабрь. Наше безразличие, а иногда даже враждебность к ним не могут обуздать энтузиазм, с которым Келли относится к традиционным праздникам.

— Как прошел ужин с Несчастным Майком? — интересуется Нина.

— Он не несчастный! — говорим мы с ней хором.

— Было прекрасно, — отвечаю я. — На самом деле прекрасно. Возможно, при других обстоятельствах он вскружил бы мне голову.

Я не рассказываю ей, что была на волоске от того, чтобы позвонить Майку и попросить его провести ночь со мной.

Как же хорошо, что не позвонила! Это было бы ужасной ошибкой. Как для меня, так и для Майка. Хотя, нельзя не признать, Майк, может быть, смотрел бы на все иначе. Но я люблю Доминика и не могу поверить, что у меня могла возникнуть мысль о том, чтобы подложить ему такую свинью.

— Но ты все еще любишь того парня из Мексики?

— Из Африки.

— Да какая разница? — Нина не уделяет много внимания таким деталям.

— Ну да. — Я тянусь за сумочкой. — У меня есть фотография, — говорю я, и во мне начинает нарастать волнение из-за того, что появился шанс похвастаться Домиником. — Ты же еще не видела его.

Моя подруга была так погружена в собственные несчастья, что мое счастье было для нее на втором плане, ну да ладно. Чему быть, того не миновать. Уже несколько дней мне до смерти хочется показать ей Доминика. Из глубин моей сумочки я извлекаю отпечаток, который уже потерся, потому что я не упускаю возможности исподтишка посмотреть на него. Улыбаясь, протягиваю фотографию, на которой мы с Домиником, совершенно счастливые, сидим под акацией на ярком африканском солнце.

Нина выхватывает ее у меня.

— Дай-ка мне взглянуть на этого жеребца, — говорит она, и, пока разглядывает снимок, ее рот открывается все шире. — Он... он... он...

Моя подруга смотрит на меня.

— Он воин масаи, — подтверждаю я.

— Ни черта себе, — говорит Нина и снова впивается взглядом в фотографию. — Это тот самый парень, в которого ты влюбилась?

— Он такой прекрасный, Нина. Я в жизни не встречала никого, кто хоть немного походил бы на Доминика.

— Иисус Христос, Дженни! Это преуменьшение. Едва ли ты встретишь чертова воина масаи в ночном клубе «Океана»! Верно? Конечно же, он не похож ни на одного из тех, кого ты встречала раньше.

— Я имею в виду, каков он сам, а не то, как он выглядит. Он добрый и гордый, и... — Мои колени слабеют от одной только мысли о Доминике.

— Ты получила от него хоть одну весточку с тех пор?

— Да, — отвечаю я. — Он уже оставил мне несколько сообщений на Фейсбуке.

— Он не просил у тебя денег?

— Денег? — Я хмурюсь. — Нет. А почему ты спрашиваешь?

Нина вытягивает губы.

— Они обычно так делают, Дженни.

— Кто что делает?

Она кивает на Доминика.

— Мужчины такого сорта. Ты знаешь, они связываются с богатой белой женщиной, обещают ей рай небесный, заставляют почувствовать, что все это на самом деле...

— Это все на самом деле, — настаиваю я. — Доминик совсем не такой, как ты думаешь.

К этому времени наш разговор привлек внимание остальных. Даже мальчики забыли свои распри и подошли посмотреть. Глядя через плечо Нины, Стеф говорит:

— Хм. Я бы с ним...

А я думаю: «О нет, ты не с ним. Он мой».

— Дай посмотреть, — говорит Кристал. — Так вот с кем у тебя курортный роман?

— Вовсе не курортный роман, — возражаю я. — Мы любим друг друга.

Нина и Кристал переглядываются, но мне плевать.

— Это не то, о чем вы думаете, — возражаю я.

— Ну и здоров же он, — признает Кристал. — Понятно, почему тебя так зацепило.

— Вовсе меня не зацепило. Доминик — прекрасный человек. И если существует возможность нам быть вместе, я найду ее. — После таких слов я замолкаю. До сих пор я не сознавалась в этом даже себе. А теперь громко объявила всем присутствующим!

— Просто будь осторожна, Дженни, — предупреждает Нина. — Я не хочу, чтобы ты страдала.

— Единственное, от чего я могу страдать, так это от того, что не смогу увидеть его. — Я забираю фотографию.

— Да я просто так сказала. — Нина обнимает меня одной рукой. — Но ты не теряй бдительность с такими типами.

— Моя подруга в прошлом году поехала отдыхать в Турцию и тоже встретила там парня, — вступает в разговор Стеф. — Он вскружил ей голову, у них был буйный секс, а потом он забрал у нее кучу денег. Оказывается, у него одновременно была дюжина женщин.

— Доминик не такой.

— Мою подругу в Египте тоже обманули, — добавляет Кристал.

— Но меня-то никто не обманул! — протестую я.

Все с сочувствием смотрят на меня.

— Несколько недель назад вы все уговаривали меня выбраться из дома и найти любовь, — напоминаю я им. — А теперь, когда я ее нашла, вам это не нравится.

Нина смотрит на остальных, ожидая поддержки, но понимает, что она и есть главный докладчик от «Неофициального комитета по устройству личной жизни Дженни Джонсон».

— Мы просто говорим, что это немного... сложнее, чем обычные отношения, дорогая. И больше ничего.

Все дружно кивают у нее за спиной.

— Больше ничего? — переспрашиваю я. — Действительно, больше ничего?

Мне не хочется обсуждать *их* проблемы, но если на меня нажмут, то придется вспомнить и о сексе на одну ночь, и о боязни отношений, и о ревности, и о неверных мужьях.

Мне гораздо лучше с Домиником, чем с любым из них. И поэтому опасения моих друзей меня совершенно не волнуют.

Глава 37

Остальную часть недели я живу в жутком напряжении. Новость о моих отношениях с Домиником, конечно же, распространилась в салоне. Клиентки бросают на меня жалостливые взгляды даже до того, как я успеваю рассказать им про свой отпуск. Ощущение такое, будто моя жизнь стала темой для сплетен — каждый раз, когда я вхожу в зал или в комнату для персонала, все замолкают.

Мне известно много историй о женщинах, которые в поисках любви ездили за границу и вернулись обманутыми, но у меня же все по-другому! В этом я уверена. Доминику никогда не пришло бы в голову сделать что-то подобное. Конечно, надо признать, что мы с ним не так уж давно знакомы, но я твердо знаю, что обманывать людей — не в его природе. Когда имеешь дело с Домиником, получаешь то, что видишь, и мне очень понравилось то, что я в нем увидела. Я не глупенькая впечатлительная девушка и не отчаявшаяся одинокая женщина. За исключением редких моментов сожаления, я была довольна тем, как складывается моя жизнь, но Доминик перевернул мой мир вверх дном. Я хочу быть с Домиником, и, если у меня есть хоть единственный шанс быть счастливой с ним, я сделаю все, чтобы ухватить этот шанс обеими руками.

Всю неделю Нина вела себя со мной очень прохладно, и я не знаю почему. Возможно, ей трудно видеть, что я нашла любовь, а ее любовь ускользает. За много дней я не сказала ни слова о Доминике и чувствую, что это в некотором роде несправедливо — я не могу говорить с ней о нем, но, когда ей надо вывалить на меня все свои проблемы, связанные с Джерри, я всегда рядом.

Мой телефон опять пищит. Пришло еще одно сообщение с просьбой о свидании. Я удаляю его. Если бы только я могла удалить Льюиса так же легко, как и его сообщения!

Сегодня утро пятницы, и в салоне все места заняты. И теперь так будет до самого Рождества.

Миссис Норман сидит в кресле и ждет меня. Ей назначено на десять часов. Кристал уже вымыла и расчесала ее волосы. Я выдавливаю улыбку, приветствуя одну из моих любимых клиенток.

— Как ваши дела, миссис Норман?

— Все хорошо, дорогуша.

— Все как обычно?

— Да, — говорит она. — Сделай сегодня поплотнее. Прическа должна продержаться весь уик-энд.

Разделив волосы на пряди, начинаю их наматывать на розовые бигуди, и миссис Норман задает мне все тот же вопрос:

— Как твоя любовная жизнь, юная Дженни?

— Отлично, миссис Норман, — говорю я слишком громко. — У меня замечательная личная жизнь!

Все перестают работать и смотрят на меня. В зеркало я вижу, что миссис Норман потрясена, поскольку слышит что-то новое, а не обычный невразумительный ответ «Да все по-прежнему, все по-прежнему».

— Я встретила чудесного мужчину, когда была в отпуске, — продолжаю я, к удовольствию всех прислушивающихся. — Он добрый. Веселый. Красивый. — Фотография Доминика лежит у меня в кармане, и я кладу ее перед миссис Норман. Она едва не подпрыгивает от неожиданности. — Вот он!

И пока я накручиваю ее волосы на бигуди, миссис Норман надевает очки и всматривается в фотографию.

— Это он в красном платье? — спрашивает она.

Поскольку на фотографии только два человека, и один из них я, то, думаю, это правильное предположение.

— Да, — отвечаю. — Это он.

— Он здоров как бык, — звучит приговор миссис Норман.

— Конечно!

— Я не глухая, — указывает миссис Норман. — Нет нужды так кричать, Дженни, дорогая.

Но я думаю, что есть нужда так кричать. Я думаю, есть нужда кричать об этом со всех крыш.

— Он заставляет меня чувствовать себя так, как никто и никогда раньше, — говорю я так громко, как только могу. — Когда я в его объятиях, я теряю себя. И тогда больше нет чертова скучного парикмахера из Бакингема, и я становлюсь той, кем хочу быть. И если это не любовь, то я не знаю, что это.

— Это хорошо. — У Миссис Норман немного испуганный вид.

— Я люблю его, — объявляю я. — И мне плевать, устраивает это остальных или нет! Это моя жизнь, и я делаю с ней все, что хочу!

Я заканчиваю наматывать волосы миссис Норман на бигуди и плотно обвязываю их сверху розовой сеточкой для волос. Внезапно я понимаю, что тяжело дышу, а в салоне такая тишина, что будет слышно, если упадет булавка. Ножницы замерли в воздухе. Если не ошибаюсь, прохожие остановились и заглядывают к нам в окна.

— Чашечку чаю? — говорю я в звенящей тишине.

— Да, пожалуйста, — кротко отвечает миссис Норман.

— Хорошо! — Я хлопаю в ладоши. — Одна чашка чая и два ваших любимых карамельных печенья сейчас будут поданы!

Глава 38

Оставшуюся часть дня и весь следующий все ходят вокруг меня на цыпочках. Кристал делает все, что я ни попрошу, без протестов и жалоб. Она даже сметает волосы прежде, чем я успеваю сказать ей. Им всем, конечно, кажется, будто они имеют дело с психопаткой. Ну и пусть!

В обеденный перерыв я не выдерживаю и делаю попытку примирения, предлагая сбегать за сэндвичами. Я беру ручку, блокнот и встаю.

— Фрукты, — говорит Нина, — любые.

— Ветчина и сыр с салатом. Без майонеза. — Кристал боится взглянуть на меня, как бы я опять не сорвалась.

— Копченый лосось, — произносит Тайрон, для поддержки хватая Клинтона за руку. — Пожалуйста.

— Что-нибудь еще?

Он качает головой, и я делаю короткую пометку.

Он кивает.

— Клинтон?

— Клюква и багет бри, пожалуйста, Дженни.

— Праздничное блюдо, — комментирую я.

— Да, — тихо соглашается он. — Пытаюсь поднять себе настроение.

— Стеф?

— Мне коронационного цыпленка[1] на тосте с салатом.

Я обвожу всех взглядом.

— Это все?

Все молча кивают.

Келли сидит у стойки и подпиливает ногти.

— Что-нибудь принести из кафе?

В ответ она поднимает диетический батончик.

— Все хорошо?

— Да, — говорю я. — Все пришло в норму.

— Тот парень тебе, должно быть, и вправду по душе.

---

[1] Коронационный цыпленок (Coronation Chicken) — рецепт был создан в 1953 году специально к церемонии коронации Елизаветы Второй.

— Да. — Конечно, «по душе» — это преуменьшение. — Уверена, что ничего не хочешь?

— Нет, спасибо, дорогая. Филу не нравится, если я
слишком толстею.

Честно говоря, Келли весит вряд ли больше 56 кило-
граммов, да и то если насквозь промокнет. А ее жирдяй
-бойфренд просто гад.

Со списком в руках вылетаю из салона и направляюсь в кафе. Рождественские огни сияют во внутреннем
дворе, раскачиваясь под порывами ветра. Опустив голову, я собираюсь перейти переулок, когда кто-то хватает
меня за руку и тянет назад.

В двух дюймах от меня — Льюис Моран.

— Привет, беби, — говорит он, дыша мне в лицо.

Да, именно так и говорит. Я не выдумываю.

— Ты не отвечаешь на мои звонки, — жалуется
он. — Не хотелось бы думать, что ты избегаешь меня.

— Но я избегаю вас, — отвечаю я. — Потому-то и
уехала в Африку. А это для меня намного сложнее, чем
выпрыгнуть из окна туалета в объятия радушных лесби-
янок, и все только ради того, чтобы избежать общения
с вами.

Он смеется в ответ.

— Посещение другого континента можно считать серьезным способом избегания, — указываю я.

— Я легко не сдаюсь, — продолжает Льюис.

— А теперь я вернулась и люблю совсем другого.

Я вижу, как в его лице что-то дрогнуло.

— Но мы с тобой созданы друг для друга, — возражает он мне.

— Нет, не созданы. Уж в этом-то я абсолютно
уверена.

— Если бы только ты дала мне шанс, то...

— Я так и сделала, — перебиваю я его. — Но вы
были ужасны. На самом деле ужасны. Если бы вы хоть

чуточку понимали, что происходит, вы бы уже давно сдались.

Он тычет в меня пальцем и усмехается.

— Ты будешь моей, я обещаю.

— А я вам обещаю, что не буду. — Я показываю ему список сэндвичей. — А теперь, извините, у меня важное дело, которым я должна заняться.

Льюис отступает, и я опять пытаюсь перейти через дорогу.

— Я не собираюсь сдаваться, — кричит он вслед. — Вот увидишь.

Но я, кажется, больше не боюсь его. Он просто невысокий, толстый, заблуждающийся человечек, а во мне появилась новая храбрость. Я могу раздавить Льюиса Морана, как надоедливую муху.

В конце концов я женщина воина масаи!

Глава 39

Миссис Сильвертон пришла уложить волосы.

— Ну, и как ты провела отпуск? — спрашивает она.

Все делают быстрый вдох, разговоры прекращаются, а ножницы испуганно замирают в руках.

— Все прошло прекрасно, — сладким голосом говорю я. — Правда, прекрасно.

Все выдыхают. Разговоры и стрижки возобновляются.

— Я же тебе говорила, — подмигивает мне миссис Сильвертон. — Я знала, что тебе понравится.

— О таком можно было только мечтать.

— А мы опять туда едем, — говорит моя клиентка. — Теперь уже не можем удержаться. Я заказала короткую поездку на Рождество. Только мы с мужем.

Вдвоем. Жутко дорого. Представь себе, у нас перелет из Найроби прямо в Мара. И мы управимся за уик-энд.

— Вы летите прямым рейсом?

Она кивает.

— На несколько тысяч дороже, но оно того стоит. Избежим бесконечно долгой поездки. В прошлый раз у меня чуть не растрясло почки. — Миссис Сильвертон делает паузу, чтобы вздохнуть, и смотрит на меня. — Что ты делаешь на Рождество, Дженни?

— Я? Ну... ничего.

Моя клиентка будет развлекаться в двух шагах от моего возлюбленного, а я опять должна сидеть дома в полном одиночестве, если не считать сварливого кота. На ужин будет индейка и рождественский пудинг в кастрюльке на одну порцию. И придется самой тянуть за оба конца хлопушки с сюрпризом[1] — ведь я одна. Внезапно меня окутывает невыносимая печаль. Даже не знаю, смогу ли я заставить себя украсить рождественскую елку, не говоря уже о чем-нибудь другом.

— Мы ждем не дождемся отъезда, — продолжает миссис Сильвертон.

И я перестаю ее слышать. Моя клиентка щебечет о том, где они остановятся и что будут делать, но я могу думать только о том, что так быть не должно. Я не должна быть несчастной и одинокой. Я тоже могла бы поехать в Масаи-Мара на праздники и провести с Домиником пару дней. Я могла бы полететь прямым рейсом прямо к нему.

Были бы деньги.

---

[1] Хлопушка с сюрпризом — традиционное английское развлечение на Рождество. Ярко окрашенная бумажная трубка, скрученная на обоих концах, похожая на большую конфету. Хлопушку принято тянуть вдвоем за концы. Раздается хлопок и выпадает содержимое. По традиции рождественская хлопушка содержит бумажную корону, маленький подарок и шутку, написанную на полоске бумаги. Чем дороже хлопушка, тем лучше подарок.

Я заканчиваю прическу миссис Сильвертон. Она, конечно, даже не заметила, что я погрузилась в свой собственный мир, поскольку дает мне очень большие и очень желанные чаевые.

За стойкой я записываю дату ее следующего визита и поворачиваюсь к Келли.

— У меня еще осталась неделя отпуска, — говорю я ей. — Есть ли у меня шанс получить свободные дни между Рождеством и Новым годом?

Пальцем с отличным маникюром Келли пролистывает на компьютере экраны назначений.

— У тебя не так много заказов, — признает она. — Кто-нибудь из твоих клиенток будет возражать?

— Большинство из них записано на двадцать третье.

В канун Рождества мы больше не работаем. Раньше мы записывали клиентов на этот день, но многих гораздо больше привлекал паб, и они отменяли заказы. Если Келли скажет «да», то я смогу улететь двадцать четвертого.

— Это как-то связано с тем, что тебя тянет к тому мужчине?

— Мне бы хотелось повидать его, — поправляю я ее.

Келли вздыхает.

— Что ж, Дженни, я не против. Можешь лететь к нему. Но будь осторожна. Не торопись.

И это я слышу от женщины, чей бойфренд — проходимец! На тридцать лет старше ее, да еще и считает ее слишком толстой! И она будет советовать мне не торопиться? Кто-нибудь говорил ей такое, когда она подцепила совершенно неподходящего мужчину? Или она думала, что любовь приходит в разных формах? Любит ли она его до сих пор? Думаю, это по его воле ей приходится жить на диетических батончиках вместо нормальной еды.

Тем же вечером я вхожу в интернет. Да, в рождественские каникулы есть поездки в Масаи-Мара. Однако миссис Сильвертон не ошиблась — они стоят целое состояние. Я смотрю на хилый баланс моего накопительного счета и понимаю, что денег у меня мало. Если я всерьез хочу опять увидеть Доминика, то нужно что-нибудь продать.

Сколько придется ждать, если я буду ежемесячно откладывать посильную сумму? Наверное, он забудет меня к тому времени, когда я смогу приехать. Но что продать? У меня так мало ценных вещей, с которыми я могла бы расстаться.

Но все равно мое сердце колотится, когда я вхожу на свою страницу на Фейсбуке и печатаю сообщение для Доминика: «Я хотела бы повидать тебя на Рождество. Хочешь, я приеду?»

Теперь можно откинуться на спинку стула и расслабиться. Осталось только дождаться ответа.

Глава 40

Через четыре дня получаю сообщение: «Да, Дженни Джонсон. Мне очень хочется опять увидеть тебя. Я скучаю по тебе. С любовью, Доминик».

Этого для меня достаточно. Сейчас же закажу поездку.

Пока я ждала ответа Доминика и обдумывала, какие вещи можно продать, я вытащила все свои драгоценности. Золото всегда стоит больших денег, — во всяком случае, так говорят, — и, конечно, их должно хватить на билет. Что же у меня есть?

Пара браслетов — сейчас они выглядят старомодными. Порванные цепочки — я так и не собралась их починить. Кольцо — не обручальное, но красивое. И дорогое. Его купил мне Пол. Оно мне очень нравилось, но я его больше никогда не надену. Возможно, кто-нибудь сочтет меня бесчувственной, поскольку я распродаю подарки моего бывшего. Но что лучше — жить воспоминаниями или превратить их в инвестиции ради светлого будущего? В тот день, когда Пол пришел в салон сообщить мне, что женится и скоро станет отцом, он сказал, что сделает все, чтобы помочь мне. Будет ли продажа кольца считаться его помощью? Хочется думать, да.

Гораздо труднее будет расстаться с драгоценностями матери, которые я унаследовала, когда несколько лет назад она умерла от рака. И я откладываю в сторону то, с чем никогда не смогу расстаться — ее обручальное кольцо и сапфировый кулон, который она особенно любила. Но что делать с остальным? Брошь с жемчугом и брильянтами, которую мама не очень любила и редко надевала, но все равно я не решаюсь ее продать. Смогу ли я отрезать эту эмоциональную связь и дать броши уйти к незнакомым людям в обмен на несколько банкнот? Перевернется ли мать в могиле при мысли о том, что я так поступила? Или благословит меня и скажет, чтобы я следовала за своей мечтой?

Скоро мне придется решить это самой. Вместе с фирмой «Все, что блестит» я уже организовала золотую вечеринку у себя в коттедже. Придут все мои коллеги по работе в надежде получить несколько фунтов за ставшее ненужным золото и таким образом пополнить свой рождественский бюджет. У меня же совсем другая цель.

Я рассматриваю свою маленькую кучку драгоценностей и слышу, как в дверь стучит Майк. Надо впустить его.

— Привет, — говорит он. — Вот подумал, а что ты делаешь сегодня вечером?

Я не видела Майка с нашего свидания за ужином на прошлой неделе и рада, что между нами нет неловкости. Кажется, мы вернулись к тому, с чего начали.

— Ко мне придут девчата и парни из салона, — объясняю я ему. — Я устраиваю золотую вечеринку.

— Золотую вечеринку? Для меня это что-то новенькое.

— Продажа старых драгоценностей. Присоединяйся, если у тебя есть то, от чего ты хочешь избавиться.

— Хмм. — Майк чешет подбородок. — Велико искушение побыстрее продать остатки из Таниной шкатулки.

— А ты злючка, — смеюсь я.

— Наверное, я не приду. — Он поднимает руку и поворачивается, чтобы уйти, но останавливается. — О, Дженни, есть еще кое-что.

— Да?

— Я хотел поговорить с тобой о том, что было на прошлой неделе. — Кажется, он не решается продолжать. — Хочу спросить, что ты делаешь на Рождество? У тебя уже есть планы?

Ой.

— Ну... — Неужели пришло время все прояснить и рассказать Майку о Доминике? — Отчасти из-за этого я и устраиваю золотую вечеринку. — Я знаю, звучит уклончиво, и Майк озадаченно смотрит на меня. — Я хочу на Рождество вернуться в Масаи-Мара, всего на пару дней. Я вылетаю в канун Рождества, и это стоит целое состояние. Я должна распродать кое-какое фамильное серебро... Ладно, золото.

— О, — говорит Майк.

Справедливости ради должна сказать, что мое признание, кажется, ошеломило его. Еще бы! Я и сама немного потрясена.

Опять раздается стук в дверь, и, выглянув из окна, — это вошло в привычку после вторжения в мою жизнь Льюиса Морана, — я вижу, что приехала машина, битком набитая девочками из салона.

— Они уже здесь, — извиняющимся тоном говорю я Майку.

— Тогда я пошел.

— Не спеши. Останься, выпей бокал вина.

— У меня полно дел, — настаивает он. — Желаю хорошо повеселиться!

Я открываю дверь.

— Жуткая погода, — жалуется Нина. — Холодина. О, привет, Майк.

— Рад снова видеть тебя, Нина.

— Не останешься? — спрашивает она.

Майк качает головой. Подъезжает еще одна машина. Из нее выскакивают мальчики.

— Потом поговорим, — обещаю я, когда Майк направляется к двери.

Мой сосед машет на прощание рукой и торопливо уходит.

Тем временем Нина исчезает в кухне, вытаскивает из шкафа бокалы и наливает вино.

— А Майк вовсе неплох, — говорит она через плечо.

— И всегда таким был.

— Правда? — Нина отпивает глоток вина, пробуя его, и одобрительно вытягивает губы. — Никогда раньше не замечала.

Мне становится интересно — она на самом деле думает, что он неплох, или просто пытается указать мне на его очарование в надежде отвлечь мое внимание от Доминика?

Я кладу на кухонный стол закуски — чипсы, коктейльные колбаски, блюда с сыром и булочки. Девочки сразу набрасываются на них.

Опять стук в дверь. Значит, пришел представитель фирмы «Все, что блестит». Он выглядит в точности так, как и должен выглядеть скупщик золота. На нем — костюм в узкую полоску, а волосы зачесаны через лысину справа налево. О, как мне хочется добраться до них своими ножницами!

Его я усаживаю в уголке гостиной, рядом с лестницей. Он просит принести маленький стол, и я выполняю его просьбу. Он ставит на него какую-то машинку, которая, как он объясняет, будет проверять, золотая драгоценность или нет, и маленькие весы.

— Хотите бокал вина?

— Чаю, пожалуйста, если не трудно, — отвечает он.

Я приношу ему чай, и он принимается за работу.

Девчата сжимают в кулачках золотые драгоценности, а у мальчиков, кажется, больше цепей, браслетов, сережек и часов, чем у всех нас, вместе взятых.

Первой идет Кристал. И уходит очень довольная, получив почти сто фунтов за несколько сломанных украшений. Затем подходят мальчики и уходят тоже очень довольные тем, что расстались со своим грузом в обмен на пачку наличных.

Нина сидит рядом со мной.

— Гуляке Джерри еще повезло, что я решила не продавать и эти, — говорит она, глядя на свадебное и обручальное кольца.

— Твои дела не лучше?

Нина пожимает плечами.

— А это вообще возможно?

— Ты следующая. — Я подталкиваю ее, указывая на стол.

— Чувствую себя так, будто иду к чертову дантисту, — бормочет она и с трудом поднимается с дивана. Но возвращается, широко улыбаясь.

— Семьсот фунтов за все. — Сияя, она поднимает руку. — Дай пять. — Я тоже поднимаю руку. — Здорово получилось, Дженни. Эта вечеринка оказалась прекрасной затеей.

— Передо мной только Стеф.

Решающий момент близок.

— По-моему, некоторые из этих драгоценностей, дорогая, — говорит Нина, внезапно став серьезной, — принадлежали твоей маме.

— Так и есть. Но я отложила самые важные для меня. А эти — просто побрякушки.

— Но это же мамины побрякушки!

— Я должна повидаться с ним, Нина.

Подруга берет меня за руки.

— Я беспокоюсь за тебя, Дженни. Ты совсем не похожа на дурочку. А он всего лишь парень. Они приходят и уходят. Не связывай все свои надежды с ним одним. Весьма возможно, что он подведет тебя.

Я кладу голову ей на плечо.

— Я должна верить в хорошее, Нина.

В этот момент скупщик кивает мне. Значит, моя очередь.

Глава 41

Скупщик дал мне тысячу пятьсот фунтов. Весьма значительная сумма. В другое время я бы бегала по комнате кругами и весело танцевала. Самым дорогим оказалось кольцо, подаренное Полом. Выяснилось, что оно из двадцатичетырехкаратного золота, и за него я получила пятьсот фунтов. Я мысленно благодарю моего бывшего и надеюсь, что он не будет слишком разочарован, если узнает, что я рассталась с его подарком. Надеюсь, он был бы рад помочь мне в поисках настоящей любви.

Я волнуюсь, пока скупщик выполняет ритуал упаковки своего оборудования и только что купленных драгоценностей в большой чемодан. Затем восторженно благодарю его и провожаю до двери. После его ухода расслабляюсь и сажусь рядом с подругой. Все остальные уже на кухне — уплетают сыр и пьют вино. Они в восторге от своей удачи, и я слышу, как они договариваются пойти в клуб и отпраздновать. О, как бы мне снова стать молодой!

— В общем, довольно хорошо, — говорит Нина.

— Да. — Я вздыхаю. — Но этого недостаточно.

— Ничего себе, — говорит подруга. — У тебя будет дорогое рождественское веселье.

Неужели Нина права? Наверное, это безумие — потратить на поездку столько денег. Я быстренько подсчитываю, за сколько времени могла бы заработать такую сумму и на сколько месяцев выплат по ипотеке ее бы хватило. Это отрезвляет меня. Но, что бы ни думали мои друзья, для меня это не просто рождественское веселье. Это встреча с человеком, которого я обожаю, да еще в такое время года, когда так важно быть с теми, кого мы любим!

Разве это не стоит любых денег? Но хуже всего, что даже после неожиданной золотой лихорадки мне все еще не хватает тысячи фунтов. Я уже забронировала путевку, сняв с кредитки все, что можно. Где же мне раздобыть еще кучу денег?

— Придется больше стричь на дому, — говорю я.

— Тебе придется стричь, как Эдвард Руки-ножницы, чтобы собрать столько денег за несколько следующих недель.

— Хмм.

— Как мне ни жалко, — говорит Нина, — я дам тебе взаймы. — Она протягивает семьсот фунтов, которые только что получила. — Если бы они были тебе нужны на оплату счетов за машину или за дом, я бы не колебалась ни секунды. Но просвистеть деньги ради парня? — Подруга свистит сквозь зубы. — Леди, думаю, ты спятила.

Я кусаю губы.

— Но ты мне все вернешь, до последнего пенни.

— Я не могу взять их, — говорю я ей. — Спасибо за предложение, но я что-нибудь придумаю.

— Если не возьмешь сейчас же, я их потрачу, — предупреждает Нина.

— Я что-нибудь придумаю, — повторяю я.

Она пожимает плечами.

— Пойдем, присоединимся к остальным. Отпразднуем нашу удачу.

— Спасибо за приглашение.

Когда они уходят, я начинаю наводить порядок — кто же мог знать, что всего несколько человек оставят после себя так много грязной посуды? — и затем иду спать. Арчи очень недоволен вечерним вторжением большого количества людей в его дом и дуется на меня. Он цепляет меня за бедро одним-единственным, зато беспощадным когтем, и висит на нем, пока я пытаюсь отцепить его.

— Арчи, — сержусь я на кота. — Будь паинькой. Мне многое надо обдумать.

Дерзко ответив мне на кошачьем языке, он устраивается на кровати, и я заворачиваю нас обоих в одеяло Доминика.

— Что мне делать? — спрашиваю я кота. — Ты тоже думаешь, что это безумие? Кажется, все так думают.

Арчи мяукает, и мне кажется, будто он хочет сказать:

— Конечно, ты безумна, женщина. Подумай, сколько кошачьего корма ты сможешь купить на эти деньги!

Но мне кажется, что одиноко лежать здесь холодной

декабрьской ночью — тоже безумие. Несмотря на мою браваду при расставании с мамиными драгоценностями, сейчас меня гложет чувство вины, и я очень надеюсь, что мама меня поняла бы. Кажется, гнаться за своей мечтой — очень дорогое удовольствие. Я предпочитаю думать, что моя милая, добрая мамочка решила бы, что иметь в нашей семье воина масаи очень даже интересно.

Кажется, что старые балки в доме тоже дрожат от холода, устраиваясь на ночь. О, оказаться бы сейчас на африканских равнинах и полежать в объятиях Доминика! При этой мысли я понимаю — даже серьезная нехватка денег не сможет удержать меня вдали от него. Уж лучше я целый месяц буду жить, питаясь только бобами, но зато увижу его на Рождество.

Утром я опаздываю на работу. Ночью я часто просыпалась. Сны о Доминике, Нине, Майке, драгоценностях и львах беспорядочно сменяли друг друга, и я всю ночь вертелась с боку на бок. В три часа я встала и целый час просидела в подсобке, в моем кабинете, положив голову на руки. Я думала о поездке, заказанной через интернет, и пыталась убедить себя, что поступаю правильно. Потом начала перебирать фотографии и постепенно успокоилась, глядя на влекущие картины равнин, саванны, животных.

Я еще не вышла из дома, а уже измотана. Впереди долгий день, и мне надо будет выглядеть бодрой и веселой. Как всегда, в это время года у нас полно клиенток, и все хотят сделать прическу для корпоратива. Обычно, когда мы так заняты, мне хочется, чтобы все поскорее закончилось. В этом году я впервые в жизни испытываю дрожь и волнение из-за Рождества. Я чувствую, что сияю от счастья при одной мысли о нем. Если бы только я могла выправить свое финансовое положение...

Я бросаю Арчи корм в его миску, а он жалуется на недостаток внимания.

Ночью был сильный мороз, и ветровое стекло машины покрыто слоем льда. В первый раз за эту зиму придется поработать скребком. Теперь я опоздаю еще больше.

Ворча себе под нос, ищу скребок в машине. Точно знаю, он где-то под сиденьями. Я видела его две недели назад и еще тогда хотела положить на видное место. Пока я вожусь в машине, слышу голос Майка.

— Привет, — говорит он. — Давай помогу.

— Не могу найти чертов скребок, — ворчу я.

Несмотря на плохую погоду, сосед улыбается и начинает чистить мое стекло.

— Спасибо, огромное спасибо, — говорю я и улыбаюсь. — Почему я всегда оказываюсь у тебя в долгу?

— Просто я парень, который всегда рядом, — пожимает плечами Майк. — Как прошла вечеринка?

— Хорошо. — Теперь моя очередь пожать плечами. — Правда, я не получила столько денег, сколько надеялась получить, — сознаюсь я. — У меня по-прежнему нет нужной суммы для поездки.

Майк притворяется, что его интересует только процесс соскабливания льда.

— Сколько тебе нужно?

Нет смысла скрывать это от него.

— Тысячу.

— Ого.

— Вот и я так думаю. — Из-за того, что сказала это вслух, я внезапно осознаю реальность. Я не могу сделать это. Вот просто не могу, и все тут. Где мне взять столько денег? Тоска сжимает мне сердце. — Думаю, придется все отменить. — А ведь ночью я была готова поехать любой ценой. — Честно говоря, опрометчиво было бронировать поездку.

— Еще бы, — соглашается Майк. Потом перестает скоблить и смотрит на меня. — Я могу дать тебе денег.

Я отложил кое-что. Таня не смогла все выгрести. — Он смеется. — И мне они ни для чего не нужны. Черт возьми, на этот раз я мог бы поехать с тобой. У меня нет планов на Рождество.

О.

— Ну... — Я смотрю в землю. — Очень любезно с твоей стороны. Очень любезно. Но я кое-чего не сказала тебе, Майк.

Он смотрит прямо на меня, и я вижу, что он уже все знает — каким-то чудом! А ведь я и слова не успела сказать.

— Понимаю.

— Я должна вернуться и увидеть его.

— Правильно.

— Поэтому большое тебе спасибо за твое любезное предложение, но ты понимаешь, почему я не могу принять его?

— Конечно. Конечно. — Майк тяжело вздыхает, и пар повисает в холодном воздухе. — Вот уж не думал, что так получится, — признается он.

— Прости, Майк. Должна была сказать тебе раньше. Я повела себя глупо.

— Да нет проблем. — Он говорит весело. Слишком весело.

— *Hakuna matata,* — срывается у меня с языка совсем не к месту. — Это значит «Нет проблем».

— Ну да. — Он проводит большим пальцем по стеклу. Я никогда не знала, что большие пальцы могут выражать смущение. — Я сейчас все это закончу и пойду. О, сколько времени! Боже, боже. — И он опять принимается скоблить.

— Майк, ты — мой лучший друг, — говорю я. — Не знаю, что бы я без тебя делала.

— Ты продала свои драгоценности, чтобы слетать к нему?

— Да. — Но я не говорю ему, что продала еще и драгоценности матери.

Он внимательно смотрит на меня.

— Должно быть, ты и вправду его любишь.

— Да, — соглашаюсь я. — Думаю, да.

Глава 42

Вечером я возвращаюсь домой совсем без сил. Сегодня было ужасно много работы, а я возьми да и спроси у Келли, — наверное, в состоянии тихого помешательства, — можно ли мне до Рождества работать без выходных, чтобы заработать побольше денег. И она с радостью согласилась! Ну почему я не могу принять помощь друзей? Если и дальше я буду так работать, то к тому времени, как поеду в Африку, едва ли смогу стоять на ногах.

Я готовлю себе на ужин омлет. Интересно, хотел бы Майк присоединиться ко мне? Я чувствую себя ужасно из-за того, каким образом сегодня утром сообщила ему новость о Доминике. Вышло плохо, очень-очень плохо. Надо было сделать это как-то иначе. Зато у меня есть пара фильмов на дисках — «В погоне за счастьем» и «Миллионер из трущоб», и сегодня мы могли бы посмотреть их вместе. Увидим, помогут ли они наладить наши отношения.

— Позовем Майка на ужин? — спрашиваю я Арчи, но он безразлично мяукает в ответ.

Раздается особый стук в дверь, разве что не хватает обычной веселости. На всякий случай смотрю в глазок, вдруг это не Майк. Конечно же, это он.

— Привет, — говорю я так бодро, как только могу. — Ты весьма кстати. Я как раз думала о тебе. Хочешь зайти поужинать? Я могла бы сделать омлет на двоих.

Майк качает головой.

— Нет, не могу, Дженни, — говорит он. — У меня дел по горло.

— О.

— Я приехал, чтобы дать тебе вот это. — Он протягивает большой коричневый конверт, и я беру его.

— Не стой у двери, Майк. Входи же. Выпьем вина. Или лучше заварить чай?

— Я не буду, — говорит он, для большей убедительности поднимая руку.

И пока мой сосед стоит у двери, — видно, что он чувствует себя неловко, — я открываю набитый конверт.

— Что это?

— Тысяча фунтов.

Как раз столько, сколько мне нужно, чтобы поехать в Африку к Доминику!

— Я не могу принять это.

— Считай, что это ссуда. Вернешь, когда сможешь.

Я в изумлении смотрю на деньги.

— Но почему? — спрашиваю я. — Почему ты это делаешь?

— Ты имеешь право быть счастливой, — говорит мой друг. — Честно говоря, Дженни, я надеялся, что именно я сделаю тебя такой. Я думал... но это уже не важно. — Майк отводит взгляд. — Если они тебе помогут, то бери.

О, черт возьми, ну что же мне делать?

— Входи же, — умоляю я. — Давай поговорим. Дай мне, по крайней мере, объяснить, что случилось.

Он качает головой.

— Мне не нужно знать.

Я опять смотрю на деньги. Все во мне кричит, что, по соображениям морали, я должна отказаться, но я просто не могу это сделать.

— Я верну тебе каждый пенс, — обещаю я Майку. — Может быть, я могу что-то для тебя сделать? Какую-нибудь работу по дому? Ну, хоть что-нибудь?

— Ты и так стрижешь меня даром.

— Но это же занимает всего пару минут, — напоминаю я ему. — Едва ли это требует огромных усилий. А если я буду гладить? Позволишь мне каждую неделю гладить тебе рубашки? Ты же ненавидишь утюг.

Майк смеется.

— В этом нет необходимости.

— Позволь же мне сделать хоть что-то, чтобы отблагодарить тебя.

Он смотрит в пол.

— Просто пообещай, что ты навсегда останешься мне другом.

— Конечно, Майк. Боже мой, это само собой разумеется!

— Ну, вот и хорошо, — говорит он. — Теперь я пойду. Увидимся позже.

Мне не хочется видеть, как он вот так, страдая, уходит от меня. Но я не знаю, что еще ему сказать.

Через секунду Майк уже у себя в коттедже, а я иду делать омлет для себя одной.

Глава 43

Майк избегает меня уже три недели. «В погоне за счастьем» и «Миллионер из трущоб» я так и не посмотрела. Наши уютные вечера, когда мы вместе сидели на диване, остались в прошлом. Когда я звоню ему на мобильник или домашний телефон, то сразу попадаю на голосовую почту, а подойти к его двери и постучать мне не хватает храбрости. Я должна дать ему пространство, дать ему возможность решить все самому, даже если мне больно так поступать. За время нашего знакомства он успел стать неотъемлемой частью моей жизни. Он же всегда где-то рядом. Даже не могу выразить, как сильно я скучаю по нему. Это настоящий ад — не видеть его каждый день.

Мы так заняты в салоне, что у меня едва находится время подумать о приближающейся поездке. Я работаю без выходных и сверхурочно. И теперь два раза в неделю, а не один, поздно возвращаюсь домой. Я без сил и совсем пала духом. Честно говоря, у меня уже нет никакого желания делать прически. Однако я уверена, что когда в январе получу зарплату, то весьма желанные дополнительные деньги оправдают мои теперешние усилия.

Сегодня двадцать третье декабря, и я вылетаю завтра после ужина. Идет снег. Похоже, я пропущу белое Рождество. Вечером мне надо собрать чемодан и договориться о поездке в аэропорт. Из-за снега я побаиваюсь вести машину сама. Ничего плохого со мной, конечно, случиться не может, но дороги-то скользкие. Я была бы счастлива, если бы смогла вызвать такси.

Впервые я заказала для Арчи кошачью гостиницу, но у меня не хватило духу сообщить ему эту новость. Он не обрадуется, когда узнает это.

Наконец-то я могу снять колпак Санты, который в течение последних нескольких недель носила ежедневно с утра до вечера, помогая создавать праздничную атмосферу в салоне.

На прощание я обнимаю Нину.

— Будь осторожна, — предупреждает она. — Не наделай глупостей.

— Это то же самое, что и «Желаю прекрасно провести время»?

— Ты знаешь, что я имею в виду, — упрекает меня подруга. — Я просто надеюсь, что у тебя все будет хорошо и что тот парень того стоит.

— Думаю, стоит.

— Я буду о тебе беспокоиться, — добавляет она.

Я тоже буду о ней беспокоиться. Рождество — всегда напряженное время в доме Далтонов. Впрочем, у меня есть подозрение, что и во многих других домах тоже.

— Пиши мне, — напоминает подруга.

— Обязательно. Счастливого Рождества, Нина.

— Тебе тоже, малышка.

Все мы целуемся друг с другом — Кристал, Стеф, Келли, мальчики. Я становлюсь сентиментальной. Никогда раньше я не проводила Рождество за границей, и нервы у меня напряжены. До сих пор на Рождество я была с Полом и его семьей. Я делала то, что обычно делают в это время, — слишком много ела, слишком много пила и смотрела слишком много телевизионного мусора, — и сейчас я чувствую себя не в своей тарелке. Не лучше ли было принять приглашение Майка провести Рождество с ним, а не гнаться через полмира за другим мужчиной?

По дороге домой я слушаю по радио рождественские гимны и думаю, поют ли их в Африке. А еще мне хотелось бы знать, как чувствует себя Доминик. Предвкушает ли он свидание со мной, тоскует ли он, как и я? Прошло уже два месяца с тех пор, как мы были вместе, а за время разлуки общались редко — сообщения на Фейсбуке раз или два в неделю, когда у него находилось время сходить в соседнюю деревню.

Подъезжая к коттеджу, вижу у входной двери темную тень. На мгновение мое сердце перестает биться, потому что это может быть Льюис. На прошлой неделе он прислал мне домой огромную рождественскую корзину, заполненную пуансетиями[1] и блестящими листьями, а я отвезла ее в салон да там и оставила. Келли решила, что корзина на стойке регистрации выглядит хорошо. Но, когда фигура выходит из темноты и попадает в свет лампочки над крыльцом, я вижу, что это Майк, и по мне прокатывается волна облегчения. К тому времени, как я выхожу из машины, он уже стоит, прислонившись к дверному косяку.

— Привет. — У меня улыбка теплая, настоящая. Это все, что я позволяю себе. Не заключать же его в медвежьи объятия!

— Привет, — мягко говорит он. — Я скучал по тебе.

— Я тоже, — признаюсь я.

— Я хотел пожелать тебе всего наилучшего в твоей поездке. А если захочешь, чтобы я отвез тебя в аэропорт, то я зайду завтра.

— Ты проведешь Рождество в одиночестве, Майк?

— Ну... — говорит он. — У меня будет немного тишины и покоя.

— О, Майк. — Теперь я чувствую себя еще более виноватой.

Я открываю дверь, и он входит за мной. Арчи встречает меня жалобами на темноту, холод и голод.

— Что ты собираешься делать с этим парнишкой?

— Кошачья гостиница, — отвечаю я одними губами.

— Отмени ее, — говорит Майк. — Ему там не понравится. Ты же знаешь, я всегда рад позаботиться о нем. Почему ты не попросила меня?

— Майк. — Я позволяю своей руке лечь на его руку. — Мне показалось, что между нами не все хорошо. Как я могла просить тебя заботиться об Арчи?

---

[1] Пуансетия — растение, используемое как домашний цветок. Также его называют рождественской звездой.

— Я уже пережил хандру. — Он пытается говорить весело. — И был бы рад компании.

Мне становится жаль Майка. Представьте себе, что в праздничные дни у вас нет никого, кроме моего кота с плохим характером. Мне тяжела мысль о том, что Майк будет здесь один.

— Я не хочу навязываться тебе.

— Ерунда, — говорит Майк. — Просто скажи, когда я должен заехать за тобой.

— Вылет в четыре часа. И регистрация за три часа.

Он прикидывает в уме, сколько времени потребуется, чтобы доехать до аэропорта.

— Значит, я буду у тебя в полдвенадцатого.

Я киваю.

— Ты уже все упаковала?

— Нет еще, — признаюсь я.

— Тогда не буду мешать. — Он поворачивается к двери.

— Майк... — Я делаю шаг к нему и развожу руки для объятий.

Он колеблется, но затем позволяет мне обнять его.

Его руки будто неохотно окружают меня. Мы стоим и крепко держим друг друга.

— Лучшие друзья? — спрашиваю я.

— Да, — отвечает он. — Лучшие друзья.

Глава 44

Подлетаем к Масаи-Мара, и наш маленький самолетик начинает снижаться. Мое сердце тоже рвется вниз. Я уже вижу взлетно-посадочную полосу. Через несколько секунд я окажусь на кенийской земле.

Все мои нервы звенят. За весь перелет из «Хитроу» я не смогла съесть ни крошки. И не спала ни секунды. Волнуюсь, как пятилетний ребенок. Уже много лет я не ждала Рождества с таким нетерпением.

У меня кружится голова, и мне не верится, что я здесь. Так поступают совсем другие люди, например, Саймон Коуэлл, Пош Спайс, Ивана Трамп[1]. Парикмахеры из Бакингемшира не тратят все свои сбережения, чтобы провести пару дней в Масаи-Мара. Но даже если я сошла с ума, мне все равно очень приятно оказаться в Африке.

Я думаю о мужчинах, которых оставила в Англии. Надеюсь, у Пола все будет хорошо и его свадьба пройдет отлично. Я послала ему открытку и маленький подарок в знак того, что рада за него. Есть еще Майк и Арчи, и мне бы очень хотелось взять их с собой, а не оставлять одних в Нэшли.

Но больше всего я думаю о Доминике. Не могу дождаться, когда опять увижу его. Кажется, что если мы не приземлимся прямо сейчас, то я лопну от радости, нетерпения и беспокойства.

Самолет поворачивает, и желудок у меня перекатывается из стороны в сторону. Мы снижаемся. Здесь нет здания аэропорта. Да и вообще здесь почти ничего нет, кроме бетонной полосы среди кустов, которые тянутся на мили и мили. Рядом с полосой видно несколько микроавтобусов. Один из них из кемпинга *Kiihu*, и я надеюсь, что он ждет меня.

В самолете есть дюжина других пассажиров, и все мы нетерпеливо ждем, пока самолет замедляет свой бег. К двери приставляют трап, и через пять минут я выхожу на сверкающее африканское солнце. Как же много

---

[1] Ивана Трамп — американская бизнесвумен и писательница; бывшая чехословацкая лыжница, актриса и фотомодель.

миль отделяет меня от обычных рождественских холодов и дождей Великобритании!

Я ставлю ладонь козырьком, защищая глаза от слишком яркого света, и начинаю оглядывать равнину. Неподалеку вижу высокий силуэт Доминика и его красную тунику, которую нельзя спутать ни с чем. Я машу ему. Его лицо, на котором была написана тревога, озаряется улыбкой, и он бегом бросается ко мне. Я роняю сумку на землю и протягиваю руки. И мой воин масаи с торжествующим воинственным кличем подхватывает меня и кружит в воздухе.

— Ты вернулась ко мне, Просто Дженни, — говорит Доминик. — Я сердцем знал, что ты вернешься.

Он ставит меня на землю, и мы крепко держимся за руки. Только сейчас впервые в жизни я ощутила, как по жилам струится чистое счастье. Это головокружительное чувство. Сможем ли мы когда-нибудь отпустить друг друга? В тот же момент Доминик поворачивает меня и ведет к автобусу, и моя рука лежит в его руке.

— Я здесь всего на пару дней, — шепчу я. — Дольше никак не получится.

— Тогда мы должны сделать эти дни совершенно особенными.

Мы с ним вскакиваем в автобус и направляемся к кемпингу. Доминик широко улыбается.

— Не могу поверить собственным глазам, — говорит он, качая головой. — Не могу поверить!

Я так рада, что приехала, так рада, что пожертвовала мамиными драгоценностями, так рада, что приняла ссуду Майка! Мои мысли опять обращаются к прекрасному соседу, и я надеюсь, что с Майком все в порядке. И с Арчи тоже. Как только устроюсь, позвоню и узнаю, как они оба поживают.

— Я не буду работать, пока ты здесь, — говорит Доминик. — Мы проведем это время вместе.

— О, Доминик, это же замечательно!

Он опять улыбается.

— Я знал, что ты хотела бы этого, Просто Дженни.

Как я могла сомневаться, что поступила правильно? Мои друзья, мои коллеги — все, кто предупреждал меня о возможном коварстве Доминика, — понятия не имеют, какой он на самом деле.

Мы движемся через открытые равнины. Я чувствую себя на седьмом небе, когда опять вижу зебр, жирафов и гну. Огромное синее небо неизменно, и у меня такое впечатление, что все здесь ждало только меня, пребывая точно таким, каким я его оставила.

Когда мы приезжаем в кемпинг, то вместо того, чтобы припарковаться у главного входа, едем в дальний конец. Там, на самом краю, стоит уединенная палатка.

— Это люкс для молодоженов, — поддразнивает меня Доминик.

— Замечательно!

— Здесь будет наш дом.

— Мы будем жить вместе?

— О да. — Он поднимает мою сумку. — И ты не будешь бояться львов.

— Нет, — отвечаю я. — Я больше никогда не буду бояться львов.

Доминик берет меня за руку и ведет внутрь. Это палатка намного больше той, в которой я жила в прошлый раз, и обстановка здесь богаче. Двуспальная кровать накрыта кремовым *kanga* в красных и розовых полосках, есть платяной шкаф, а в душе могут с комфортом поместиться двое. Но что лучше всего — в этот раз я буду здесь вместе с Домиником.

— Устала? — спрашивает он.

— Нет, — отвечаю. — Совсем не устала. — Несмотря на то что не спала, я полна бодрости и не хочу тратить на сон ни секунды драгоценного времени.

— Я приготовил для тебя душ.

— Прекрасно. Спасибо. *Asante*.

— *Karibu*. Добро пожаловать, любовь моя. — Он смотрит на меня с такой нежностью, что мое сердце тает. «Любовь моя», — повторяю я про себя. Он назвал меня «любовь моя». — После душа мы пообедаем.

— Ты все предусмотрел, — с благодарностью говорю я.

Не может быть лучшего воссоединения, чем это. Я боялась, что нам придется быть вместе лишь урывками, и мы все время будем с другими туристами. Понятия не имела, что Доминик спланирует все только для нас двоих, и я тронута его заботой.

— Значит, приму душ.

Смущаясь, я начинаю расстегивать пуговицы своей блузки.

— Послушай, — говорит Доминик. — Думаю, я должен тебе помочь.

Он расстегивает мою блузку медленно-медленно, делая паузы перед каждой следующей пуговицей, и, наконец, снимает с меня одежду. Затем крепко целует. От нетерпения я вся дрожу, хотя снаружи не меньше сорока градусов. В палатке, конечно, прохладнее и темнее.

Раздев друг друга, идем под душ. Пока мы целуемся, на нас льется теплая вода. Доминик нежно намыливает все мое тело, растирая крепкими руками. Напряжение уходит. Доминик прижимает меня к себе, и вода опять льется потоком на нас обоих.

Когда мы занимаемся любовью на двуспальной кровати, наши тела движутся в унисон, будто мы делали это уже тысячу раз. Мимо палатки проходит газель и безразлично смотрит на нас. Я прячусь за Доминика, и он гладит меня по волосам.

— Моя Дженни, — бормочет он. — Моя любимая Дженни.

Мы лежим, сплетясь телами, час или больше, пока Доминик не вспоминает:

— Думаю, тебе пора поесть.

Он набрасывает на плечи свою красную тунику и исчезает из палатки.

После его ухода я надеваю чистую одежду. Через несколько минут двое мужчин масаи приносят маленький стол, который ставят на веранде. Потом они же приносят мясо, зажаренное над огнем, и рис, а потом безмолвно исчезают в кустарнике.

Доминик с улыбкой открывает бутылку шампанского, которая охлаждается в ведерке со льдом.

— Как тебе все это удалось? — спрашиваю я его.

Он пожимает плечами.

— Некоторые люди мне обязаны, — объясняет он. — Я сказал им, что для меня это особый случай, и я прошу их вернуть мне долг.

Доминик наливает мне бокал шампанского, а себе — немного молока из кувшина, который как-то незаметно появился на столе. Мы поднимаем бокалы.

— До дна, — говорит Доминик, широко улыбаясь.

Я смеюсь.

— За нас, — говорю я ему. — Этот тост должен быть за нас.

— За нас, — эхом повторяет он. — За нас, Просто Дженни.

Глава 45

Поверьте мне, когда лежишь в объятиях воина масаи, то ночной львиный рев не вызывает ужаса. Совершенно никакого. Несколько раз я просыпалась и каждый раз видела, что Доминик лежит рядом со мной, не спит и смотрит на меня. Никогда в жизни я не чувствовала себя в такой безопасности. Но когда он будит меня и я выхожу из глубокого, лишенного сновидений сна, еще совсем темно.

— Ты должна встать, Дженни, — говорит он, нежно гладя меня по щеке.

— Сейчас? — Кажется, я уже открыла глаза, но вообще ничего не вижу.

— Нам надо кое-что сделать.

Я сажусь на кровати.

— Который час?

— Очень рано.

Кто бы мог подумать!

— Давай же, — уговаривает Доминик. — Нам пора.

Я неохотно отпускаю его руки и выскальзываю из кровати. На автопилоте я нахожу дорогу к своей одежде. Доминик протягивает мне мою теплую шерстяную куртку, чтобы я не замерзла, — утром воздух очень холодный. Я еще не совсем проснулась и плохо стою на ногах, поэтому он сам ведет меня к микроавтобусу.

Лучше бы его затея того стоила, думаю я, борясь с желанием заснуть. Около микроавтобуса пасется бегемот, который при нашем появлении поворачивается к нам хвостом и торопливо исчезает в кустарнике. Мы уезжаем в темноту, подпрыгивая на кочках. Я понятия не имею, как Доминик находит дорогу, поскольку фары освещают только маленькое пятно перед машиной.

Когда мои глаза уже различают предметы, я смотрю на часы.

— Четыре утра, — говорю я Доминику, поднимая брови.

— Ранней пташке — жирный червячок, Просто Дженни, — сообщает он мне.

— А, все твои старые масайские поговорки, — подтруниваю я.

202

— Смотри. — Доминик показывает через ветровое стекло. — Долгоног, он же заяц-прыгун.

Света как раз достаточно, чтобы заметить крошечного зверька, похожего на миниатюрного кенгуру, который с головокружительной скоростью скачет перед нами и исчезает в темноте.

— Мы очень скоро приедем, — с улыбкой говорит Доминик, и, конечно же, через несколько минут мы останавливаемся в черной пустоте.

— Здесь?

— Ты должна верить мне, — говорит мой воин масаи.

Мы вылезаем из автобуса — не важно, что здесь везде дикие животные, — и идем в темноту. Внезапно я понимаю, что тут есть и другие люди, поскольку впереди вспыхивает пламя, и я вижу, как огромный воздушный шар закрывает собой светлеющее небо.

— Ух ты, — удивляюсь я. — Это для нас?

— Да, — кивает Доминик. — Полет на воздушном шаре над Масаи-Мара — это одна из тех вещей, которые ты обязательно должна совершить в своей жизни.

Он опять посмеивается.

— Боже мой, боже мой, — кричу я и танцую от счастья. — Не могу поверить!

Мой возлюбленный опять улыбается.

— Счастливого Рождества, моя Дженни.

— Счастливого Рождества, Доминик. — Я горячо целую его. — Такое я никогда не забуду!

Подумать только, я могла бы дрожать от холода в Бакингемшире, сидя дома с Арчи перед камином за рождественским ужином на одну персону! Мои мысли опять обращаются к Майку, и я опять надеюсь, что у него все хорошо. Как же я смогу отблагодарить его за то, что все это случилось со мной только с его помощью?

Доминик пожимает руку и говорит несколько слов человеку, который, как я думаю, будет нашим пилотом.

Кэрол Мэттьюс

И пока команда готовит воздушный шар, заполняя его огромными вспышками золотисто-синего огня, мы стоим и наблюдаем.

— Пора, — говорит пилот, и после немыслимо короткого инструктажа нам помогают залезть в большую плетеную корзину, еще привязанную к земле.

— Вас только двое?

— Только двое.

И вот мы медленно поднимаемся к ясному звездному небу Масаи-Мара. Все выше и выше, и вот уже плывем над верхушками деревьев. Из-за горизонта выглядывает солнце и заливает равнины мягким золотым светом. В корзине шара тепло. Мы безмятежно плывем по воле ветра, и единственный звук здесь — прерывистый шум горелок.

Доминик обнимает меня и указывает на землю.

— Гиены.

Под нами бежит стая из шести гиен, и движутся они с той же скоростью, что и мы. Стада антилоп гну разбегаются неловким галопом по равнине, а своенравные газели мечутся туда-сюда, когда мы пролетаем над ними. Солнце поднимается выше, и земля меняется. Масаи-Мара тянется, насколько хватает взгляда, ограниченная с одной стороны массивным откосом Олоололо. Под нами бредут три льва в поисках дневного убежища для сна, безразлично глядя на нас. Вдалеке семенит самец страуса, исполняя свой лучший танец перед сидящей самкой, которую, кажется, совсем не интересует его ухаживание.

Наша корзина едва не касается верхушек деревьев, среди которых завтракают несколько жирафов, но все они продолжают жевать. Наше присутствие им нисколько не мешает.

— Это волшебство, — со слезами на глазах говорю я Доминику. — Настоящее волшебство. Огромное тебе спасибо.

204

Мы плывем над равниной. Солнце поднимается выше, и становится жарко.

— Кажется, вон там хорошее место для завтрака, — говорит пилот, указывая на одинокую акацию. На много миль вокруг никаких других деревьев нет. Под акацией я вижу стол, накрытый на двоих.

— О, Доминик, — кричу я. — Это изумительно!

Мы снижаемся и летим над самой землей. Вскоре воздушный шар плавно останавливается. Доминик помогает мне выбраться из корзины и ведет к столу. Недалеко стоит микроавтобус, которого я не заметила, а за ним я вижу мужчину в куртке шеф-повара. Он стоит у газовой плиты и собирается угостить нас свежеприготовленным завтраком.

И в пестрой тени акации мне подают пышные блины с кленовым сиропом, а затем совершенно английскую яичницу с беконом и настоящие британские сосиски. В бокалах — коктейль из шампанского с апельсиновым соком для меня и молоко для Доминика.

Что бы подумали мои подруги, если бы увидели меня сейчас? Поняли бы они, что Доминик по-настоящему искренен? Что он вовсе не хочет обчистить какую-то легковерную туристку? Или испытали бы ревность, потому что мужчины, вошедшие в их жизнь, отнюдь не такие заботливые?

— Спасибо тебе, что ты все так хорошо устроил, — говорю я. — Это самое прекрасное Рождество, какое у меня когда-либо было. Огромное тебе спасибо.

— Для моей Дженни я готов на все.

— Доминик, — у меня во рту пересохло, несмотря на коктейль, — я должна тебе что-то сказать.

Он терпеливо ждет, пока я подбираю непривычные слова.

— Я люблю тебя.

— Это хорошо, — отвечает Доминик, — потому что, Просто Дженни, я тоже тебя люблю.

Глава 46

На второй день Рождества, в День подарков, мы с Домиником отправляемся в долгую поездку — смотреть животных. В обед устраиваем пикник на равнинах, а ужинаем уже в кемпинге под звездами. Мой мир постепенно становится миром Доминика, а его мир — моим. Он повествует мне о своей жизни воина масаи, а я ему — о том, каково быть парикмахером в Бакингемшире. Я рассказываю ему о деревне Нэшли, о «Маленьком Коттедже» и об Арчибальде Агрессивном. Рассказываю о Майке, а потом звоню ему, чтобы узнать, как у них с Арчи дела. Наш разговор краток, поскольку связь плохая и все время прерывается, но думаю, что оба мои мужчины хорошо держатся без меня. Когда я отключаю телефон, Доминик говорит:

— Мы должны завтра же отправиться в мою деревню. Папа и мама хотят познакомиться с тобой.

Ух ты! Встреча с родителями. Это очень важно.

— Ты уверен? — спрашиваю я, но имею в виду: «Как, уже?»

— Да. Ты должна увидеть мой дом, мою семью.

И вот на следующий день, мой последний день здесь — как же быстро пролетело время! — мы отправляемся в деревню Доминика. Он уверен, что до его деревни рукой подать — всего-то десять километров, но из уважения к ленивой англичанке мы не отправляемся пешком, а едем в микроавтобусе. Кроме того, так надежнее — ведь если меня съедят, пока мы будем идти по дороге, то я не попаду к родственникам Доминика, а это будет невежливо с моей стороны.

Деревня — *manyatta*[1] — полностью окружена изгородью из колючих ветвей акации, — чтобы не входили львы, объясняет мне Доминик. Когда мы подъезжаем, ворота распахиваются. Ясно, что нас ждут.

Две цепочки масаев выходят приветствовать нас. В одной — мужчины, в другой — женщины. Одеты они в удивительнейшие цветные наряды. На мужчинах — традиционные красные *shuka*, а в руках — палки. На женщинах — розовые, голубые и оранжевые туники, яркие хлопковые одеяла и ожерелья из бус. Некоторые нити ниспадают до самой земли. Женщины радостно поют и, танцуя, приближаются к нам, качая бедрами.

— Это приветственная песня, — объясняет Доминик.

Мы стоим и ждем, пока они приблизятся к нам.

— Что мне делать? — с тревогой спрашиваю я. — Что говорить?

— Будь сама собой, Просто Дженни.

Я столь же взволнована, сколь и охвачена ужасом. Я так далеко от Нэшли! Масаи подходят, дотрагиваются до меня, почти толкая, и начинают петь громче. Все они очень высокие, с поразительными чертами лица, изящной осанкой. Мне застенчиво улыбается девочка, берет за руку и тянет танцевать с ними.

— Моя сестра, — говорит Доминик и становится в цепочку мужчин рядом со мной.

Продолжая петь, все направляются в деревню.

Спотыкаясь, иду и я, не зная, что делать дальше. Сестра Доминика отчетливо произносит для меня слова песни, и я пытаюсь повторять за ней. Однако по ее хихиканью понимаю, что воспроизвожу их не лучшим образом.

---

[1] M a n y a t t a — построенный семьей поселок или лагерь молодых воинов (на языке масаи).

Вид этих людей, пришедших встретить меня, оставляет неизгладимое впечатление. Но, честно говоря, я ошеломлена тем, насколько примитивна деревня. Штук шесть обмазанных землей хижин стоят внутри ограды примерно по кругу, и это все. Больше ничего нет! Здесь-то и живет Доминик, и здесь, в его владениях, испытав шок от контраста, я внезапно вижу, насколько различны наши жизни. Танцоры окружают нас, и я в середине круга цепляюсь за Доминика.

— В этих песнях рассказывается о нашей жизни, — объясняет он, пока все остальные идут вокруг нас и поют. — Они очень важны для нас. В них говорится о природе, любви, борьбе добра со злом. Вот эта о том, как женщины строят дома, доят коров и заботятся о детях.

— А что же делают мужчины?

— Юноши смотрят за скотом, пока не станут воинами, — говорит он. — А мы, остальные мужчины, прыгаем.

— Прыгаете?

— Это очень важно — уметь прыгать. — Его лицо остается серьезным. — Именно так мы показываем, что мы хорошие мужчины и прекрасные мужья. Если ты можешь отлично прыгать, то не платишь за жену.

— Ты шутишь?

— Нет, — отвечает он, — не шучу.

Женщины продолжают танцевать, но звучит уже другая песня. Меня побуждают присоединиться к ним, что я и делаю, стараясь изо всех сил, но это опять вызывает веселье. Их ритм так чужд мне, человеку, который привык танцевать только вокруг своей сумочки на свадьбах и в клубах. Масаи двигаются так, что их тело слегка колеблется с головы до пят. А потом женщины перестают танцевать, но продолжают петь. Теперь мы стоим и смотрим, как мужчины хвастаются своим умением прыгать. Каждый выходит вперед и показывает свое мастерство.

— Я — лучший прыгун, — гордо говорит мне Доминик и выходит вперед.

Прыгая, он выглядит очень уверенно. Раз за разом он ритмично и изящно взлетает в воздух, все выше и выше с каждым прыжком. Намного выше, чем остальные.

Честно сказать, я напугана. Я впервые вижу Доминика вне кемпинга *Kiihu*, вдали от туристов и всех знакомых мне вещей. Сейчас в этом грубом первобытном окружении я вижу, кто он на самом деле и откуда он произошел. Я восхищена этими людьми, которые цепляются за традиции, не изменившиеся, по-видимому, за сотни и сотни лет. Но я осознаю, насколько я другая, и не знаю, как мне научиться понимать их. Мне очень не хочется признаваться себе, что у меня возникает сомнение — а вдруг мои друзья были правы, когда беспокоились обо мне? Неужели наши культуры так далеки друг от друга, что мы не сможем найти золотую середину и построить отношения, основанные на компромиссе? Он — мужчина и воин, питается только молоком и кровью, не спит по ночам и уверен, что в борьбе со львом нет ничего особенного. Что же может быть посередине между моей элегантной деревней Нэшли и простым, спартанским хозяйством Доминика? Или между моей комфортабельной современной жизнью и его древними племенными традициями? Песня достигает крещендо, и все мы аплодируем умению Доминика. Он подходит ко мне, и я с удивлением замечаю, что дышит он так же ровно и спокойно, как и до прыжков.

— Потанцуй, Просто Дженни. Мои родственники сочтут за честь увидеть это.

— Мой танец?

— Да.

— Э... э... нет. — Я ломаю голову. А есть ли вообще у нас, в Англии, традиционные танцы? Кроме морриса[1], конечно.

— Это важно, — шепчет Доминик.

— Ну, ладно. — Жаль, что он не предупредил меня об этом заранее. И вдруг меня осеняет: — О да, — говорю я. — Один я знаю.

— Если ты начнешь, женщины последуют за тобой.

— Хорошо.

Сделав глубокий, но прерывающийся от волнения вдох, я выхожу вперед. Поскольку это лучшее, что я могу придумать, то я должна отдать танцу всю себя.

— О. О. О, — начинаю я нервно.

Но какого черта я стесняюсь? И я начинаю петь мелодию замечательного хита Бейонсе «Одинокие женщины», сопровождая ее танцем. Мы часто пели эту песню с парнями из салона. Так что сейчас будет нечто.

— Все одинокие женщины, — говорю я нараспев. — Все одинокие женщины!

Женщины масаи, кажется, немного растерялись, глядя на меня. Но после нескольких строчек я вхожу в ритм, и они храбро присоединяются ко мне. Все мы движемся в унисон и покачиваемся, образовав круг.

Доминик от всего сердца смеется при виде моих усилий — ну и пусть! Его особенно смешит, когда я говорю ему, что, если ему нравится, он может встать в наш круг.

— О. О. О, — поют женщины Масаи, копируя меня.

А я думаю: «О. О. О. Во что ты ввязалась, Дженни Джонсон? Во что ты ввязалась с этими отношениями? И как собираешься закончить их?»

---

[1] Народный североанглийский танец, отличающийся особой энергичностью и подвижностью, исполняется под аккомпанемент волынщиков и барабанщиков. Представляет собой театрализованное действие с мечами.

Глава 47

Я знакомлюсь с отцом и матерью Доминика, а также с тремя другими женами отца. Мне кажется, что у них в семье несколько дюжин детей разного возраста. Все они — отпрыски рода Оле Нангон. Некоторые из них по виду старше Доминика, но есть и младенцы, которых держат на руках.

Я тепло и восторженно приветствую их, но смущаюсь из-за того, что меня принимают так радушно. Их дружелюбие и гостеприимство сразу пленяют мое сердце.

Хижина кажется совсем первобытной. Даже я не могу здесь выпрямиться в полный рост, хотя я не очень-то высокая. Обстановка весьма скудная. Внутреннее пространство разделено на две части. Одна служит чем-то вроде нашей, английской, гостиной, в другой — общая спальня. Вместо кроватей — деревянные поддоны на полу, покрытые традиционными шерстяными *kanga*. Пищу здесь готовят на открытом огне, который тлеет посреди комнаты. Нет ни окон, ни трубы, и воздух удушливый, горячий, тяжелый от дыма. Несколько гончарных мисок украшают собой единственную полку, вылепленную из глины. Еще есть длинный изогнутый сосуд, калабаш[1], в котором, как объясняет мне Доминик, скисает молоко перед тем, как его будут пить. И в общем-то, все. Ни микроволновки, ни холодильника, ни современной плиты. Только несколько горшков и немного дров.

И где-то в глубине души у меня появляется осознание того, что, как бы ни была сильна моя любовь к Доминику, я никогда не смогу даже подумать о том, чтобы жить здесь.

---

[1] Калабаш — сосуд, изготовленный из плода бутылочной тыквы.

— Они считают тебя странной, — с улыбкой говорит Доминик, — потому что я сказал им, что у твоей семьи нет скота.

— Они очень любезны, что принимают меня здесь, — говорю я. — На самом деле очень любезны. *Asante. Asante.*

Все многочисленные члены его семьи широко улыбаются мне.

— Пойдем, — приглашает Доминик. — Я покажу тебе нашу школу. — Он выводит меня из хижины и направляется к противоположной стороне *manyatta*.

Там, под акацией, я вижу несколько деревянных скамеек. На них сидят дети — и совсем маленькие, лет двух, и стесняющиеся подростки. Их внимание обращено на пожилого джентльмена в оранжевом *kanga*, который тяжело опирается на палку. К дереву прикреплен листок бумаги. На нем на двух языках — суахили и английском — написаны названия дней недели и месяцев. Маленькая девочка лет восьми показывает по очереди на слова, а остальные ученики нараспев произносят их.

— У вас нет классной комнаты?

— Надеемся, что когда-нибудь у деревни хватит на это денег, — говорит Доминик. — Детям трудно неподвижно сидеть на жаре, но еще труднее, когда идет дождь. Если идет дождь.

Он машет учителю и жестом дает ему понять, что мы хотим остаться. С его разрешения мы садимся сзади на свободную скамью и слушаем урок. Дети елозят и, не вставая, поворачиваются на скамьях, чтобы украдкой взглянуть на меня, а потом хихикают в ладошки.

— Ты тоже так начинал учиться? — тихо спрашиваю я.

— Да, — отвечает Доминик. — Но мне очень повезло, и я пошел в миссионерскую школу. Мы хотим сохранить наши обычаи, Просто Дженни, но понимаем, что нам надо стать образованными людьми. Масаи уже не могут жить только рогатым скотом. Времена меняются, и мы тоже должны меняться. Я уговорил мой народ приглашать туристов в гости к нам в *manyatta*. Мы не можем справляться без них.

Так вот кем они считают меня! Для них я просто еще одна туристка с вытаращенными от любопытства глазами. Знают ли они, что мы с Домиником встречаемся? И что я хочу провести с ним всю свою жизнь?

Я смотрю на детей, стремящихся к знаниям, выкрикивающих новые слова на уроке английского и суахили. Как им удается удерживать внимание под палящим солнцем — загадка, недоступная моему разуму. А еще я поражена тем, что у этих детей нет двухнедельных рождественских каникул.

— Проблема в том, что когда наша молодежь идет в школу и в университет, то больше не хочет возвращаться домой, в деревню, — говорит Доминик.

— А как же ты? В кемпинге ты видишь такой комфорт, легкую жизнь. Как же ты возвращаешься в свою деревню и справляешься с таким трудным существованием?

— Не буду тебе врать, Дженни. Это трудно. — Он печально качает головой. — Даже не знаю, по-прежнему ли я воин масаи или уже стал человеком европейской культуры.

— Как ты думаешь, мог бы ты жить где-нибудь еще?

Доминик пожимает плечами.

— Я разговариваю с людьми, которые приезжают в кемпинг *Kiihu*, и они рассказывают мне, как красивы их страны. Англия, Америка, Франция, другие места. Думаю, когда-нибудь мне захочется повидать их. Но я никогда не летал на самолете. Единственный раз в жизни я поднялся в небо вчера, на воздушном шаре.

— Правда?

— О да, — вздыхает Доминик. — Мой мир здесь, и здесь же мой дом, и я все это очень люблю. Как я могу уехать из Кении?

Действительно, как?

Я кладу руку ему на локоть, и мы долго смотрим друг другу в глаза.

Глава 48

Время моего отъезда приходит слишком быстро. С тяжелым сердцем я собираю сумку и прощаюсь с кемпингом. Я провела с Домиником замечательные дни. Это было прекрасное Рождество, пусть и за грабительскую цену. Интересно, вернусь ли я сюда когда-нибудь еще?

Вчера вечером я лежала в объятиях Доминика, и нам не хотелось говорить о том, что будет с нами. Он тысячью нитей связан со своей землей, со своим народом. Как он может бросить все и переехать в Англию? Кажется, это невозможно. А моим родным домом никогда не станет Масаи-Мара. Ну и что нам теперь делать?

Никогда раньше у меня не было таких чувств к мужчине, и все равно препятствия, расстояния, различия между нами кажутся непреодолимыми. Как же нам поступить? Просто приезжать сюда так часто, как смогу? Но когда? Раз или два в год? Если откладывать каждый пенс, то, может быть, и получится. Будут ли наши отношения и любовь постепенно угасать, и через некоторое время я уже перестану каждую секунду вспоминать об Африке? Возможно, я начну двигаться дальше, даже смогу полюбить кого-нибудь, похожего на Майка, и тот человек всегда будет рядом со мной, добрый и заботливый...

Доминик отвозит меня в микроавтобусе к аэродрому. У нас обоих мрачное настроение. Он въезжает на стоянку, и мы смотрим в небо. Скоро прибудет самолет со следующей группой везунчиков-туристов.

— Все хорошо? — спрашиваю я.

— У меня нет слов, чтобы выразить свои чувства, — говорит Доминик. — Похоже, ты увозишь мое сердце с собой.

— А я чувствую, что свое оставляю здесь.

— Это очень печально, Просто Дженни.

— О, Доминик.

Он натянуто улыбается.

— О, Просто Дженни, — копирует он меня.

— Я буду звонить тебе, — говорю я. Черт с ними, с деньгами. — И мы будем общаться через Фейсбук.

Он кивает, но его лицо ясно говорит, что этого недостаточно, да и я, честно говоря, тоже так думаю.

На горизонте появляется самолет. Рокот его мотора нарастает, и через несколько секунд он приземляется перед нами. Туристы вываливаются из самолета, собираются в группы для сафари, садятся в автобусы, и те исчезают, подняв клубы пыли. Времени до обратного рейса удивительно мало. Совсем скоро я должна буду сесть в этот маленький самолетик, который перенесет меня в Найроби, а вечером я уже отправлюсь в «Хитроу».

— Я хочу научить тебя еще одной фразе, пока ты не уехала, — говорит мне Доминик. — *Aanyor pii.*

— *Aanyor pii,* — повторяю я за ним.

— Это значит, я люблю тебя всем сердцем, — говорит он.

— *Aanyor pii,* Доминик.

Он подносит мои пальцы к своим губам и целует.

Как ни печально, но мы понимаем, что наше время закончилось, и вылезаем из микроавтобуса. Доминик достает с заднего сиденья мою сумку. За последние несколько дней мы с моим возлюбленным столько всего пережили вместе, но сейчас неловко стоим, не зная, что делать и что говорить.

— Не хочу, чтобы ты уезжала, — говорит Доминик. Мои глаза наполняются слезами.

— А я не хочу уезжать.

— Когда я увижу тебя снова?

— Не знаю, — честно отвечаю я. — Когда у меня будут деньги.

— Это может быть нескоро?

С несчастным видом я киваю. Интересно, понимает ли он, что дома, в Англии, я нахожусь на самой нижней ступеньке финансовой лестницы и такие путешествия, как это, не даются мне легко?

— Эти несколько дней были замечательными, — говорю я ему.

Незабываемое Рождество и другие воспоминания запечатлены в моей душе на всю жизнь. Доминик обнимает меня, и мы стоим, крепко держа друг друга в объятиях.

— *Aanyor pii,* — говорит он. — Не забывай этого.

Я отхожу от него и, направляясь к самолету, начинаю плакать.

— Даже если ты будешь очень далеко от меня, Просто Дженни, — кричит мне вслед Доминик, — мое сердце всегда с тобой.

Мне, без всякого сомнения, очень хочется, чтобы сердце Доминика всегда было со мной. Но разве этого достаточно? Сейчас, вот в этот самый миг, я отчаянно желаю, чтобы со мной был он весь.

Глава 49

Стало бы мне легче, если бы я могла просто забыть Доминика и влюбиться в кого-то, кто живет по соседству и у кого явно есть чувства ко мне? Например, в Майка?

Мы с ним стоим на кухне у Нины с бокалами в руках. Звуки фильма «Король Лев» сотрясают весь дом. Врывается Джерри. У него на голове серебристый праздничный колпак с розовыми ленточками. В одной руке он держит наполненный до краев бокал, в другой — язык-дуделку. И то и другое он использует по назначению.

— Уа, уа! — дудит он во всю мочь. — Прекрасная вечеринка! — И похотливо прижимается бедрами к ближайшей женщине.

Мы с Майком обмениваемся усталыми взглядами.

Сегодня канун Нового года, и празднование у Нины дома в самом разгаре. Для компании я пригласила Майка, предположив, что для полного счастья ему будет достаточно тихонько стоять в углу вместе со мной. И оказалась права — именно этим мы сейчас и занимаемся.

— Ну как? — спрашивает он. — Тебе долить?

Искушение напиться до беспамятства очень сильно, но разум пока еще успешно борется с ним.

— Да мне и так хорошо, — уверяю я.

— Пойду возьму еще пива, — говорит мне Майк. — Никуда не уходи.

Вообще-то я и не собираюсь выходить из этого угла кухни, пока не появится возможность вежливо уйти домой.

Майк пробирается сквозь толпу гостей на другую сторону кухни в поисках спиртного. Стоит ему уйти, как рядом со мной возникает Нина. На ней очень короткое платье, сплошь украшенное белыми и серебряными блестками, а обнаженные конечности покрыты свеженанесенным искусственным загаром. На Нине много косметики. Сегодня после обеда кто-то из наших молодых коллег сделал ей прическу. Видно, моя подруга очень постаралась, чтобы сегодня вечером выглядеть как можно лучше.

— Собираешься всю ночь стоять с несчастным видом? — спрашивает она.

— У меня просто не очень хорошее настроение, — объясняю я, хотя Нина это и так знает.

— Жаль, что мы не можем соперничать с африканскими равнинами.

Язык у нее заплетается, и она покачивается на ногах. Я догадываюсь, что подруга сегодня налегает на водку.

— Ничего не могу с этим поделать, Нина. Мне нравится просто стоять и глядеть на всех. Возможно, потом развеселюсь.

— Но любовь не должна делать тебя такой чертовски несчастной, — заявляет Нина.

Я не хочу указывать, что она «чертовски несчастна» большую часть своей супружеской жизни и что для этого у нее серьезные основания.

Уголком глаза вижу, как Джерри флиртует с одной из их соседок. Его рука медленно движется по бедру женщины, лаская его. Интересно, делал ли он с ней такое раньше? Заметно, что соседка очень довольна. И если Нина поймает его за этим, то, без сомнения, опять станет «чертовски несчастной».

— Мне просто хочется, чтобы Доминик был здесь, — говорю я. — Вот и все.

— Ну, его здесь нет, — без нужды напоминает мне подруга. — Нужно сделать так, чтобы у тебя на лице опять была улыбка. Не сбежать ли тебе отсюда с Майком?

И конечно, именно в этот момент Майк возвращается и замирает позади Нины. Я слегка наклоняю голову, пытаясь дать понять подруге, что объект ее шуток услышал эти слова, причем очень ясно. Но Нина ничего не замечает.

— Он вполне тебе подходит, Дженни. Подумай об этом вместо того, чтобы страдать по парню, до которого отсюда мильон миль. Майк выглядит так, будто ему нужен чертовски хороший секс, — вдруг решает она. — И если ты не собираешься дать его, то это сделаю я.

Майк добродушно усмехается, глядя на меня через ее плечо:

— Жду с нетерпением, Нина.

От неожиданности моя подруга фыркает, и водка льется у нее изо рта обратно в стакан.

— О боже, — говорит она, закрывая лицо рукой. — Прости, Майк. Я же шучу. Пожалуй, я пойду. А вы потусуйтесь. — И с этими словами исчезает в толпе.

— Думаю, это здравый совет, — говорит Майк.

Я шутливо шлепаю его по руке.

— Зря это она, хоть и пьяна вдрызг.

— Она забавная, — признает он, с восхищением глядя ей вслед. — Дерзкая.

— И балаболка, — добавляю я.

— Послушай, — говорит Майк и начинает внимательно разглядывать свой стакан. — Я знаю о твоих чувствах к тому парню. Ужасно, когда не можешь быть с тем, кого любишь.

— Да, — соглашаюсь я. — Так и есть.

— Иногда небольшая хандра способствует излечению, — продолжает он. — Знаешь, Дженни, ты очень помогла мне, когда я переживал из-за ухода Тани.

— Для этого и нужны друзья.

— Дай мне знать, если захочешь удрать отсюда. Я знаю, как трудно может быть в подобной ситуации.

— Я останусь. Ради Нины.

— Пойдем в гостиную, — предлагает Майк. — Там уже танцуют. Я покажу тебе, какие движения недавно разучил.

Мне становится смешно.

— Практиковался перед зеркалом?

— Не веришь?

Он берет меня за руку, мы пролезаем через толпу и выходим в гостиную. Уже почти полночь, и безудержное веселье в самом разгаре.

Ковер свернут в рулон и сдвинут к дальней стене. Коллеги по работе превратили середину комнаты в танцпол, и, положив руки друг другу на плечи, подпрыгивают на месте под звуки песни Принса «1999». Наша хозяйка Келли находится в самой гуще. Видно, что она наслаждается праздником, а ее пожилой друг сидит на диване и смотрит на танцующих. Вид у него недовольный.

— Не думаю, что у меня достаточно сил, — шепчу я Майку.

— У меня тоже.

Кто-то включает телевизор, и на экране появляется Биг-Бен. Уходят последние мгновения этого года.

Начинается обратный отсчет оставшихся до полуночи секунд.

— Десять! Девять! Восемь! Семь! Шесть! — скандируют все. — Пять! Четыре! Три! Два! Один!

Слышен звон колоколов.

— С Новым годом!

Майк обнимает меня и нежно целует.

— С Новым годом, соседка, — говорит он. — Пусть он принесет все, на что ты надеешься.

— И я желаю тебе того же.

Он печально улыбается.

— Не думаю, что это случится.

— Не зарекайся, — поучительно говорю ему я. — Посмотри на меня. Я и подумать не могла, что любовь меня найдет, но ведь нашла!

Мы присоединяемся к хору, громко поющему «Доброе старое время»[1]. К нам проталкивается Нина. Она целует и меня, и Майка, хотя ей, кажется, трудно сфокусировать взгляд. Ее поцелуй с Майком тянется дольше, чем надо бы, — по моему мнению. И когда она от-

---

[1] «Доброе старое время» — шотландская новогодняя застольная песня на стихи Бернса.

рывается, чтобы сделать вдох, у нее на лице выражение удивления, смешанного с удовольствием. У Майка тоже. Хм. Чувствую себя третьей лишней. Они смотрят друг на друга и сближаются, чтобы повторить поцелуй. Ооо. Мне становится совсем уж неловко.

Тайрон и Клинтон горячо обнимаются в углу, но им далеко до Джерри. Муж Нины и их соседка страстно прижимаются друг к другу. Стеф и Кристал, кажется, нашли себе свободных мужчин, и, видно, для них праздник будет продолжаться. Надеюсь, в этот раз Кристал не забудет имя и порядковый номер мужчины.

Глядя на подвыпившую компанию, я начинаю улыбаться, но меня захлестывает непрошеная волна печали, и я проглатываю слезы.

Сегодня никто не должен быть один. В такой день нужно быть с любимым, а моего здесь нет. Он за тысячи миль отсюда, под африканским солнцем. Где сейчас Доминик? Работает в кемпинге? Или дома, в *manyatta,* со своей семьей? Надеюсь, что с семьей. А что, интересно знать, делают масаи, чтобы встретить Новый год?

— Позвони ему, — шепчет мне Майк в самое ухо. Совершенно ясно, что они с моей подругой уже закончили обниматься. — Иди во двор и звони ему.

— У меня нет денег на мобильнике. Я собиралась пополнить счет, но мы были так заняты в салоне, что я совершенно забыла.

— Держи. — Он протягивает мне свой. — Мой новогодний подарок тебе.

Мои глаза округляются.

— Ты уверен? Это же целое состояние!

— Мне не нравится, когда ты печальна.

Ко мне немедленно возвращается улыбка.

— Спасибо, Майк!

Я клюю его в щеку, выскакиваю из дома и набираю номер Доминика — я уже знаю его наизусть. С тех пор как вернулась из Африки, я звонила ему из дома по два или три раза в неделю, даже зная, что у меня будет сердечный приступ, когда увижу счет.

Притопывая, я жду соединения. Снег почти прекратился, но ночь холодная, и, видимо, будет сильный мороз. Я уже дрожу. Жаль, что не надела пальто, но я забываю об этом, как только слышу гудок и через секунду «Да?».

— Доминик?

— Просто Дженни?

Я слышу улыбку, теплоту и любовь в его голосе. Я обнимаю телефон Майка, будто это может приблизить ко мне моего воина масаи.

— С Новым годом, любимый! С Новым годом!

Глава 50

У меня есть список намерений. В этом году это не только обычные «Не ругаться» и «Похудеть на три килограмма», но и новое для меня «Добиваться всего, чего хочу». О да.

В салоне тихо, клиентов мало. Все рождественские украшения уже сняты, и стало скучно. Но, возможно, только по сравнению с африканскими равнинами.

Небо серое и унылое. Темнота наступает в три часа, и вечера кажутся нескончаемыми. Однако долгие одинокие ночи дают мне много времени, и я строю планы.

— Ты спятила, — говорит Нина, скобля зубами яблоко «Гренни Смит». — Все это бред, чертово безумие.

— Вчера вечером я оставила ему сообщение на Фейсбуке, — продолжаю я так спокойно, как только могу.

Подруга опять выражает свое неодобрение.

— А ты не можешь вернуть его? Как мне отговорить тебя?

— Но я хочу именно этого, — говорю я ей. — И он тоже этого хочет.

— Правда?

— Думаю, да.

Она проводит руками по своим волосам.

— Это самое смешное, что я когда-либо слышала.

Вчера вечером я написала Доминику. Я просила, умоляла его приехать и жить здесь, со мной, в Нэшли. Я все хорошо продумала и теперь уверена — это именно то, что нужно нам обоим. Мы должны быть вместе, и к этой цели надо идти, не жалея сил.

Я рассказала Нине о своем решении, пока мы с ней пили наш утренний кофе в комнате персонала, и она совершенно не согласна со мной.

Не знаю, как ответить на слова Нины. Неужели я так не права в своем желании быть с возлюбленным? Не могу понять, откуда у Нины эта враждебность.

— Такая любовь бывает раз в жизни. — Я абсолютно уверена в этом. — Я не могу дать ей ускользнуть сквозь пальцы.

— Какая глупость! — возражает Нина.

— Разве? Тридцать лет мне стукнуло уже давно, но я впервые испытываю такие глубокие чувства. Если я не смогу устроить все с Домиником, то каковы шансы, что найду кого-нибудь, кто еще раз заставит меня испытать подобное? Разве смешно, что я чувствую, будто нам самой судьбой было предназначено встретиться? И что мы должны быть вместе наперекор всем трудностям? Говорят, у каждого есть своя половинка, и я уверена, что нашла родственную душу. Сколько еще людей могут сказать такое с абсолютной уверенностью?

— А что он будет здесь делать? — спрашивает Нина. — В смысле работы? И вообще, его сюда впустят?

— Мы разве не *всех* впускаем?

— Допустим. А чем он заплатит за билет? Ты переведешь ему деньги?

Я не признаюсь, что таков был мой план. Но все равно Нина закатывает глаза.

После празднования Нового года я безнадежно скучаю по Доминику. Думаю, те дни, которые мы вместе провели на Рождество, только усилили нашу любовь.

— Он еще не сказал «да».

Я уверена, что он согласится.

— Все они так поступают, Дженни, — продолжает Нина. — Если он доберется до Англии, то в мгновение ока опустошит твой счет в банке.

— У меня на счете ничего нет, — напоминаю я ей.

Я все еще должна Майку тысячу фунтов. Конечно, я начну возвращать деньги в ту же минуту, как получу зарплату за месяц, а это произойдет со дня на день. Во время сверхурочной работы перед праздниками я при малейшей возможности так лихорадочно подторговывала, что сам Алан Шугар[1] гордился бы мной. Почти никто не ушел из салона без шампуня, кондиционера или еще какого-нибудь необходимого средства для ухода за волосами. Надеюсь, что сверхурочные и дополнительный заработок перед Рождеством дадут мне возможность полностью выплатить долг моему соседу. Я еще не сказала Майку о своем плане — уговорить Доминика приехать и жить здесь — и молюсь, чтобы мой сосед оказался гораздо благосклоннее, чем до сих пор была Нина.

В комнату входят Кристал, Стеф и мальчики. Все они закутаны, поскольку на улице очень холодно.

— Слыхали? — говорит им Нина, пока они снимают верхнюю одежду. В ее голосе слышится неодобрение, с

---

[1]Алан Майкл Шугар, барон Шугар — британский бизнесмен, общественный деятель и политик.

которым я не могу согласиться. — Дженни хочет, чтоб ее масайский парень приехал и жил здесь.

У всех появляется скептическое выражение.

— Разве ты не можешь найти хорошего англичанина? — спрашивает Кристал.

— А ты можешь? — парирую я.

Кристал только пожимает плечами, поскольку ответить ей нечем.

— Точно, — говорит Стеф. — Трудная задачка.

Келли просовывает голову в дверь.

— Первая клиентка уже здесь, Дженни. Миссис Сильвертон.

— Спасибо.

— Она просто взяла и попросила этого чертова воина масаи жить с ней, — сообщает нашей хозяйке Нина и делает большим пальцем жест, который мне кажется презрительным.

— Правда, что ли?

Я киваю, тихо дымясь от того, как моя подруга распространяет новости.

— О, Дженни, — нараспев говорит Келли. — Будь осторожна. Ты уверена, что поступаешь правильно?

— Думаю, да.

Келли и Нина обмениваются недоуменными взглядами. Но разве я учу их, как они должны жить? Разве учу? Хоть раз я сказала Келли, что она и ее стареющий криминальный друг абсолютно не подходят друг другу? Хоть раз я сказала Нине, что ее развратный муж пользуется каждой возможностью облапать любую женщину, которая даст ему хоть полшанса? Хоть раз я сказала Кристал, что она должна прекратить каждый уик-энд перепихиваться без разбора с любым болваном, который попросит ее об этом? Хоть раз я сказала Стеф, что не существует такого понятия, как безразличный «партнер только для секса», и что в конце концов кому-то будет больно, причем скорее ей, чем ему? Хоть раз я сказала Тайрону и Клинтону, что им лучше не валять дурака, а просто поселиться вместе?

Нет, ни разу.

Так почему же все они чувствуют себя вправе обсуждать мою личную жизнь, мой выбор? Может, у нас с Домиником и есть любовь и химия? Не имеет значения, как мало у вас общего или как мало вы похожи друг на друга. Когда неразумный купидон стреляет, нельзя не обращать внимания на его стрелу, пронзившую ваше сердце!

Они не видят, что бедная старая Дженни Джонсон вовсе не оказалась легковерной и что ее не используют в чьих-то интересах. Ведь *это же я* прошу Доминика принести огромную жертву и покинуть землю, которую он любит, где чувствует себя дома! Ведь *это же я* прошу его поверить мне, приехать и жить здесь, со мной, моей жизнью!

Я встаю со словами:

— Уж лучше не заставлять миссис Сильвертон ждать. — И направляюсь в салон, тихо скрипя зубами.

Миссис Сильвертон уже в накидке и ждет меня в кресле. Сегодня мытье и укладка волос. Очевидно, предстоит что-то шикарное.

— Дженни, дорогая, — говорит она, увидев меня. — Как продвигается великий роман?

— Прекрасно, — говорю я.

— Думаю, ты должна держать его на расстоянии вытянутой руки, — предупреждает она. — Моя подруга привезла одного такого из Египта в прошлом году. Кошмар! — Моя клиентка качает головой. — Это худшее из всего, что она когда-либо делала. Он попросил ее выйти за него замуж, совсем забыв, что дома у него уже есть жена.

— Но не всегда же должно быть именно так, — начинаю я и обрываю себя на полуслове.

Сдаюсь. Просто сдаюсь. Подождите же, пока приедет Доминик, думаю я. Когда он будет здесь, все вы увидите, каков он.

И вот тогда вы поймете.

Глава 51

Доминик сказал «да». Его сообщение пришло ровно через два дня. Я смотрю на экран. Он приедет! Мой воин масаи приедет ко мне! Соберет свои пожитки, полностью веря в меня, и проедет полмира, чтобы жить в Нэшли!

Арчи лежит у меня на коленях.

— С нами скоро будет жить кое-кто еще, — говорю я коту.

Его мяуканье означает, что ему абсолютно все равно. Когда какая-нибудь соседская собака случайно входит в его владения, Арчи мгновенно готов к битве. Майка он всего лишь терпит, и то только потому, что тот хорошо умеет открывать банки с кошачьей едой. А что будет, когда в моей постели окажется мужчина?

— Ты полюбишь его, — обещаю я Арчи, скрестив пальцы. — Я же люблю.

Чтобы Доминик мог приехать, говорится в сообщении, ему надо обратиться за получением визы. А для этого он должен явиться в посольство, и ему придется совершить трудную трехдневную поездку в Найроби и обратно на дюжине разных автобусов. Надеюсь, не возникнет никаких помех. Но, посмотрев стоимость билета, я могу лишь сглотнуть. Опять надо работать сверхурочно, продать что-то еще, — возможно, собственное тело, — чтобы собрать деньги и отправить их Доминику. В «Маленьком Коттедже» полно лишних украшений, от которых я могу избавиться на гаражной распродаже. А внизу у меня лежит конверт с тысячью фунтов наличными для возврата Майку. Я собиралась заскочить к нему позже, чтобы посмотреть с ним фильм, и надеялась удивить его, так скоро вернув деньги. Но я удивлю его еще сильнее, когда скажу ему, что у него в Нэшли скоро появится новый сосед.

Я сажусь за кухонный стол. На ужин у меня миска макарон с соусом песто. Как странно я буду чувствовать себя после столь долгого одиночества, когда в коттедже будет жить кое-кто еще. С трудом могу представить себе, что Доминик сидит напротив меня, и в то же время не могу этого дождаться.

Убрав посуду, сжимаю конверт в руках и несу его Майку. Он расцветает, открывая дверь и впуская меня в дом, а я протягиваю ему конверт.

— Что это?

— Возвращаю долг, — говорю я. — Большое спасибо.

Он берет конверт.

— А ты уверена? У меня пока нет в них крайней необходимости.

— Возьми, пока они у меня есть, — советую я. — Может быть, мне скоро опять придется попросить у тебя в долг.

Майк поднимает бровь. Без долгих предисловий я объявляю:

— Я попросила Доминика приехать и жить здесь.

Теперь у Майка поднимается и вторая бровь.

Вот сейчас он тоже скажет, что это плохая идея, а я глупая и не знаю того человека. Все это и, возможно, что-нибудь еще, о чем я даже не подумала. Но Майк не говорит ничего. Справедливости ради нужно сказать, что мое заявление слегка ошеломило его.

— Ты будешь оплачивать его билет?

— Да. — Я опять жду, что последуют строгие предупреждения.

— Тогда тебе это понадобится. — Майк протягивает мне конверт.

Я поднимаю руку в знак протеста.

— Я постараюсь собрать деньги, работая сверхурочно, и уже подумала о том, что надо бы устроить гаражную распродажу.

— Я помогу тебе, — говорит Майк. — У меня на чердаке полно старого спортинвентаря, от которого давно пора избавиться, — ракетки для сквоша, крикетные биты, лыжное снаряжение, которое я, похоже, никогда больше не буду использовать.

Я вздыхаю, испытывая чувство благодарности.

— Ты так добр ко мне.

Он берет мою руку и целует пальцы.

— Потому что я люблю тебя.

Ну вот. Куда же заведет нас этот разговор?

— Майк...

Мой сосед подносит палец к моим губам, чтобы я замолчала.

— Я хочу, чтобы ты была счастлива, Дженни. Я и раньше тебе это говорил. И если что-то могу сделать для тебя, — продолжает Майк, — то просто скажи. Помни это. — Он сжимает мою руку. — Всегда помни. Обещай мне.

— Обещаю.

— Я открою бутылку вина, и мы выпьем за приезд Доминика. Выбирай, что будем смотреть, — говорит он, раскладывая диски на журнальном столике.

— А ты сам что хочешь?

— Все, что угодно, если это не «Из Африки» и не «Король Лев», — дразнит он меня.

Не могу поверить, насколько добр этот человек, и чувствую, как меня захлестывают эмоции. Поэтому я вряд ли выберу что-нибудь сентиментальное или романтическое — ведь тогда я разревусь. Вместо этого возьму-ка я какой-нибудь боевик с большим количеством трупов и беспричинным насилием.

Глава 52

И двух недель не прошло, как я узнаю, что Доминик получил визу. Он без проблем съездил в Найроби и обратно, и его заявление было очень быстро рассмотрено, что необычно для нормального течения бюрократических процедур. Он прислал мне эсэмэску с этой новостью. Можно ли это считать хорошим предзнаменованием? Я в равной мере чувствую страх и восторг. Теперь нет пути назад. Все происходит на самом деле. Я сообщила Доминику данные моей кредитки. Он отправился пешком в соседнюю деревню, чтобы заказать билет по интернету, и сразу же сообщил мне, когда вылетает. Через неделю он уже будет здесь. Я начинаю неистово приводить дом в порядок и в переполненном шкафу пытаюсь выделить место для вещей Доминика.

В салоне все время напряженная атмосфера, что не очень-то приятно. Все сплетничают у меня за спиной, я знаю это точно. И еще знаю, что не страдаю подозрительностью, в отличие от моей лучшей подруги Нины, которая и не дает сплетням угаснуть. И это очень меня огорчает. Ну почему она не может просто порадоваться за меня?

Когда наступает время, я отправляюсь в аэропорт встречать Доминика. Майк предложил подвезти меня, но как я могу с ним так поступить? Мне бы очень хотелось, чтобы со мной поехала Нина, но сама она не предложила, а попросить я не смогла. Отношения между нами уже не такие хорошие. Я догадываюсь, что у нее опять проблемы с Джерри, но она ничего мне не рассказывает. Надеюсь, что когда Доминик наконец-то приедет, то понравится ей, пусть и не сразу. Как может быть иначе?

Сегодня утром я носилась как сумасшедшая, стараясь, чтобы мой коттедж выглядел безупречно. Теперь все сияет. С тех пор как я въехала, здесь никогда не было такого порядка.

И вот сейчас, двигаясь по дороге М25, я чувствую, как у меня потеют ладони. Меня бросает в жар. Кондиционер включен на полную мощь, хотя температура на улице близка к нулю.

Прошло чуть больше месяца с того дня, как я в последний раз виделась с Домиником, и, как это ни глупо, я боюсь, что он не узнает меня. А еще меня беспокоит, как он выдержал долгий перелет, ведь его единственный опыт — наше с ним путешествие на воздушном шаре в Масаи-Мара.

Оставив машину на стоянке, я направляюсь к зданию аэропорта «Хитроу». Проверив табло, вижу, что самолет Доминика должен прибыть вовремя. Если повезет и будет попутный ветер, то Доминик очень скоро выйдет в зал прибытия.

Я стою у барьера в толпе встречающих. Все ждут родственников, коллег по работе, любимых. Совсем скоро и я увижу моего воина масаи! Я едва заставляю себя стоять спокойно. От волнения судорога сводит пальцы ног.

Из автоматических дверей начинают друг за другом выходить люди, и я смотрю поверх голов стоящих впереди, пытаясь разглядеть Доминика. Минуты проходят и проходят. Его нет. Надо было мне попросить его прислать мне сообщение о том, что он сел в самолет. Ведь все, что угодно, могло пойти не так. Вдруг сломался автобус, идущий в Найроби? Вдруг Доминику понадобилось больше времени, чтобы пройти десять километров до него? Вдруг по дороге его съел лев?

И тут у меня замирает дыхание.

Дверь открывается, и я вижу высоченного Доминика в традиционном *shuka*. Его плечи расправлены, он высоко держит голову, но вид у него обеспокоенный, смущенный, потерянный. Я проталкиваюсь к самому барьеру и кричу во всю мочь:

— Доминик! Доминик, я здесь!

Он поворачивается, видит меня, и его лицо освещается радостью, а я не могу больше ждать. Со сверхчеловеческой силой я карабкаюсь на барьер, прыгаю через него и бегу в объятия Доминика. Он приподнимает меня и кружит.

— Ты сделал это, — говорю я. — Слава богу, ты сделал это!

Он ставит меня на пол.

— Дженни, — говорит он, — моя Дженни!

Мы целуемся, не обращая внимания на толпу вокруг нас. Потом, смутившись, отпускаем друг друга.

— Пошли, я отвезу тебя домой. — Я беру его за руку. — Машина совсем рядом, через дорогу. Как прошел полет?

Доминик пожимает плечами.

— Наверное, хорошо, ведь я даже не почувствовал, что был в небе.

— Я знаю, в самолете чертовски скучно, — соглашаюсь я. — Ты смотрел кино?

— Нет, — говорит он. — Я не знал, как эта штука работает, а спрашивать не хотел.

Когда мы выходим из зала на улицу, Доминик отшатывается. Температура чуть выше нуля, а на нем только его туника и одеяло, а на ногах — открытые кожаные сандалии. Вполне вероятно, что он умрет от переохлаждения прежде, чем я довезу его до Нэшли. Для него это, наверное, то же самое, как для нас выйти из сауны на снег. Как же я теперь жалею, что не сообразила попросить у Майка пальто для Доминика! И брюки. Да и носки не помешали бы. Какая я балда, что не подумала об этом. Ну почему я решила, что Доминик прилетит в европейской одежде? Знала же, что у него ничего другого нет!

Пока я веду его к машине, он с удивлением разглядывает автомобили на многоэтажной стоянке.

— Будет много лучше, когда мы уедем из аэропорта, — уверяю я его.

Он неуверенно кивает. Мое сердце тянется к нему, и внезапно я понимаю, как сильно он верит в меня и в наши отношения, раз приехал сюда. Все предупреждали, как ужасно все сложится для меня, но никто, — и я в том числе, если быть честной с собой, — не подумал о том, что Доминик приезжает в незнакомый мир и ему здесь будет трудно.

Все его пожитки лежат в одном крошечном чемоданчике, который я кладу на заднее сиденье. Сев в машину, включаю на полную мощность отопление, но Доминик уже дрожит.

— Мы раздобудем тебе одежду, — обещаю я. — Завтра же у тебя будут теплые вещи.

— Было бы хорошо, Дженни.

— Мы очень быстро приедем домой, а в коттедже тепло и уютно.

Он улыбается мне, и в его взгляде видно облегчение.

Прежде чем отъехать, я поворачиваюсь к нему.

— Спасибо, — говорю я. — Спасибо, что приехал ко мне.

— Я очень рад видеть тебя, мисс Дженни Джонсон. Очень рад.

Я склоняюсь к нему, и мы опять обнимаем друг друга.

— Все будет хорошо, — шепчу я ему куда-то в шею. — Просто подожди немного и сам увидишь.

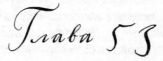

Глава 53

Мы едем по узким извилистым улицам Нэшли мимо древней церкви и помещичьего дома, мимо утиного пруда, где утки уже приготовились ко сну. Подъезжая к «Маленькому Коттеджу», поворачиваюсь к Доминику:

— Твой новый дом.

Доминик, надо сказать, ошеломлен увиденным.

— Твоя деревня, — говорит он, — совсем не похожа на мою.

— Непохожа, — соглашаюсь я. — Но тебе она понравится. Уверена, что понравится.

Видно, что ему не хочется выходить из теплой машины. В общем-то, его можно понять.

— Дома тепло, — уверяю я его. — Я возьму для тебя одежду у моего друга Майка, который живет по соседству. Он выручит нас, пока мы не съездим в магазин.

Доминик кивает.

— Есть еще кое-что, о чем я должна предупредить тебя. У меня есть кот Арчи. Настоящий кошмар. Его любимая игра — прыгнуть на незнакомца и вырвать у него кусок плоти. Берегись его.

Мой воин масаи смеется.

— Я должен бояться кота?

Я пожимаю плечами.

— Просто хочу, чтобы ты это знал.

Мы пересиливаем холод и бежим к входной двери.

— Береги голову, — советую я, открывая дверь коттеджа.

Доминику приходится наклониться, чтобы войти, а в гостиной как раз достаточно высоты, чтобы он мог стоять в полный рост между балками. Я включаю свет, и мой коттедж становится виден во всей своей красе.

— Это твой дом?

— Отныне и твой тоже, — напоминаю я ему. — Тебе нравится?

— Никогда ничего такого не видел, — признается Доминик.

— Как думаешь, сможешь ты жить здесь?

— О, да, — говорит он. — Я в этом уверен.

И ударяется головой о балку.

Пока Доминик трет лоб, Арчи спускается по лестнице. Когда он видит гостя, шерсть у него на хребте встает дыбом, и он шипит и фыркает на нового члена нашей семьи.

— Не будь невоспитанным, Арчи, — предупреждаю я. — Подойди и вежливо поздоровайся.

Но не успевает Арчи шевельнуться, как Доминик берет кота за загривок и поднимает его.

— *Jambo,* — говорит он. — Иди сюда, кот, мы должны стать друзьями.

Арчи выпучивает глаза, и я не могу понять, удивление или ужас написаны на морде моего кошачьего друга. Доминик укладывает Арчи вокруг своей шеи, как шарф. К моему огромному изумлению, кот не протестует, хотя и смотрит на меня с недоумением.

— Я покажу тебе кухню. Там хорошо и тепло, поскольку радиатор всегда включен.

— Здесь очень хорошо, — говорит Доминик, следуя за мной и пригибая голову.

— Принести тебе попить? Чай? Кофе? Чтобы ты мог согреться.

— Молоко, — говорит он. — Просто молоко.

— Я могу согреть его в микроволновке.

Он неуверенно кивает.

— Садись же, — говорю я. — Устраивайся поудобнее.

Доминик садится за кухонный стол, а кот все еще лежит у него на плечах. Мне даже кажется, что Арчибальд Агрессивный мурлычет от удовольствия. Доминик гладит его свисающую лапу, и Арчи нежится. А мне до сих пор не верится, что в моей крошечной кухне сидит темнокожий высокий мужчина в яркой одежде, появившийся из совсем другого мира, — мой любимый воин масаи.

Я вожусь с чашками, молоком и микроволновкой. Мне очень хочется вместо этого обнять Доминика и сказать ему: «Я благодарна судьбе за то, что ты вошел в мою жизнь. Я буду изо всех сил стараться, чтобы тебе здесь было хорошо, и очень ценю то, что ты решился ради меня перевернуть вверх дном свою жизнь!»

Но вместо этого я спрашиваю:

— Ты голоден? Дать тебе поесть?

— Я не мог есть то, что предлагали в самолете.

— Так ты не ел со вчерашнего дня?

Он кивает.

Я ломаю голову, размышляя о том, чего бы хотел Доминик. Можно очень быстро приготовить лазанью. Но, вероятно, о ней не стоит даже думать.

— Овсянка? — предлагаю я. — Хочешь овсянки?

— Если ты так думаешь.

Я достаю из шкафа пакетик полуфабриката и бросаю его в микроволновку.

— Пойду, позвоню Майку. Посмотрим, сможет ли он принести тебе одежду. Не хочу, чтобы ты умер от холода.

— *Hakuna matata*, Дженни. Я освоюсь здесь.

— А завтра мы пойдем и купим тебе европейскую одежду.

Доминик смущен — он, кажется, и не думал об этом.

— У меня нет денег на одежду.

— Об этом не беспокойся, — успокаиваю я его. Мне хочется, чтобы он вообще ни о чем не тревожился. — Все, что у меня есть, теперь твое. Понимаешь?

Он обнимает меня и прерывисто вздыхает.

— *Asante,* Дженни.

Микроволновка пищит, и я приношу ему тарелку овсянки. Он подозрительно всматривается в нее.

— Она вкусная, — уверяю я его. — Тебе надо что-то поесть.

Он берет ложку, осторожно пробует и расплывается в улыбке.

— Вкусно, — говорит он. — Очень вкусно.

Сев рядом с ним, я провожу рукой по его выбритой голове. Я сделаю все, что смогу, только бы он был счастлив.

— У нас все будет хорошо. Обещаю тебе, Доминик. У нас все будет хорошо.

Глава 54

Через полчаса в дверь стучит Майк. Он принес одежду для Доминика.

— Не очень много, — говорит Майк. — Джемпер и джинсы. Пальто, несколько пар носков. Я принес пару ботинок, но у меня сорок второй размер. Я не уверен, что они ему подойдут.

Боже мой, а я и не подумала даже о половине всех этих вещей! Нам надо пройтись по магазинам, и чем раньше, тем лучше.

— Это замечательно.

— Если вам нужно что-то еще...

— Входи же, — взволнованно говорю я. — Познакомься с Домиником.

Майк колеблется.

— Пожалуйста...

Он, смущенно улыбаясь, идет за мной в кухню. Как только мы входим, Доминик встает и опять ударяется головой о балку.

— Придется мне закрыть все балки поролоном, если ты все время будешь биться о них головой.

Доминик только улыбается в ответ.

Я поворачиваюсь к Майку и вижу, что он стоит, разинув рот, и смотрит на моего возлюбленного.

— Майк, — говорю я. — Это — Доминик Оле Нангон.

Майк продолжает стоять как вкопанный.

— Майк!

— Простите, простите. — Усилием воли он выходит из транса и протягивает руку. — Я — Майк. Из соседнего дома. Очень рад знакомству.

Доминик протягивает ему руку, и я вижу, как Майк вздрагивает от сильного рукопожатия.

— Спасибо, Майк. Я очень счастлив, что нахожусь здесь.

— Я принес кое-какую одежду, чтобы выручить вас. Но, черт возьми, не думаю, что ты сможешь ее натянуть.

Он оглядывает Доминика с ног до головы.

— Какой у тебя рост?

— Очень большой, — говорит Доминик.

Неловкость исчезает, и мы все смеемся.

— Послушай, если тебе что-то понадобится, — говорит Майк Доминику, — я совсем рядом, в соседнем доме. Только скажи.

— Спасибо, Майк.

Они опять обмениваются рукопожатием.

— Надеюсь, ты будешь здесь счастлив, — говорит Майк и через секунду добавляет: — Ну, я пойду. Уверен, вам много чего надо сделать. Устроиться. — Он опять смущается, а я не хочу, чтобы он так себя чувствовал. — Ну, я пошел.

— Встретимся на неделе, Майк. Приходи как-нибудь поужинать с нами.

— С удовольствием.

И когда я провожаю его до двери, Майк поворачивается ко мне с озабоченным выражением.

— Думаю, ему понадобится помощь, чтобы устроиться здесь, Дженни, — говорит он. — Доминик похож на рыбу, вытащенную из воды.

Защищаясь, я отвечаю:

— С ним будет все хорошо.

— Это не критика, — торопливо добавляет Майк. — Я просто хочу, чтобы ты знала — я рядом. Для вас обоих.

Я расслабляюсь и целую его в щеку.

— Спасибо, Майк. Увидимся позже.

Вернувшись в кухню, я готовлю для Доминика горячее молоко и разогреваю еще один пакет овсянки. Придется набить шкаф этой едой.

— Ну, — говорю я Доминику, пока он ест, — что бы ты сейчас делал дома?

— В кемпинге нет гостей, — отвечает он, — поэтому я бы упражнялся в прыжках с моими друзьями.

— О. А я и забыла про прыжки. Ты можешь тренироваться здесь, если хочешь, в саду за домом.

Звонит дверной звонок, и в глазок я вижу Нину.

— Привет, леди, — говорит она, когда я открываю дверь. — Вот подумала, неплохо бы зайти и посмотреть, все ли у тебя в порядке.

Нина никогда не заходит просто так. Либо она приехала извиниться, либо просто не может дождаться, пока я сама представлю ей Доминика. Но, какова бы ни была причина ее приезда, я рада видеть ее, поскольку уже много недель отношения между нами не назовешь нормальными.

— Все хорошо, — говорю я ей. — Самолет Доминика не опоздал. Проходи и познакомься с ним. Он на кухне. Бедняга успел замерзнуть до полусмерти. В Масаи-Мара было двадцать девять градусов жары, когда он уезжал оттуда.

Когда Нина входит в кухню, Доминик встает. В этот раз он не стукается головой. Его улыбка растягивается до ушей.

— Это — Нина, моя лучшая подруга. Я говорила тебе о ней.

— Да, — говорит Доминик, — я очень рад нашему знакомству.

Подруга пялится на него, но радости не выражает. Она оценивает его рост, разглядывает красный *shuka*, цветное одеяло, босые ноги, и, очевидно, ей не нравится то, что она видит.

— Чай, — говорю я. — Я заварю чай. — И толкаю подругу в ребро. — А ты садись и поговори с Домиником.

Нина садится на стул напротив Доминика и почему-то начинает кричать:

— ПРИВЕТ. КАК. ЖИЗНЬ?

— Доминик не глухой, Нина, — быстро говорю я, наливая чай в чашку. — И у него прекрасный английский.

— ЧТО. ТЫ. ДУМАЕШЬ. О. НАШЕЙ. СТРАНЕ?

— Я. ДУМАЮ. ЧТО. ОНА. ОЧЕНЬ. ХОРОШАЯ, — кричит он в ответ, и я замечаю плутовской блеск в его глазах.

— Нет нужды говорить с ним как с испанским официантом.

— ПРОСТИТЕ, — кричит она.

Я вручаю ей чашку чая, и мы сидим в неловком молчании.

— МНЕ. НАДО. ИДТИ. — Нина быстро допивает чай. — У. МЕНЯ. ПОЛНО. ДЕЛ. ДО. ВСТРЕЧИ. ДОМИНИК.

— ДА, — отвечает он. — HASTA. LA. VISTA. BABY.[1]

---

[1] До встречи, детка (*исп.*) — крылатая фраза Терминатора в исполнении Арнольда Шварцнеггера.

Моя подруга едва не подпрыгивает от удивления. Потом дергает головой в знак того, что я должна пройти с ней до двери, и в гостиной крепко хватает меня за руку.

— Ты сошла с ума? — шипит она.

— С чего ты взяла?

— Это он? Любовь всей твоей жизни?

— Да.

— Во что ты играешь? — Подруга в изумлении качает головой. — Как ты можешь любить такого мужчину?

— Какого такого? Он красивый, с ним весело и интересно.

— Тьфу, — говорит Нина.

— Ты что, расистка?

— Расистка? Не смеши меня. Я-то в своем уме, а у тебя, кажется, шарики зашли за ролики. Посмотри в зеркало, Дженни. Ты видела, насколько вы разные? Что у вас общего? Вы не сможете построить отношения.

На это я могла бы возразить, что скорее проведу всю жизнь с Домиником, чем с таким развратным и лживым ловеласом, как ее муж, который пристает ко всем ее подругам. Или, что еще хуже, — с таким, как этот идиот Льюис, с которым она так радостно сводила меня.

Но, конечно, ничего такого я ей не говорю. Я пропускаю мимо ушей все ее ядовитые замечания о Доминике. Уверена, что в конце концов он ей понравится.

— В этот раз ты и правда совсем свихнулась. — Подруга грозит пальцем прямо мне в лицо. — И когда все станет ужасно, не говори, что я тебя не предупреждала.

С этими словами она выбегает из дома, а я стою с открытым от удивления ртом, дымясь от возмущения.

Возвращаюсь в кухню. Доминик сидит за столом и улыбается.

— Все прошло хорошо, — говорю я. Мой гордый воин масаи приподнимается и обнимает меня.

— Всегда что-то выигрываешь, что-то теряешь, Просто Дженни, — мудро говорит он. — Думаю, это мы будем считать потерей.

Мы оба смеемся, и Доминик обнимает меня крепче. Мое сердце переполняется любовью к нему. Он целует меня. Я таю и думаю, что сейчас я самая счастливая женщина на свете. Мне все равно, ненавидят или одобряют мои друзья мужчину, которого я выбрала. Черт с ними, думаю я. Черт с ними со всеми.

Глава 55

В спальне мой воин масаи кладет на кровать чемодан и открывает его. Арчи тут как тут — сует нос, чтобы провести быструю проверку. Когда Доминик в комнате, она кажется меньше. Я смотрю на свою стандартную двуспальную кровать и задумываюсь — как же Доминик поместится на ней? В его чемодане мало вещей, но есть очень большое мачете.

— Как тебе удалось провезти это через систему безопасности? — спрашиваю я.

— Безопасности? — Доминик пожимает плечами. — Не знаю.

Он вынимает мачете из чемодана.

— Ух ты. — Этот предмет выглядит очень опасным. — У нас здесь немного своеобразное отношение к ножам. Ты должен всегда оставлять его дома.

— Но как же я буду убивать нашу еду? Как буду прорубать кустарник?

— Всего этого мы здесь тоже не делаем. — Я беру нож у него из рук и кладу в ящик, который освободила для вещей Доминика. — Сам увидишь. Ты и без него будешь очень хорошо справляться.

По виду Доминика не скажешь, что я его убедила, но, думаю, когда завтра поведу его в магазин и покажу, что вся наша еда уже убита и положена в пластиковую упаковку, то он, наверное, все поймет. А еще он скоро поймет, что самые густые кусты, с которыми он столкнется в Нэшли, — это сильно разросшийся ломонос.

— Я и так не взял с собой копье. Щит, копье и мачете — это знаки достоинства воинов масаи. Мы никуда не ходим без них.

Его щит маленький, овальной формы и сделан, как я предполагаю, из козлиной шкуры. Доминик гордо держит его перед собой. Не думаю, что щит понадобится ему здесь, но сказать не решаюсь.

Доминик кладет в ящик всего лишь несколько предметов одежды. Кажется, он довел до крайности искусство путешествовать налегке. Потом вынимает из чемодана две нити бус.

— Думаю, мы когда-нибудь поженимся, Просто Дженни, — говорит он. — А пока возьми это.

Он протягивает ожерелья. Они искусно сделаны из огромного количества стекляруса и стеклянных бусин.

— Ты примешь от меня этот подарок?

— Да, — отвечаю, затаив дыхание.

И Доминик надевает мне бусы через голову. Они ложатся на мой джемпер как плоский воротник и свисают к моим ногам.

— Это прекрасно.

— Это ожерелье замужней женщины.

— А это для тебя?

Он кивает и протягивает мне второе ожерелье, которое я надеваю ему через голову. Оно намного короче, но не менее ошеломляющее.

— Теперь мы обручены, — говорю я ему.

— Обручены?

— Это значит, что мы дали друг другу обещание вступить в брак.

Мой воин масаи улыбается.

— Значит, мы с тобой обручены, Просто Дженни.

Доминику по его визе разрешается жить в Великобритании временно, в течение шести месяцев. После этого он либо должен уехать, либо мы можем подать прошение о браке. Еще одна небольшая проблема в том, что ему не разрешено работать здесь в этот начальный шестимесячный период, а значит, может быть немного труднее с деньгами. Но мы справимся. Я уверена, что справимся. Вряд ли Доминику потребуется много денег для жизни здесь. Сначала будут небольшие траты на одежду, да и расходы на овсянку значительно возрастут. Но вряд ли будет что-то еще.

— Хочешь принять хорошую горячую ванну, прежде чем мы ляжем спать?

— Да, Дженни. — Его глаза сияют. — Это роскошь, которой у меня никогда не было. Дома мы должны идти к реке, чтобы набрать воды, и мы не можем расходовать дрова, чтобы просто греть воду для мытья.

— Пойду, приготовлю ее.

Я наполняю ванну и вливаю немного пенящегося геля. И вместо яркого верхнего света зажигаю несколько ароматных свечей.

Доминик подходит к двери и стоит, наблюдая за мной.

— Хочешь попытаться втиснуться туда вместе?

— Туда? — смеется Доминик. — Можно попробовать.

Через секунду движением плеч он сбрасывает *shuka*, позволяя тому упасть на пол, и перешагивает через край ванны. Я смущенно раздеваюсь и тоже влезаю вслед за ним.

Его длинные конечности заполняют все пространство, пока я сажусь между его ног спиной к его груди, и мы проскальзываем в воду, позволяя пене покрыть нас.

— Это очень цивилизованная страна, моя Дженни, — со вздохом говорит Доминик.

— Надеюсь, ты будешь здесь очень счастлив.

— Если буду с тобой, то буду счастлив.

Потом, прижимаясь друг к другу влажной кожей, мы нежно занимаемся любовью на кровати, а Арчи — с пола, куда был сослан, — громогласно жалуется на несправедливость. Кажется, он уже ревнует к тому, какое место я занимаю в привязанностях Доминика.

Мы проскальзываем под пуховое одеяло, и я с улыбкой вижу, что ноги Доминика высовываются и свисают с кровати. Кровать королевского размера просто не поместится в этой комнате, но нам надо будет что-то придумать. Я думаю о деревянном поддоне, который служил Доминику кроватью на земляном полу в *manyatta,* и надеюсь, что здесь ему все-таки лучше.

— Как твои родители отнеслись к тому, что ты приехал сюда? — спрашиваю я в темноте.

— Они рады, что у меня будет новая жизнь, — тихо отвечает Доминик, — но им грустно, что я покинул их дом. А еще они понимают, что образ жизни масаев не совсем такой, какой был у меня.

— Я изо всех сил буду заботиться об их сыне, — обещаю я.

— Тогда им не о чем больше просить.

— Мы должны послать им немного денег. Как только немножко накопим, так и отправим. Это будет помощью?

— Наверняка. Для лечения они обычно используют свои традиционные средства, но иногда они не помогают, и тогда приходится покупать в аптеке лекарства, антибиотики. Моей семье всегда нужны деньги для этого.

— Тогда мы это сделаем, — уверяю я его. — Как только сможем.

Я прижимаюсь к нему. Доминик щелкает пальцами и говорит:

— Иди сюда, кот.

И я слышу, как Арчи тихо вскакивает на кровать и сворачивается клубочком у плеча Доминика. Я едва могу отвести глаза от моего возлюбленного и не хочу спать, но очень скоро меня одолевает усталость. Погружаясь в сон, я слышу шепот Доминика возле моих волос.

— Я буду беречь тебя, Дженни Джонсон, каждый день моей жизни, — говорит он.

Погружаясь в сон все глубже и глубже, я понимаю, что никогда не чувствовала себя более любимой и более защищенной.

Глава 56

Утром я просыпаюсь, а Доминика рядом нет. Нет и Арчи. На секунду меня охватывает паника, но потом я начинаю рассуждать, что Доминик не мог далеко уйти. Натянув халат, я спускаюсь по ступенькам и вбегаю в кухню. Никого. Я выглядываю в сад за домом, но и там их нет. Я включаю чайник, начинаю готовить чай, и в этот момент слышу стук в дверь. В глазок вижу, что за дверью стоит Доминик с Арчи вокруг шеи. Но не один. Я как можно скорее открываю дверь. По обе стороны от моего возлюбленного и моего кота стоят огромного роста полицейские в форме. Полицейская машина припаркована рядом с моей.

— Доминик! — Я бросаюсь к нему и заключаю его в объятия. — Ты в порядке? Ты не ранен?

— Со мной все хорошо, Просто Дженни, — уверяет он меня. — Эти приятные люди сказали мне, что я был плохим.

— Плохим?

Один из офицеров выходит вперед.

— Мы получили жалобы от нескольких ваших соседей. По-видимому, они заметили этого джентльмена, мистера Оле Нангона, когда он перепрыгивал через заборы и бродил по садам за домами.

Я поворачиваюсь к нему.

— Доминик?

— Я — воин масаи, — говорит он гордо. — Моя работа — защищать деревню. Это я и делал.

Полицейские поднимают брови.

— Он, — объясняю я, — только вчера прилетел в Англию. Я еще не успела объяснить ему официальную схему «Присмотра за соседями»[1].

— Он очень напугал одну из дам, — говорит другой полицейский и проверяет свой блокнот. — Миссис Петерман. У нее что-то вроде нервного потрясения.

— Простите, — говорю я им. — Я сегодня проведу Доминика по деревне и представлю его всем.

— Думаю, они уже знают, кто он, — предполагает полицейский.

Ну, если дело касается миссис Петерман, то она обязательно сделает так, что знать будут все. Я хорошо представляю себе, как Доминик в своем красном *shuka* перепрыгивает через ее тисовую ограду. Рассказы об этом распространятся так же быстро, как лесной пожар.

— Я принес извинения этой леди, Дженни, — говорит Доминик. — Воин масаи должен посвятить свою жизнь достижению гармонии со своим народом. Я думал, что поступаю хорошо.

— В этом я уверена.

---

[1] «Присмотр за соседями» — добровольная организация жителей, занимающаяся присмотром за домом или имуществом соседей для предотвращения преступлений.

— Как только местные злодеи услышат, что деревню защищает воин масаи, кражи значительно уменьшатся, не сомневаюсь, — подтверждает полицейский. — Что ж, мисс, мистер Оле Нангон, мы вас оставим.

— Вы ни в чем не будете обвинять Доминика?

— Нет, — говорит офицер. — Обвинений не будет. Миссис Петерман согласна считать все это простым недоразумением. А мы тоже рады — будет что обсуждать в участке тихим воскресным утром. — Он натянуто смеется. — Подождите, пока мы не расскажем парням.

— Спасибо.

— Больше не пугайте деревенских жителей, молодой человек, — предупреждает полицейский. Он касается рукой шлема, и оба стража порядка уходят по садовой дорожке, предоставляя Доминика моим нежным заботам.

— О, Доминик, — говорю я, когда мы помахали вслед полицейским. — Я должна рассказать тебе о тонкостях нашей деревенской жизни. Не хочу, чтобы тебя арестовали.

— Я просто хочу стать здесь своим, — говорит Доминик. — Я хочу быть английским джентльменом и сделать так, чтобы ты мной гордилась.

— Я очень горжусь тобой, таким, какой ты есть, — отвечаю я ему.

— Думаю, немного напугал полицейских, — доверчиво говорит он.

— Неудивительно. Но ты не должен нас здесь защищать. В Нэшли вообще нет львов, Доминик. Да и вообще нет никаких диких животных.

— Нет?

— Если только не считать Арчи.

Мы громко хохочем, а потом смеемся, как дети, пока слезы не начинают литься у нас из глаз.

Глава 57

Я впихиваю Доминика в одежду Майка. Это катастрофа.

Хотя у Майка среднее телосложение, рукава его джемпера едва прикрывают локти Доминика. Джинсы так широки в талии, что туда без особого труда может влезть еще один человек, но штанины заканчиваются намного выше лодыжек. Обувь вообще никуда не годится, да и носки тоже.

Доминик теперь выглядит как пугало огородное.

Уже почти десять часов, и магазины скоро откроются. Наверное, нам лучше помчаться в город, где есть магазин под названием «Высокие парни», я уверена, что там смогут подобрать Доминику одежду. К тому же было бы лучше, если бы никто не видел его, одетого так, как сейчас, но если он пойдет только в своем *shuka*, то, вероятно, не только умрет от холода, но и здорово напугает людей.

— Пойдем, — говорю я Доминику, когда он приканчивает вторую миску овсянки. Но пока мы идем к двери, я замечаю, что нас трое. — Арчи не может идти с нами.

— Нет? — Доминик снимает его с плеч. — Оставайся, кот.

Арчи что-то отвечает, протестуя, и отправляется к софе, чтобы из чувства мести раскромсать ее когтями и клыками.

— Мне придется изменить имя кота на Арчибальд Приветливый. После твоего приезда у него стал совсем другой характер. Не могу поверить, что его так влечет к тебе. Обычно ему никто не нравится, — говорю я. — Правда, никто. По требованию почтового отделения ему даже выдано официальное запретительное предписание из-за его антисоциального поведения, потому что он царапал почтальона через щель для писем.

— Предписание?

— Да. Если он и дальше будет так делать, мне перестанут доставлять почту.

— Они боятся кота? — Доминику это кажется забавным.

— Он кое-как терпит Майка, и то потому, что тот проводит много времени у меня в доме и заботится об Арчи, когда меня нет.

— Вы с Майком очень близки, — замечает Доминик.

— Как друзья, — говорю я. — И это все.

— Думаю, Майк хотел бы большего.

— Ты прав, — признаю я. — Но он знает, что это никогда не случится. Он был очень добр ко мне, и я уверена, он и тебе станет хорошим другом. Я бы не смогла приехать к тебе на Рождество, если бы Майк не одолжил мне денег.

— Значит, он очень любезный человек.

— Да. — Теперь надо рассказать про Льюиса Морана. — Но есть и другой. — Бровь Доминика поднимается. — Это пустяки. Он преследует меня. У меня было жуткое, катастрофическое свидание с ним еще до того, как я встретила тебя. А теперь он не оставляет меня в покое, время от времени появляясь возле моего дома. Я просто хочу, чтобы ты знал это на случай, если он объявится, когда меня нет дома. Я всем расскажу, что ты теперь живешь здесь, и надо надеяться, эта новость дойдет и до него. Но если не дойдет, то я с радостью даю тебе разрешение отпугнуть его. — Доминик задумчиво кивает. — Пойдем. Нам надо добраться туда прежде, чем там будет много народу.

Мы выходим из дома и прыгаем в машину.

— Мне можно вести машину, Дженни?

— У тебя есть водительские права?

Он пожимает плечами в знак того, что их у него нет.

— Значит, нельзя. — Хотя, увидев, как Доминик водит машину по африканским равнинам, я уверена, что круговые развязки в Милтон-Кинси его бы не испугали. — Надо будет организовать тебе сдачу экзамена по вождению.

Доминик улыбается.

— Не могу поверить, что теперь я живу здесь.

— Я тоже.

В торговом центре Доминик останавливается и смотрит вокруг с благоговением.

— Это все магазины?

— Да.

— Никогда не был в таком месте, — говорит он. — Почему людям нужно покупать так много вещей?

— Не знаю. Мы здесь так живем.

— Я — воин масаи, — продолжает он. — Я не должен бояться, но сердце у меня в груди колотится.

— Это реакция нормального парня, — уверяю я его.

— Ты говоришь серьезно?

— Да. Большинство мужчин боится ходить в магазины. Но мы с тобой войдем и выйдем с быстротой молнии, — обещаю я.

— Так много людей. Очень оживленное место, — замечает Доминик.

Это правда. Хотя еще рано, но в торговом центре становится все больше народу, и толпы движутся туда-сюда по проходам.

— Это еще ничего. Приехал бы ты сюда в субботу.

— Что-то не хочется.

— Ну и правильно.

Даже я стараюсь не приезжать сюда по субботам, когда покупатели впадают в неистовство. Доминику же это покажется полным безумием. В Мара ближайший магазин — обмазанная глиной хижина, в которой есть немного товаров, и до нее надо идти пешком километров десять, а то и больше. Наш торговый центр должен казаться Доминику раем. Или адом — это с какой стороны смотреть.

В «Высоких парнях» к нам направляется продавщица средних лет. Она сперва обалдевает при виде Доминика, а потом начинает хлопотать, как наседка, и помогает ему, пока он борется с пуговицами рубашки, которую примеряет.

— Боже мой, боже мой, боже мой, — повторяет она снова и снова.

Тем не менее она в мгновение ока находит джинсы, которые не только годятся ему в талии, но и хороши в длину. Мы покупаем рубашки и свитера, джинсы и элегантные брюки, а еще — теплое пальто. В этом магазине есть обувь, и теперь мы знаем, что у Доминика сорок восьмой размер. Впервые в жизни он надевает закрытую обувь — ботинки, а не сандалии, — и теперь ступает так, будто у него на ногах ласты. А еще я покупаю ему выходные туфли и кроссовки.

— Мне не нужны все эти вещи, — протестует Доминик.

— Да нет, будут нужны, дорогой, — уверяет его продавщица. — Обязательно.

— У всей моей семьи нет такого количества одежды.

Да и у Доминика нет ничего, кроме пары красных *shuka*, одеяла и сандалий. Вещи, которые мы считаем само собой разумеющимися, ему абсолютно чужды. Когда мы будем отправлять деньги его семье, я приготовлю для его матери и сестер посылку с моими лишними футболками.

— Это страна изобилия, — говорит он. — У вас есть все. Еда, одежда, деньги.

Это страна расточительного потребления и огромного количества отходов, думаю я, но не поправляю Доминика. Я видела, как мало вещей у него по сравнению с тем, как много их у нас, и одно это уже наполняет меня чувством стыда. Я всегда была очень экономна, но с тех пор, как встретила Доминика, я не выбрасываю пищу, а все мои старые вещи отправляются в «Оксфэм»[1]. Это мелочи, но это только начало.

Одежда Майка отправляется в сумку, и час спустя мы выходим из центра. В новой европейской одежде Доминик выглядит великолепно.

— Спасибо, Просто Дженни. *Asante*. Я обязательно верну тебе все деньги, когда получу работу.

— Ну, пока ты этого не можешь сделать, — напоминаю я ему. — Поэтому не беспокойся. Это мой тебе подарок. — Я просовываю руку в его ладонь. — Мы не можем допустить, чтобы ты замерз до смерти.

Когда мы проходим мимо витрин, он с удивлением смотрит на свое отражение, не в силах отвести взгляд.

— Теперь никто не догадается, что я не английский джентльмен, — гордо говорит он, поглаживая рубашку.

— Конечно, — соглашаюсь я, оглядывая его с головы до ног. — Конечно, никто не догадается.

Глава 58

Возвратившись в «Маленький Коттедж», я звоню Майку. Он сразу же приходит, чтобы забрать свою одежду, которая нам больше не нужна.

— Приятель, да ты только посмотри! — говорит Майк, и в его голосе слышится неподдельное восхищение. — Я с трудом узнал тебя.

---

[1] «Оксфэм» — международное объединение из 17 организаций, работающих в более чем 90 странах по всему миру. Целью деятельности объединения является решение проблем бедности и связанной с ней несправедливости во всем мире.

Доминик светится от гордости и поглаживает на груди свою рубашку. Майк поднимает руку, и они «дают пять».

— Что думаешь о «Милтон-Кинси», приятель? — спрашивает Майк, когда я протягиваю чашку чая, который приготовила специально для него.

— Это было очень пугающее место, — признается Доминик.

— Тогда ты и вправду стал европейским парнем, — уверяет его Майк. — Нас всех пугают торговые центры.

Доминик смеется.

— Дженни мне так и сказала, но я подумал, она просто шутит. — Он сидит и время от времени отпивает из стакана теплое молоко.

— Вовсе нет.

— Тогда я не буду чувствовать себя так, будто я не мужчина. — Доминик улыбнулся.

— Ну, как тебе здесь? Устраиваешься понемногу? Если, конечно, не считать посещения магазина?

— Да, — отвечает Доминик. — Думаю, мне здесь понравится.

— Чтобы подружиться, вам надо заняться мужскими делами, — предлагаю я. — Майк может пойти с тобой в паб и на футбольный матч.

— Я болею за «Арсенал», — сообщает соседу Доминик.

— О вкусах не спорят. Я болею за Шпоры[1].

— «Тоттенхэм Хотспур». Робби Кин, Питер Крауч, — говорит Доминик, хвастаясь своим знанием английских футбольных команд.

— Надо как-нибудь вместе сходить на их игру.

Доминик сияет.

— Мне бы этого очень хотелось, Майк.

---

[1] Шпоры — «Тоттенхэм Хотспур» — английский футбольный клуб из Лондона, выступающий в Премьер-лиге. Основан в 1882 году. Клуб обычно называют Шпорами.

По оконному стеклу начинают ударять капли дождя, оставляя мокрые пятна.

— О, глядите, — жалуюсь я. — Разве предсказывали дождь?

— Всю неделю, — говорит Майк.

— Чертова погода, — бормочу я. — А я собиралась после ужина вместе с Домиником пройти по деревне.

Доминик подходит к окну и прижимает руку к стеклу.

— Я уже много лет не видел дождя, — шепчет он. — Как я жалею, что не могу послать часть его моей семье. Он им ужасно нужен.

Теперь я чувствую себя виноватой из-за того, что пожаловалась.

— Мне хочется выйти и стоять под ним, — говорит Доминик, и мне ясно, как сильно он желает, чтобы я согласилась.

— Конечно, — говорю я, — если хочешь. Только надень пальто, чтобы не умереть от холода.

— Нет. Я сниму свою прекрасную одежду, — говорит он. — Не хочу ее испортить.

— Немного дождя не повредит...

Но он уже на лестнице, и через несколько секунд возвращается в своем *shuka* и босиком. Дождь уже стал проливным. От сильного ветра струи его падают косо.

— Нельзя так идти, — протестую я.

— Я хочу чувствовать дождь кожей, — говорит Доминик, через секунду выскакивает из задней двери и оказывается в саду.

Мы с Майком идем к окну и смотрим. Доминик останавливается в середине моего маленького кусочка лужайки, вытянув руки вверх и подставляя их дождю, и начинает петь высоким голосом песню, которую обращает к небесам. Потоки дождя льются вниз. Доминик начинает танцевать по кругу, притопывая ногами. На лице у него восторженная улыбка.

Я грызу ноготь.

— Думаю, я должна пойти к нему, — говорю я своему другу.

— Возможно, лучше не оставлять его одного, — соглашается Майк.

Но вопрос в том, одеться мне или раздеться?

— Не буду тебе мешать.

— Не хочешь присоединиться к нам?

— Я много делаю для тебя, Дженни, но промокать до костей в середине зимы в мои планы не входит.

— Трус.

Майк смеется и направляется к двери.

— Не провожай меня.

— Спасибо, Майк.

— *Hakuna,* что бы это ни значило, — отвечает он.

— *Hakuna matata,* — кричу я ему вслед.

В кухне я раздеваюсь до белья и заворачиваюсь в большое пушистое полотенце, которое беру в подсобке. А еще надеваю резиновые галоши, которые храню там для работы в саду.

— Черт побери, — бормочу я себе под нос, а потом храбро выхожу в сад и присоединяюсь к Доминику под дождем.

Он прерывает свою песню.

— Это прекрасно, Просто Дженни! Прекрасно! — Доминик заключает меня в свои объятия. — Я пою благодарственную песню. Песню для моей семьи. Надеюсь, что пошлю им дождь.

— Научи меня этой песне, — говорю я.

Он опять начинает петь тонким голосом, и я пытаюсь копировать его. Танцуя, мы движемся по кругу, а дождь льется на нас. Я с громким воплем «Ву-ху!» сбрасываю полотенце и могу честно сказать — это первый раз, когда я оказалась в своем саду в лифчике и трусиках. И кожа, и белье мгновенно намокают. Доминик сияет. Его улыбка такая заразительная, что, несмотря на холод, дождь и ветер, я начинаю смеяться. Мы кружимся по саду, сплетясь в объятиях. Я откидываю голову назад и позволяю дождевой воде сбегать по моему лицу. Я чувствую себя очищенной, освобожденной и очень сильно влюбленной.

— Я люблю тебя, — кричу я Доминику. — Я очень люблю тебя!

И он поднимает меня своими сильными руками, кружа и кружа в воздухе.

Глава 59

После невероятного уик-энда, когда мы с Домиником снова узнавали друг друга, мне страшно не хочется возвращаться к работе. С намного большим удовольствием я бы провела это время с ним в постели. К тому же я беспокоюсь — Доминик останется один, пока я целый день буду в салоне. Поэтому он получает от меня довольно длинный список инструкций.

Я уже объяснила ему, как работает микроволновка, и теперь он сможет сам приготовить на обед овсянку. Со дня приезда у него так и не возникло желания попробовать что-нибудь другое. Я показала, как включать телевизор, и его совершенно заворожила передача Би-би-си «За завтраком»[1], в которой показали, какой будет мода в следующем сезоне. Не уверена, что накладные плечи и осиная талия подойдут моему воину масаи, но, кажется, его это привлекает. Думаю, он скучает по песням, которые поют у него дома, но ему очень нравится «Радио-2»[2],

---

[1] Передача «За завтраком» — утренняя передача Би-биси, в которой представлены новости, погода, бизнес и многое-многое другое. Идет с 6.00 до 8.30.

[2] BBC Radio 2 — самая популярная радиостанция в Великобритании, одна из национальных радиостанций концерна Би-би-си.

и он уже начинает подпевать самым веселым популярным мелодиям. Кажется, особенно он полюбил песню Шерил Коул «Бейся за эту любовь», хотя вряд ли понимает иронию слов.

— Все будет хорошо? — спрашиваю я его в десятый раз.

— Да, Просто Дженни. Не беспокойся обо мне.

Но я очень беспокоюсь. Со всеми моими хлопотами о Доминике я позже обычного добираюсь до работы, и у меня нет времени выпить кофе с Ниной, как было раньше. Кто знает, это, может быть, даже к лучшему, потому что когда я вхожу в комнату персонала, наступает неловкая тишина. Кажется, Нина уже поделилась со всеми, кто здесь работает, своим мнением о Доминике. Вот такая у меня подруга. Я-то думала, она будет рада, что я наконец-то нашла любимого, каковы бы ни были его рост, цвет кожи или культура. Но, кажется, я ошиблась в Нине.

Каким-то образом мне удается пережить этот день, выполняя стрижки, перманенты, укладки и выпрямления волос. В обеденное время я ухожу из салона и брожу туда-сюда по Хай-стрит, а не сижу в комнате персонала, хотя день выдался жутко холодным. Бакингем — хороший город, сохранивший очарование старины. В центре его — древняя тюрьма, в которой теперь музей, и есть несколько фахверковых зданий — почему-то их не снесли в шестидесятые годы. Обычно прогулка по этим местам поднимает мне настроение, но сегодня так почему-то не выходит.

Я звоню в коттедж, и Доминик уверяет меня, что все в порядке. Меня беспокоит, что он не ел с самого утра, но он убеждает меня, что ему и не надо ничего есть до вечера. Как можно питаться так скудно? Я вдвое меньше его, а ем вдвое больше. Пообещав, что не задержусь, я кладу трубку. Если все в салоне избегают разговаривать со мной, то не будет искушения остаться после работы, чтобы поболтать.

Насколько же будет лучше, когда Доминику офор-
мят здесь постоянное жительство, и он сможет работать.
Я представляю себе, как ему невесело сидеть безвылазно
дома, да еще в такой холод. Делать ему совсем нечего,
разве что смотреть дрянные передачи и слушать пустые
популярные песни. Мне придется придумать, как ему
проводить время.

В шесть часов я сгребаю свои вещи и выбегаю на
улицу.

Мы с Ниной за весь день обменялись едва ли двумя
словами. Мне больно от того, что когда я нашла любовь, то,
кажется, потеряла лучшую подругу. Я еду домой и, как не-
нормальная, не могу дождаться, когда же снова увижу Доминика. В животе у меня трепещет от радости. Что ж, ради
такого чувства стоит выносить все это хихиканье за спиной.

Подъезжая к своему коттеджу, я немного тревожусь,
заметив, что внутри не горит свет. Неужели Доминик
сидит в темноте? Я даже не вижу мерцания телевизора.
Но ведь Доминик же знает, как включить свет? Я пулей
вылетаю из машины и открываю дверь. Конечно же, во
всем доме темно.

— Доминик, — кричу я. — Доминик, ты дома?

Ответа нет. Вдруг я соображаю, что Арчи тоже нет.
И совершенно невероятно, чтобы кот вышел на такой холод по собственному желанию.

— Доминик, Доминик!

У меня в груди поднимается паника. Я выбегаю из дома и бегу к Майку. Никого нет дома. Его коттедж тоже
погружен в темноту.

— Иисус Христос, — бормочу я. — Что же теперь
делать?

Возвращаюсь и беру фонарик. Мне придется осмотреть всю деревню, чтобы найти Доминика. Меня беспокоит, что его новое пальто осталось на вешалке возле
двери. На улице темно, и я включаю фонарик.

— Доминик!

Я иду к центру деревни, на ходу выкрикивая его имя. Меня уже охватил страх. Где он может быть? Куда мог пойти? Я даже пробую издать мой звук масаи и насвистываю мелодию для мобильного телефона из сериала «24 часа», хотя во рту у меня совершенно сухо. Ничего. Возможно, от моего свиста была польза на открытых равнинах Африки, но не здесь, где все сидят взаперти в собственных домиках.

Когда я добираюсь до магазина с почтовым отделением, миссис Эпплби как раз закрывает помещение на ночь.

— Все хорошо, дорогуша? — спрашивает она.

— Я кое-кого ищу, — говорю я, задыхаясь.

— Доминика?

Я делаю шаг назад.

— Вы знаете Доминика?

— Да, — говорит она. — Такой прекрасный человек! Я так рада за тебя!

Она улыбается, дотронувшись до моей руки, и видит, как я озадачена.

— Он сегодня зашел в магазин и представился. Позавчера он вызвал небольшой переполох, проходя среди ночи по садам. Не думаю, что миссис Петерман когда-нибудь опять станет прежней. — Миссис Эпплби хихикает. — О нем уже ходит много сплетен.

— Да уж, конечно.

— Его нет дома?

— Нет, — отвечаю. — И я очень беспокоюсь за него.

Миссис Эпплби задумчиво кривит губы.

— Я видела, как он шел под руку с миссис Дастон, но это было несколько часов назад.

Под руку с миссис Дастон? Она довольно чопорная леди, возглавляющая церковный цветочный комитет Нэшли. А значит, занимает довольно высокое положение в деревенской иерархии. Какие, черт возьми, у нее могут быть дела с Домиником?

— На твоем месте, дорогуша, я бы зашла к ней домой, — советует миссис Эпплби. — Может, он еще там.

Вооружившись сведениями, полученными от миссис Эпплби, я с новыми силами устремляюсь к аккуратному коттеджу, где живет миссис Дастон, открываю калитку в ее безупречном белом штакетнике и стучусь в парадную дверь. Через секунду хозяйка открывает дверь и широко улыбается.

— Я ищу Доминика, — говорю я в тревоге. — Миссис Эпплби сказала, что видела его с вами.

— О да, — говорит она. — Входите же.

— Он здесь?

— Да, да. Ваш молодой человек развлекал нас весь день.

— Развлекал?

— О да. — Миссис Дастон хихикает, как девочка-подросток. — Он замечательный!

В ошеломлении я прохожу по чистому крыльцу и попадаю в гостиную. Там, среди полудюжины пожилых леди, мой возлюбленный устроил прием. На нем — традиционная одежда, а в руке — стакан молока. Перед огнем на коврике, вытянувшись, спит Арчи.

— Просто Дженни! — Доминик встает, увидев меня, и ударяется головой о балку.

— Я беспокоилась о тебе, — говорю я ему.

— Не стоило. — Он оглядывает комнату. — Эти очень милые леди дали мне почувствовать себя здесь как дома.

Опять слышен девчоночий смех женщин, которые — что вполне очевидно — достаточно стары, чтобы вести себя благоразумно. Все они — потерявшие мужей деревенские дамы, пожилые вдовы. У каждой из них в жизни была любовь, и теперь ее место заняли гвоздики, хризантемы и срезанные розы для церкви. Но разве такую пустоту в жизни можно заполнить несколькими красивыми цветочными композициями? Неудивительно, что они так стремятся воспользоваться обществом моего красивого воина масаи.

— Доминик согласился рассказать в сельском клубе, — говорит миссис Стивенс, взволнованно поднося дрожащие руки к своему горлу, — о своей жизни в Масаи-Мара и о диких животных, с которыми он сражался.

Подняв брови, я смотрю на Доминика, но он только посмеивается в ответ. «Ты, однако, флиртуешь», — думаю я.

— Он будет заботиться обо всех нас, — говорит миссис Петерман, та самая, которая пожаловалась на него в полицию. — Я теперь буду спокойно спать в своей кровати, зная, что Доминик поблизости.

Могу поклясться — я видела, как она кокетливо хлопает ресницами в его сторону!

— О, правда? — Я опять смотрю на моего милого, но у него абсолютно простодушное выражение. — Ну, спасибо вам за заботу о нем, дамы. Это было очень любезно с вашей стороны.

— О, нет проблем, — уверяет меня миссис Дастон. — Вообще нет никаких проблем. — А потом обращается к Доминику: — Заходи в любой день, голубчик. Обычно я здесь. Так приятно видеть тебя.

Он допивает молоко и возвращает ей стакан.

— Спасибо, добрая леди. — Доминик кланяется ей, а она от восторга чуть не лишается чувств.

Я торопливо веду Доминика к двери, прежде чем все это обожание ударит ему в голову. А в это время миссис Дастон шепчет мне в самое ухо:

— Ты очень везучая, Дженни. Очень везучая, правда. Он такой милашка.

— Спасибо.

Все дамы подходят к двери и, глупо хихикая, машут Доминику на прощание. Мы вежливо машем им в ответ. Я направляюсь по темной дороге назад, к своему маленькому коттеджу, и Доминик шагает рядом со мной.

Мы поворачиваем за угол, и они больше не могут нас видеть.

— Это ты-то милашка? — говорю я.

И только теперь мы начинаем смеяться.

Глава 60

Недели проходят однообразно. На работе ко мне относятся довольно пренебрежительно, а Доминик каждый день после обеда очаровывает впечатлительных дам Нэшли. Чаще всего, когда я прихожу домой, то не нахожу там ни его, ни кота, и мне приходится выуживать их из дома какой-нибудь пожилой дамы. Доминик обычно колет дрова, или работает в саду, или чинит что-то, или сидит перед огнем, рассказывая истории про Африку и свою родную деревню. А они, в свою очередь, потчуют его теплым молоком и овсянкой.

Доминик, кажется, хорошо обживается здесь, в Нэшли. И он научился не ударяться головой о низкие балки в коттеджах. Должно быть, это хороший знак? Но ночью совсем другое дело. Ему трудно лежать в кровати, и спит он всего два-три часа. Поэтому вскоре после полуночи он встает и отправляется совершать обход деревни.

Единственная его уступка холоду — он надевает поверх *shuka* свое новое пальто и натягивает кроссовки. Арчи лежит вокруг его шеи, будто шарф.

— Сегодня мы кое-чем займемся, — обещаю я Доминику, когда мы заканчиваем завтрак. — Я поведу тебя смотреть окрестности.

— Мне бы этого очень хотелось, — отвечает он. — Для меня важно узнать мой новый дом и природу, чтобы я мог быть с ними в согласии.

— Правильно. — Интересно, насколько полезной я смогу быть в этом вопросе, ведь я совсем не отношусь к любителям природы.

— Но до этого я должен потренироваться в прыжках, — говорит Доминик. — Я не могу быть счастлив, если не прыгаю.

— Теперь, когда ты здесь, ты можешь заниматься чем-нибудь еще, — предлагаю я. — Займись, например, другими видами спорта.

Он смотрит на меня как на сумасшедшую.

— Но я воин масаи, — напоминает он мне. — Прыгать для меня очень важно. Я не могу быть доволен, если не прыгаю.

— Хорошо, — говорю я, пожимая плечами. Пусть будут прыжки. — Я сейчас все уберу, а потом мне надо заскочить на почту. — Мы хотим послать семье Доминика футболки и кое-что из одежды. — А ты иди, прыгай, пока твое сердце не успокоится.

— И еще мне бы хотелось иметь палку, — говорит Доминик. — Длинную палку.

Палку? Где же я найду ему длинную палку? И вдруг будто лампочка загорается у меня в мозгу. Я несусь в подсобку, отвинчиваю уличную метлу, а крепкую деревянную ручку вручаю Доминику.

— Годится?

— Это хорошая палка, — счастливо говорит он и выходит во двор.

Днем просто холодно, а ночью был настоящий мороз. Когда Доминик и Арчи вернулись со своего предрассветного обхода, у моего перевоспитанного кота на усах был иней. Но сейчас солнечно и ясно, а небо такое ярко-синее, какое бывает летом.

Я облокачиваюсь на подоконник и смотрю, как Доминик начинает прыгать, взлетая высоко в воздух. При этом он поет. Я с улыбкой думаю, что бывают привычки похуже, и то с ними приходится мириться. Впрочем, я лениво подумываю о том, будем ли мы ссориться в будущем из-за того, что он долго прыгает вместо того, чтобы вынести мусорное ведро? Неужели это та новизна, которая со временем потускнеет? Для меня проблема — провести полчаса на тренажере, но Доминику прыжки, кажется, необходимы как дыхание.

Доминик неплохо осваивается, но пока еще отказывается есть что-либо, кроме овсянки, и пить что-либо, кроме молока. Будет ли он когда-нибудь способен провести в кровати больше трех часов подряд? Привыкнет ли он к европейской одежде? Он здесь всего несколько недель, и я не могу ожидать слишком многого, но искренне надеюсь, что со временем он будет чувствовать себя в Нэшли по-настоящему дома, и мы на всю жизнь обретем полноценные, счастливые отношения. Иногда я вижу, как у Доминика проявляются черты привычного уклада его африканской жизни, и тогда спрашиваю себя, правильно ли я сделала, что уговорила его приехать. Не знаю. Без сомнения, это правильно для меня, но правильно ли для него?

Мне не хочется мешать ему прыгать, поэтому я отворачиваюсь от окна, беру хозяйственную сумку и посылку, которую еще предстоит взвесить, и оправляюсь на почту. Однако открыв входную дверь, сразу вижу нежеланного гостя.

— Эй, — говорит он.

Когда я прихожу в себя от испуга, то отвечаю с усталым вздохом:

— Привет, Льюис.

Его лицо темнеет.

— Джерри сказал мне, что в твоей жизни появился новый мужчина, — без предисловий говорит Льюис.

— Да, — отвечаю я. — Появился.

— И поэтому ты не отвечаешь на мои эсэмэски.

— Конечно, поэтому.

— Не думаю, что ты дала нам разумный шанс, — резко говорит он.

— Льюис, мне жаль, но вы были введены в заблуждение. Никаких «мы» никогда не было. У нас было одно жуткое свидание, которое преждевременно закончилось. Вот и все.

— Он здесь? — спрашивает Льюис. — Джерри сказал, что он переехал к тебе. Уже.

Мне хочется высказать все, что я думаю о «наших» с Льюисом отношениях.

— Я не считаю, что должна отчитываться. — Но, прежде чем я могу как-то разубедить Льюиса, оказывается, что Доминик уже стоит рядом со мной. Он нависает над моим партнером по катастрофическому свиданию и в своем традиционном наряде выглядит устрашающе. Рот Льюиса открывается... да так и остается открытым.

— Это мой новый мужчина, — сообщаю я Льюису. — Познакомься с Домиником Оле Нангоном, воином масаи.

— Добрый день, — обращается к нему Льюис.

— Кто это? — серьезно спрашивает Доминик.

— Это тот человек, о котором я тебе говорила.

— Тогда я должен бросить тебе вызов, мой друг, — мрачно говорит Доминик. — Ты — мой соперник.

— Ну, — слабым голосом говорит Льюис, — я не стал бы представлять это таким образом...

— Я должен бросить тебе вызов. — Доминик так сильно ударяет своей палкой по полу, что и я, и Льюис подпрыгиваем.

— Хорошо, хорошо, дружище. — Ясно видно, что Льюис потрясен. — Не кипятись.

— У нас будет соревнование.

— Я так не думаю, — говорит Льюис и поворачивается, чтобы уйти.

— Так полагается у воинов масаи.

— Я уже ушел. — Льюис круто разворачивается на каблуках.

Доминик хватает его за воротник.

— Нельзя отказаться от вызова, который бросил тебе воин масаи.

— Нельзя?

Доминик качает головой и складывает на груди руки.

— Мы с тобой должны соревноваться в прыжках.

— В прыжках?

Мой возлюбленный едва наклоняет голову.

— В прыжках.

— В прыжках так в прыжках, — покорно соглашается Льюис, а потом, глубоко вздохнув, с бравадой, но неохотно, следует за Домиником в сад за домом.

Я со все возрастающим интересом иду за ними. Они становятся лицом к лицу. Льюис тяжело дышит. Доминик испускает крик, от которого стынет кровь, и снова и снова начинает взлетать высоко в воздух, все выше при каждом прыжке.

— Прыгай же, — велит он Льюису.

В ответ Льюис издает испуганный писк и пытается подбросить в воздух свою весьма значительную массу. При этом он не поднимается над травой и на восемь сантиметров.

— Прыгай, прыгай, — настаивает Доминик.

Льюис опять подпрыгивает, но жир тянет его к земле. После нескольких прыжков он сдается и проводит рукой по потному лбу.

— И это все? — яростно спрашивает Доминик.

Льюис уже совсем обессилел. Он отодвигается подальше от Доминика и съеживается.

— Делай что должен, приятель, — призывает Льюис. — Я сдаюсь.

Доминик бросает палку.

— Значит, я победил.

Теперь очередь Льюиса спросить:

— И это все? — Он удивлен. — Ты не собираешься меня расплющить? Избить до потери сознания?

— Нет. Моя честь защищена.

— Слава богу! — Льюис опускается на колени. — Слава богу за это!

— Но только если ты оставишь в покое мою даму.

— Обещаю, — говорит Льюис. — Обещаю.

Доминик наклоняется к нему.

— А если нарушишь обещание, — тихо говорит он, — я сдеру с твоего тела кожу и съем тебя целиком.

— Хорошо, — говорит Льюис, пытаясь встать. — Хорошо. — Его голос едва слышен. — Теперь я могу уйти?

Доминик кивает.

И прежде чем я успеваю проводить Льюиса до двери, он с быстротой молнии пролетает мой дом насквозь и оказывается снаружи. Мы слышим, как его машина с ревом уносится по улице. Я поворачиваюсь к Доминику и говорю:

— Ты — грозный мужчина.

— Да, — с широкой улыбкой соглашается Доминик, — но получилось очень забавно, Просто Дженни.

Глава 64

Когда в понедельник я прихожу в салон, Нина уже сидит в комнате персонала.

— Привет, — говорит она.

— Привет, — с опаской отвечаю я.

— Все слышала про Льюиса. — Ее лицо расплывается в улыбке.

Я улыбаюсь в ответ.

— Доминик был так внушителен, что вряд ли Льюис опять будет надоедать мне.

— Я слышала историю из вторых рук, — признает она. — Но, думаю, парень наложил в штаны. — Нина начинает смеяться.

Я тоже смеюсь.

— Не надо было связываться с женщиной воина масаи.

Нина вздыхает.

— Как идут дела?

— С Домиником? Превосходно. В деревне все полюбили его.

Об инциденте с полицейскими я не упоминаю.

— Прости, что была подозрительной, — говорит подруга. — Не знаю почему. Просто мне очень хочется, чтобы ты была счастлива.

Я сажусь рядом с ней и беру ее за руку.

— Я счастлива с ним, Нина. Очень. Не хочу, чтобы наша с тобой дружба пострадала из-за него.

— Нам надо лучше узнать его. Я имею в виду нас с Джерри. Мы могли бы дружить семьями.

В этот момент я не могу придумать ничего хуже. Но если Нина готова прилагать усилия, чтобы узнать Доминика, то и я должна пересилить себя и потерпеть присутствие Джерри.

— У вас все хорошо?

— О да, — беззаботно говорит она. — Ты же знаешь и меня, и Джерри. То мне хочется разбить его машину клюшкой для гольфа, то мы опять любим друг друга.

Я не напоминаю ей, что фаза «разбить» имеет тенденцию длиться значительно дольше, чем этап «любим друг друга», но надеюсь, что и у нее все наладится. Если

Нина думает, что Джерри и есть Тот Самый Единственный, то как я могу с ней спорить?

— Пришли клиентки, — говорит Кристал. — Шоу начинается.

Моя первая дама сегодня — Линда Тернер, мать-одиночка с пятью детьми от пяти разных мужчин. Честно говоря, я не знаю, как женщина в ее положении находит время ухаживать за волосами.

Я стригу ее, и меня мучает вопрос — начинала ли она отношения, каждый раз считая, что наконец-то нашла свою родственную душу? Ее отношения с мужчинами развалились пять раз! Интересно, разочаровалась ли она в любви окончательно или все еще сохраняет оптимизм? Как она смогла найти силы не один, не два, а целых пять раз начинать все сначала с кем-то новым? Начинала ли она, каждый раз слепо надеясь на лучшее, или к тому времени, как появился номер пятый, она уже была уверена, что этот союз тоже будет мимолетным?

— Слышала, ты раздобыла себе нового мужчину, — говорит Линда, пока я ее расчесываю.

В этом салоне ничего не остается в тайне!

— Кристал рассказала, пока мыла мне волосы.

И за такую сплетню получила, наверное, огромные чаевые!

— Воин масаи? Да?

— Да.

— Я сначала подумала, что она шутит.

Я ощетиниваюсь.

— Нет, не шутит.

— Рада за тебя, девочка, — говорит Линда. — Давно пора немного поразвлечься.

— Да, — соглашаюсь я.

Но мне хочется сказать ей, что у нас с Домиником не развлечение, а любовь. Неужели в этом-то и ошибка Линды? Неужели она выбирала себе в спутники только тех, с кем можно «поразвлечься»? А действительно, как мы выбираем, кого любить, а кого нет? Почему на некоторых людей мы можем смотреть и не испытывать к ним никаких чувств, а иногда достаточно одного лишь взгляда — и вот мы уже дрожим, как лист на ветру?

— Только не посылай его семье вещи и деньги.

Я не говорю ей, что в моей сумочке лежит запечатанный конверт с адресом, а в нем — пятьдесят фунтов наличными, которые я собираюсь отправить семье Доминика. По сравнению с масаи у нас так много всего, а у них крайне мало. Этого я Линде тоже не говорю. Вряд ли она поймет, что я ничего для них не жалею. Да и не существует более надежного способа послать им деньги. У семьи Доминика нет счета в банке. Они не могут получить денежный перевод, не совершив двухдневное путешествие в Нарок и обратно — поэтому только и остается, что посылать наличные. Эта маленькая сумма облегчит им жизнь на несколько месяцев. Они смогут потратить ее на антибиотики или еду. Они не собираются покупать дизайнерскую обувь, еще один айпод или подобную мишуру. И я не буду чувствовать себя виноватой из-за того, что забрала у них сына и тем самым лишила денег, которые он получал за свою работу гидом — а заменить чем-либо его заработок им очень трудно, если вообще возможно. Если мы сможем каждый месяц посылать им хоть немного, то у меня на душе будет спокойнее. И это именно я и только я придумала посылать им деньги, а вовсе не Доминик, и пусть никто не думает иначе.

— Ну, пока наслаждайся, — советует Линда, берет журнал и начинает его просматривать. — Подобные вещи всегда быстро заканчиваются.

Но то, что у нас с Домиником, — это надолго. Несмотря на все трудности, я уже не могу представить себе жизнь без него. Мне хочется, чтобы он был моим спутником жизни, моим мужем. И чем раньше все к этому привыкнут, тем лучше.

Я должна сделать так, чтобы все они узнали Доминика и смотрели на него моими глазами. Как только они поймут, какой он добрый, веселый и страстный, то смогут понять, почему я до крайности очарована им.

Осталось придумать, как это сделать.

В комнате персонала Нина уже вгрызается в свои дневные фрукты.

— Умираю с голода, — говорит она. — Не могу дождаться обеда. Это у меня второй завтрак.

Вот что я могу сделать. Приготовлю-ка им всем поесть. Нина еще счищает кожуру с апельсина, а я говорю в порыве дружелюбия:

— Я хочу устроить обед у себя дома. В эти выходные. Для всех, кто работает в салоне. — Придется им тесниться в моей маленькой столовой, но это вполне реально. — Я и Майка позову. У Стеф сейчас есть парень?

— Думаю, два или три. Ну, я уверена, еще один ей не помешает. Если ты хочешь сводничать, Несчастный Майк мог бы им стать, но он совсем не ее тип.

— Но он очень мил.

— С этим бы я теперь согласилась, — с некоторой осторожностью отвечает моя подруга.

— Я всегда тебе это говорила. — Я не решаюсь напомнить ей, что в канун Нового года она не очень-то отказывалась быть с ним совсем рядом.

Она искоса глядит на меня.

— Тогда почему ты сама не влюбилась в него?

На это у меня нет ответа.

— Но Стеф съест его живьем, — продолжает Нина. — Ты не можешь так с ним поступить.

— Пожалуй, да. — В этом она права. Конечно, было бы хорошо, если бы у Майка были постоянные отношения с девушкой, но только не со Стеф и не с сексуально неудовлетворенными дамами из церковного цветочного комитета Нэшли. Однако мне не приходит на ум ни одна женщина, которая могла бы ему подойти.

— Думаешь, мальчики захотят приехать?

— Не знаю, — отвечает Нина. — Они разругались на выходных. Тайрон прислал мне эсэмэску. Он поймал Клинтона, когда тот в каком-то ночном клубе обжимался с другим парнем.

— Когда они будут здесь?

— Клинтон будет завтра. Тай не придет до среды. У нас будет два тихих дня до того, как начнется фейерверк.

Если все пойдет как обычно, то они будут дуться друг на друга, сидя в противоположных углах салона, и время от времени отвешивать друг другу пощечины. Кристал не захочет прийти, поскольку предпочтет пойти куда-нибудь в другое место и попытается найти для секса дурачка помоложе.

— Посмотрю, что смогу сделать. — У меня внутри появляется непонятное теплое чувство. — Мне и вправду очень хочется, чтобы вы все как следует познакомились с Домиником.

«Тогда вы его полюбите, — думаю я. — Тогда вы его обязательно полюбите. Точно так же, как и я».

Глава 62

Я надела маленькое черное платье, погладила и разложила на кровати новую одежду, которую мы купили для Доминика: хорошо сидящую на нем черную рубашку и облегающие в бедрах джинсы, расширяющиеся от колена к ботинкам.

Я крепко обнимаю его.

— Хочу, чтобы сегодня вечером ты выглядел невероятно, — говорю я, целуя его. — Хочу, чтобы все видели, какой ты красивый мужчина и какая я везучая женщина.

Он усмехается.

— Ради тебя я буду стараться изо всех сил, Просто Дженни.

Но, пока я раздумываю, хватит ли нам времени для быстрого секса, звонит дверной звонок. Я смотрю на часы. Кто бы это ни был, он пришел рано.

— Одевайся и спускайся сразу, как сможешь, — инструктирую я его. Потом, быстро поцеловав Доминика, бегу вниз, чтобы впустить гостей.

Как я и ожидала, первым на званый обед пришел Майк.

— Привет, — говорит он и застенчиво клюет меня в щеку.

Его волосы свежевымыты, и, кажется, на них есть капля-другая геля. С одеждой Майк тоже постарался и выглядит весьма сексуально — черные джинсы и серая рубашка фирмы «Тед Бейкер». Несмотря на предупреждение Нины, я очень надеюсь, что ему понравится Стеф, а он — ей. Я сказала ей, что она должна вести себя как можно лучше, быть с ним любезной и рассматривать его как возможный вариант для свиданий, хотя он и не женат.

— Выглядишь замечательно, — говорит он.

— Ты тоже не в лохмотьях, мистер Пэрри, — дразню я его, принимая принесенную им бутылку шампанского.

— Да ты вся светишься.

— Мне хотелось бы с шиком отпраздновать приезд Доминика. За это я выпью. Спасибо, Майк.

Тайрон с Клинтоном помирились и поэтому приедут вместе. Келли и Фила не будет: «Заняты», — сказала она. Но, честно говоря, думаю, что Филу не очень хочется общаться с молодыми сотрудниками, которых он считает ниже себя.

Не могу сказать, что слишком разочарована, в моей столовой и без них тесно. По сравнению с другими я больше всего беспокоюсь о Нине и Джерри, поскольку на самом деле хочу, чтобы они увидели, какой Доминик замечательный.

Я не слишком сильна в приготовлении пищи, но сегодня вечером выложилась полностью: пряная баранья нога с рисом пилаф и греческий салат из помидоров, огурцов, маслин и сыра фета. На десерт приготовлено мое фирменное блюдо — шоколадный пудинг. Я слегка разочарована тем, что, несмотря на восхитительные ароматы, плывущие из кухни, Доминик попросил миску овсянки. Возможно, я покажусь смешной, но мне хочется, чтобы все они поняли — он может прекрасно общаться с каждым из них, и в нем нет ничего странного и необычного. Он точно такой же, как и все остальные. А беспокоюсь я из-за того, что, если он будет есть только овсянку, они могут подумать, что он чудной.

Мальчики входят, держась за руки, и ясно, что они опять любят друг друга. Пока я приношу им напитки и раздумываю, что же задержало Доминика, в такси приезжают Нина и Джерри. Сразу же понятно, что сегодня у них вовсе не грезы любви молодой. Входя в дверь, они обмениваются злыми взглядами.

— Рада видеть вас обоих, — слишком жизнерадостно говорю я.

Нина притворно улыбается и целует меня.

— Прости, что опоздали. — Она опять смотрит на Джерри.

— Это я виноват. — Ее муж тоже целует меня. — Как обычно.

— Вы не опоздали, — говорю я, взяв у них пальто. — Никаких проблем. *Hakuna matata.*

— Что? — спрашивает Нина.

— Это на суахили, — объясняю я. — Означает «Нет проблем».

— О. — Мои навыки полиглота не вызывают у нее никакого интереса. — Где же почетный гость?

— Уверена, он вот-вот спустится.

— Пахнет вкусно, — говорит Джерри, потирая руки. — Что у нас будет?

— Баранина, — говорю я.

— А.

Его лицо омрачает разочарование. Очевидно, это не самая любимая его еда.

Приезжает Стеф. Я оставляю всех в кухне и иду к двери. Когда открывается дверь, я вижу, что она говорит по мобильнику.

Я стою и жду. Она заканчивает препирательства и убирает мобильник.

— Чертовы мужчины. — В ее голосе слышна злость. — Черт бы их всех подрал.

Мое сердце падает. Бедный Майк получит сегодня отказ, если захочет произвести впечатление на Стеф. Наверное, и я разочаруюсь в карьере сводницы еще до того, как эта карьера начнется.

Стеф рассеянно целует меня и протягивает коробку шоколадных конфет и бутылку вина.

— Мне надо выпить, — говорит она, — и побыстрее.

— Проблемы?

— С мужчинами всегда проблемы, — бормочет она, снимает куртку и бросает ее на диван.

— Ну... — говорю я. — Давай раздобудем тебе выпить.

Майк уже открыл бутылку шампанского, и скоро у каждого из нас в руке оказывается бокал.

— Подождем Доминика, чтобы произнести тост? — предлагает Майк.

— Мне это нужно немедленно, — объявляет Стеф и опрокидывает бокал, пока Майк стоит и с открытым ртом смотрит на нее. Она протягивает пустой бокал Майку, и хоть он и ошалел, но любезно наполняет его.

— Не хватает одного бокала, — указывает Нина.

— Доминик не пьет, — объясняю я, наливая в стакан молоко.

Нина поднимает брови.

— Ни капли?

— Ни капли. Он любит молоко.

— Странно, — бесцеремонно замечает она, и меня это раздражает.

— Ничего подобного. — «Некоторым не нужно надираться, чтобы хорошо проводить время», — думаю я.

В этот момент раздается голос:

— Всем добрый вечер.

Все, как один, поворачиваются и видят Доминика, стоящего в дверном проеме. Наступает тишина. Стеф роняет бокал, и он разбивается о кафельный пол.

— Черт побери, — бормочет Нина.

«Это не та реакция, на которую я надеялась, — думаю я с горечью. — Совсем не та».

Глава 63

— Боже мой! — Майк первым обретает дар речи. — Ты выглядишь великолепно, Доминик. Правда, великолепно.

Остальные по-прежнему молчат.

Вместо одежды, которую я положила для него, Доминик решил выбрать собственный наряд.

Поверх обычного красного *shuka* на нем оранжевая юбка, наброшенная вокруг бедер, украшенная бусинками и десятками крошечных круглых зеркал, которые отражают свет. По краю — разноцветные бусы, а за пояс заткнуто мачете. Он бос. На нем свадебное ожерелье и дюжина других нитей с бусами, которые тянутся по его телу. Запястья и лодыжки украшены браслетами. На щеках полосы охры — боевая раскраска. На голове — сложный головной убор из коричневых перьев, которые образуют ореол вокруг его лица. Довершает картину Арчи, уютно устроившийся на плечах Доминика.

Высокое гибкое тело воина масаи кажется совершенно ужасающим в моем крошечном доме. Все — в том числе и я — только и могут, что стоять и таращить глаза.

Майк опять первым обретает способность двигаться и протягивает Доминику стакан с молоком.

— Поднимем тост, Дженни?

— Да, да. — Я выхожу из шока. — Да, да, конечно.

Остальные тоже начинают приходить в себя. Вот только Доминик кажется неуверенным.

— За Доминика, — предлагает Майк, поднимая бокал с шампанским.

— За Доминика, — отзываемся мы все хором и пьем из наших бокалов, причем некоторые охотнее, чем другие. Нина опустошает свой одним глотком.

— Очень приятно быть здесь, — нерешительно говорит мой возлюбленный. — Очень приятно познакомиться с вами. Надеюсь, друзья Дженни будут и моими друзьями.

Нина смотрит в пол.

— Конечно, будем, — опять говорит Майк. — Кому налить?

Моя лучшая подруга протягивает свой бокал.

— Обед почти готов, — докладываю я, но беспокойство внутри меня нарастает. Я так хотела, чтобы вечеринка прошла хорошо, а сейчас, хотя еще ничего не началось, я чувствую, что все идет ужасно. — Майк, мне надо здесь кое-что сделать. Не отведешь гостей в столовую и не рассадишь их? — Мой голос звучит на октаву выше, чем хотелось бы.

— Будет сделано, — говорит он.

Доминик делает шаг в сторону, и Майк, не суетясь, выводит всех в гостиную.

— Я приду через минуту.

Доминик подходит ко мне. На его красивом лице беспокойство.

— Я сделал неправильно, — говорит он. — Ты хотела, чтобы я надел ту одежду, которую ты положила для меня на кровати.

— Нет, нет, это не важно.

Он с извиняющимся видом пожимает плечами.

— Я убрал ее в шкаф, — объясняет он и оглядывает себя. — Это моя лучшая одежда. Мой наряд. Его я надевал на церемонию, когда стал воином, *ilmoran*. Я неправильно понял тебя.

Я обнимаю его.

— Ты выглядишь невероятно, — говорю я и начинаю расслабляться в объятиях Доминика. — Я была не права. Я хотела, чтобы ты вписался в круг моих друзей, но больше всего я горжусь тобой, когда ты остаешься собой. Просто собой.

— Думаю, я их напугал.

Я смеюсь.

— Может, и напугал, — признаю я. — Ну, разве что чуть-чуть.

— Пойду, переоденусь.

— Нет, останься как есть, — настаиваю я. — Это же ты. Поэтому я и люблю тебя. Им придется привыкнуть к этому. Здесь *наш* дом. — Да как они осмелились заставить Доминика в его собственных владениях почувствовать себя неловко! — А теперь мне надо вынуть баранину, иначе придется подавать на стол угли. Можешь оказать мне любезность и быстренько приготовить себе овсянку?

— Я буду есть баранину, — говорит Доминик.

Я смотрю на него снизу вверх.

— Ты уверен?

— Да.

Я оставляю в стороне мысли о подгорающей баранине и опять крепко обнимаю Доминика.

— Я тебя люблю, — говорю я. — *Aanyor pii*. Я люблю тебя всем сердцем. Никогда не забывай этого. Как и сейчас. — Я улыбаюсь ему. — Однако ты можешь снять вот это. — Я киваю на его головной убор. — Иначе все время будешь задевать им за балки.

Доминик послушно снимает его и страстно целует меня, оставляя отпечатки красной охры.

— А это плохо — прямо сейчас отправить всех по домам, чтобы мы могли заняться любовью? — шепчу я, затаив дыхание.

— Да, — отвечает Доминик и снова целует меня. — Для этого будет время позже, Просто Дженни. Много времени. А теперь, — он берет меня за руку, — мы пойдем туда и будем очаровательными хозяевами для наших друзей.

Глава 64

С помощью Доминика я подаю баранину. К счастью, она не слишком пересохла. Он продолжает успокаивающе улыбаться мне, но я вижу, что беседа за обеденным столом неестественна. Если бы это был эпизод из английской телепрограммы «Званый ужин», я получила бы ноль очков, и кто-то другой ушел с тысячью фунтов призовых денег.

Нина напивается все больше и больше. Джерри тоже. Кажется, у них нечто вроде соревнования — посмотреть, кто за самое короткое время вольет в себя больше вина. Моя подруга все ниже и ниже наклоняется над столом, и я пытаюсь незаметно отодвинуть от нее бутылку, но она хватает ее и тянет к себе.

Стеф сидит угрюмая. Не знаю, о чем она говорила по мобильнику, когда приехала, но ясно, что получила плохие новости. Неужели она наконец влюбилась в одного из тех женатых мужчин, которых считает приятелями для секса, и тот не хочет бросать свою жену? Конечно, это только мое предположение, но оно не находится вне границ возможного. Не знаю, о чем я думала, когда решила, что она могла бы стать хорошей парой Майку. Она же совсем не подходит для этого.

К счастью, мальчики болтливы, как всегда. Тайрон восхищается бусами Доминика, а Клинтон смотрит на него так, что мог бы влюбиться без памяти. Может быть, позже это станет причиной ссоры, если у них все пойдет как обычно.

Один лишь Майк держится молодцом. Смеется, когда надо, рассказывает глупые анекдоты, чтобы не наступила неловкая тишина. Не имею представления, какие выводы из всего этого делает Доминик. Он старается изо всех сил, я это вижу, но точно могу сказать, что ему приходится нелегко. Он сидит в своем племенном наряде, собирает с тарелки мясо, запивает молоком и выглядит, как пришелец с другой планеты. Но мне так хочется, чтобы все смотрели на него моими глазами! Чтобы поняли, какое у него чудесное сердце! Я хочу, чтобы они полюбили его, чтобы были очарованы им так же, как и я.

Вместо этого мои коллеги сплетничают о клиентках, сериалах и музыкальных телешоу, и Доминик, совершенно ясно, не имеет ни малейшего представления, о чем они говорят. Обычно их пустая болтовня кажется мне забавной, но сейчас раздражает. Я не хочу, чтобы они были грубыми по отношению к моему возлюбленному, но, думаю, они именно такие. Нина полностью игнорирует его. Она ни словом не обменялась с ним, даже своим громогласным способом. Майк пытается направить беседу к Доминику и спрашивает его о жизни и о том, что он думает об Англии, но ясно — это им не так интересно, как телеведущие или поп-звезды.

Когда мы съели основное блюдо, я встаю, чтобы убрать посуду.

— Я помогу тебе, — вызывается Джерри. Обычно после нескольких порций спиртного он ведет себя очень буйно и рассказывает сальные анекдоты, но сегодня подозрительно тихий. Возможно, еще рано.

Я беру тарелки. Он берет блюдо с остатками баранины и идет за мной через гостиную в кухню.

— Поставь сюда, — говорю я, указывая на незанятое место на столе. Джерри касается меня, когда ставит блюдо, а затем задерживается у моего плеча со словами:

— Хочешь, чтобы я сделал еще кое-что?

В его голосе звучит намек. Я делаю вид, что не понимаю, и пытаюсь улыбнуться.

— Нет, нет, все прекрасно.

— Скажи лишь слово, Дженни. — И опять эта мерзкая улыбка. Вот ведь кобелина!

Шоколадный пудинг, стоящий в духовке, уже почти готов, и кухня наполняется восхитительным ароматом. Но запах становится слишком сильным, и я чувствую, что меня подташнивает.

— Через несколько минут я принесу десерт.

Вместо того чтобы понять намек и исчезнуть, Джерри решает остаться. Он отходит, сливает в стакан остаток шампанского из бутылки и выпивает, оглядывая меня с головы до ног.

— Ты красивая женщина, знаешь ли, — говорит он после нескольких минут изучения объекта.

И что я должна на это ответить? Я бормочу:

— Спасибо.

— Ты могла бы найти кого-нибудь намного лучше, чем он.

Я резко поворачиваюсь.

— Чем Доминик?

У Джерри на лице появляется развратная усмешка. Ясно, что он уже перебрал, поскольку нетвердо стоит на ногах. Он опять осушает свой стакан, ищет, чем бы его наполнить, но не находит. Тогда ставит его, но неудачно, и стакан опрокидывается.

— Я притворюсь, что этого не слышала.

— Это же правда, — заплетающимся языком продолжает он Джерри. — Тебе нужен настоящий мужик.

— Ты так думаешь? — враждебно отвечаю я. У меня не остается сил торчать тут и слушать всякую чушь. Мне надо сейчас же убраться подальше от этого идиота. — Пойду посмотрю, как там все.

— Я бы мог показать тебе, как надо хорошо проводить время, Дженни.

— Я так не думаю.

Когда я прохожу мимо Джерри, он хватает меня за запястье и поглаживает его большим пальцем.

— Такой симпатичной девочке, как ты, нужен подходящий английский парень. — Джерри похотливо облизывается.

— Вроде тебя?

В ответ — медленный поклон, который должен показаться мне обольстительным. Возможно, Джерри хорошо выглядит снаружи, хотя не так красиво, как сам думает, — но его уродство сразу видно, как только вам удается заглянуть ему в душу.

— Подходящий английский парень вроде тебя? Который предлагает такое лучшей подруге своей жены?

Он протягивает руку и проводит ею по моей груди. Я от его прикосновения отскакиваю назад, но Джерри просто смеется. Не успев ни о чем подумать, я влепляю ему пощечину. Звучный удар! Лицо Джерри мрачнеет, и на нем проступает краснеющий отпечаток моей руки.

Мгновение спустя Майк просовывает в дверь голову и хмурится.

— У вас все в порядке?

— Все прекрасно, — говорю я, хотя все еще тяжело дышу от возмущения.

Он переводит взгляд с меня на Джерри и понимает, что между нами что-то произошло.

— Ты уверена?

— Да.

— Я могу что-нибудь отнести гостям?

— В холодильнике есть сливки. В белом кувшине. Десерт уже готов. — А если и нет, то нам все равно придется съесть его, поскольку я ни секунды больше не останусь в кухне с этим идиотом.

Майк послушно берет сливки, но задерживается в дверях. Он уже достаточно знает о Джерри и может довольно точно предположить, что происходит.

— Я иду следом, — уверяю я его.

Он неохотно уходит, а я поворачиваюсь к Джерри.

— Если ты когда-нибудь сделаешь это снова, если ты когда-нибудь только подумаешь об этом, — угрожаю я ему, — я скажу ей.

— Да ты посмотри на него, — издевается Джерри, — посмотри на него как следует. Он же едва одомашнен.

— Ты ничего не знаешь, — говорю я. — Доминик намного лучше, чем ты когда-нибудь сможешь стать.

Джерри смеется над моими словами.

И что нашла моя подруга в этом сальном идиоте? Как смеет она подвергать сомнению мой выбор, если остается замужем за таким мерзавцем?

— Я хочу, чтобы ты в моем доме больше не пил, — говорю я так спокойно, как только могу. — Я вызову тебе такси в ту же минуту, как ты доешь десерт. — У меня просто непреодолимое желание вдавить в его самодовольную толстую рожу десерт, который у меня в руках. — Ты попрощаешься, извинишься, скажешь, что тебе пора, и исчезнешь. И никогда больше не появишься в этом доме. Понял меня?

— Совершенно ясно, — говорит Джерри и уходит. А я стою на кухне, трясясь от гнева.

Глава 65

Мои гости охают и ахают над пудингом, но в воздухе висит такая напряженность, что ее можно потрогать руками. Нина же напилась вдрызг и пребывает в отключке.

Джерри пристально смотрит мне в глаза и демонстративно продолжает доливать свой бокал. Как же мне хочется ударить этого типа бутылкой по голове! Очень жаль, что Нина не чувствует того же.

Майк изучающе смотрит на меня, а я пытаюсь выполнять свои обязанности хозяйки дома. В полночь гости начинают расходиться. Откровенно говоря, этот момент настал не слишком-то быстро. Когда я машу рукой последним отъезжающим, Майк задерживается.

— Я помогу тебе убраться, — говорит он.

— Нет необходимости. — Я кладу руку ему на локоть. — Я справлюсь.

Доминик уже звенит посудой, укладывая ее в посудомоечную машину так, как я ему показала.

— Что там произошло? — кивает Майк в сторону кухни.

— Джерри оказался полным идиотом. — Я говорю очень тихо.

— Он заигрывал с тобой?

— Да. Вот придурок. — Я качаю головой. — Понятия не имею, почему Нина все еще с ним.

— Он перепил, — говорит Майк. — Но пусть тебя это не беспокоит.

Легко сказать. На самом деле это очень беспокоит меня, потому что за эти годы он изменил характер моей подруги, и отнюдь не к лучшему. Раньше она была веселой, а теперь ревнует к счастью других и становится все более и более озлобленной и самоуверенной, совсем как ее чертов муж.

Доминик подходит к кухонной двери и прислоняется к косяку.

— Послушайте, я зайду к вам завтра. — Майк целует меня в щеку и подходит к Доминику пожать руку. А потом хлопает моего возлюбленного по спине.

— Увидимся, Доминик.

— Спасибо, Майк.

Я провожаю Майка до двери, он машет рукой и исчезает. На улице холодно, начинает капать дождь. Майк спешит к себе домой.

Закрыв дверь, я прислоняюсь к ней спиной.

— Это было ужасно, — с усталым вздохом говорю я. — Мне так жаль, что заставила тебя пройти через все это.

Доминик пожимает плечами. Я подхожу к нему, и мы обнимаем друг друга. Мне хотелось, чтобы все полюбили Доминика и весело провели время. Но знаете, что говорят о благих намерениях?

— Ты и я против всего мира, — говорю я. — Да?

— И Майк, — добавляет Доминик. — Я думаю, Майк на нашей стороне.

— Да, — соглашаюсь я. — Он хороший человек.

Потом я плюхаюсь на диван и притягиваю Доминика к себе. Мы растягиваемся рядом, и тепло от горящих в камине дров поднимает настроение.

Доминик лежит необычно тихо.

— Не принимай это близко к сердцу, — говорю я.

Он глубоко вздыхает.

— Впервые в жизни я боюсь, Дженни, — признается он. — Твои друзья не знают, кто я, и все же думают, что я плохой человек. Я стараюсь сделать что-то хорошее для деревни, но полицейскому приходится вести меня домой. Я не знаю своего места в этой жизни, в твоей жизни.

Меня начинает охватывать паника.

— Не думай так. — Я глажу красивое лицо Доминика цвета черного дерева. — Мы справимся. Ты не такой, как они, ты другой. Понадобится время, чтобы люди привыкли к тебе, к нам.

— Пойду пройдусь по деревне.

— Там холодно. А когда Майк уходил, пошел дождь.

— Я — воин масаи, — спокойно говорит он. — Я ничто, если моя деревня не нуждается во мне.

Он встает и издает свой высокий звук масаи. Надеюсь, что не разбудит соседей. Арчи с топотом несется вниз по лестнице.

— Это хороший фокус для вечеринки, — говорю я, пытаясь разрядить обстановку.

— Иди сюда, кот. — Доминик поднимает Арчи себе на плечи, и кот тает от удовольствия. — Я скоро вернусь.

— Надень пальто, — прошу я, — и ботинки. Ты же замерзнешь.

— Ты забываешь, как я ценю дождь, Просто Дженни. Со мной все будет хорошо.

— С нами все будет хорошо, — поправляю я.

— Да. — В его голосе звучит печаль, которая разбивает мне сердце. — С нами все будет хорошо.

Босой, одетый только в *shuka*, Доминик выходит в ночь.

Глава 66

Входная дверь скрипит, как в фильме ужасов. Это вернулся Доминик. Я смотрю на часы, стоящие на каминной полке. Четыре утра. Дрова прогорели, в доме холодно. Все мои кости болят из-за того, что я заснула на диване. Слышу, как ворчит Арчи, когда Доминик спускает его на пол. Потом Доминик становится на колени рядом со мной.

— Привет, — говорю я, пытаясь сфокусировать взгляд.

— Нужно было лечь в кровать, Дженни. — Он целует меня в лоб. — Я не хотел, чтобы ты ждала меня.

— Да просто задремала здесь, — меня начинает бить дрожь, — и потеряла счет времени.

— Пойдем в кровать.

Мы встаем, и я кладу руки Доминику на шею. Его кожа ледяная. Он поднимает меня на руки и несет вверх по лестнице, даже не спотыкаясь, когда Арчи вьется у его ног.

Доминик раздевает меня, потом снимает свой тонкий *shuka,* который едва ли является надлежащей защитой от британской зимы. Мы вместе проскальзываем под пуховое одеяло и прижимаем друг к другу наши замерзшие тела.

— Брр, — бормочу я. — Интересно, сможем ли мы придумать, как нам согреться?

Доминик соображает быстро.

— Думаю, знаю один способ. — Он передвигается и оказывается надо мной, крепко целуя меня.

Если бы мы жили вдвоем с Домиником в нашем собственном маленьком мире, то жизнь была бы безмятежной. Я слышу, как Арчи, лежащий в ногах кровати, издает недовольные звуки, потому что наши движения нарушают его сон. Если бы мы были втроем — поправляю я себя — я, Доминик и Арчи, то жизнь была бы безмятежной.

Утром мы встаем поздно. Я бегаю по дому в халате и шлепанцах, а потом мы пьем чай с тостами. Доминик садится за кухонный стол и ест свою овсянку.

— Я обещал миссис Дастон, что нарублю дрова для нее, — говорит Доминик. — Нам надо идти.

Крепко обняв Доминика, я поглаживаю его грудь.

— Ты хорошо себя чувствуешь?

— Да, — уверенно кивая, отвечает он.

Но он какой-то тихий, и это меня беспокоит.

— Пошли, кот. — Доминик поднимает Арчи с теплого коврика, но мое капризное животное семейства кошачьих не жалуется.

— Возьмешь газету, когда будешь в деревне? В деревенском магазине.

— Да.

Я быстро копаюсь в сумочке и протягиваю ему деньги.

— Спасибо.

Стоя в дверях, я смотрю, как Доминик идет по деревне, и длинные ноги несут его к утиному пруду. Я замечаю, что на подъездной дорожке Майк моет свою машину — в воскресное утро это любимое занятие большинства мужчин в нашей деревне.

— Чайник только что вскипел, — кричу я ему.

— Буду через пять минут, — говорит он, принимая мое предложение и дружески взмахнув рукой.

И конечно, едва я успеваю достать из шкафа микстуру с шоколадным вкусом для восстановления пищеварения, как Майк уже стоит в проеме кухонной двери.

— Приходишь в себя после вчерашнего?

— Да, вроде того, — говорю я. — Кофе?

— Ммм.

Я готовлю две чашки растворимого кофе и предлагаю Майку булочки. Он с благодарностью берет одну.

— Доминик в порядке?

Я пожимаю плечами.

— Не знаю, — признаюсь я. — Какой-то тихий. Он только что ушел к миссис Дастон, — она просила нарубить дрова.

— Зато он очень нравится дамам в деревне. Мне это никогда не удавалось.

Я смеюсь.

— Тебе надо предложить им свои хозяйственные навыки. Именно это и нравится женщинам определенного возраста. Впрочем, если на тебе будет как можно меньше одежды, это тоже поможет.

— Вот только тело у меня не совсем такое, как у Доминика, — сокрушенно говорит Майк. — Я бы скорее отпугнул их, чем привлек предложения руки и сердца.

Я встревоженно делаю глоток.

— Я за него волнуюсь, — признаюсь я Майку. — У него здесь совсем нет друзей. Думаю, ему было бы неплохо пообщаться с мужским населением. — Я встречаюсь с Майком взглядом. — Ты согласен?

— Что ты хочешь, чтобы я сделал?

— Не знаю. А что делают парни?

— Я могу взять его на футбольный матч.

— Он бы с радостью пошел. Но еще я беспокоюсь, что он болтается здесь целый день и ему нечего делать. Он гордый человек, Майк. Ему нужна цель. Разрешение на работу мы сможем попросить только через шесть месяцев. Боюсь, что к тому времени он сойдет с ума, если не найдет себе занятия.

Отведя взгляд, Майк спрашивает:

— Думаешь, он останется здесь насовсем?

— Я не могу даже подумать, что он может уехать домой. В нем вся моя жизнь, Майк.

Мой друг, мой сосед, моя устойчивая скала вздыхает.

— Давай я буду с ним рядом, — предлагает он. — Мы можем делать вместе что-нибудь «мужское». — Майк надувает грудь, притворяясь Тарзаном, чтобы поддразнить меня.

— Я была бы очень признательна.

— Извини, но твои коллеги вчера вечером, кажется, были довольно грубыми.

— Так и есть. Но что я могу сказать? Они молоды и поглощены собой. Их поколение ни о ком не думает, кроме себя. Им даже не пришло в голову, что Доминику нужны друзья. Это все моя ошибка. Я должна была предусмотреть это, но очень хотела представить его в наилучшем свете.

— Это понятно. — Майк накрывает мою руку своей. — Он замечательный парень, Дженни. Я говорю это совершенно искренне.

— Я знаю.

Мы слышим, как Доминик поворачивает ключ в замке — это еще одна вещь, к которой ему трудно привыкнуть.

— Сюда, — кричу я, и через несколько секунд он появляется на кухне.

— *Jambo*. Привет. — Он кивает Майку, и я рада, что Доминик улыбается. — Я купил газету.

У него под мышкой «Санди таймс». Кажется, он очень доволен своим маленьким достижением. Надеюсь, он начинает чувствовать себя своим в деревне.

— Миссис Эппалби сказала мне, что это лучшая газета. — Он кладет ее на стол.

— Прекрасно, — говорю я.

— А еще я принес подарки от миссис Дастон.

В руках у Доминика плетеная корзина, закрытая красно-белой салфеткой. Я заглядываю внутрь.

— Домашняя выпечка?

— О да.

В корзине хлеб с хрустящей корочкой, еще теплый, и полдюжины сдобных булочек. С ее стороны очень любезно подумать о том, чтобы вознаградить Доминика за его время и доброту.

— О. Выглядит аппетитно.

От одного запаха мне снова хочется есть.

— Почему бы мне не остаться и не приготовить нам всем обед? — предлагает Майк. — Мы с Домиником могли бы вместе приготовить его для тебя.

— Хорошая мысль.

— Что скажешь, Доминик?

Мой возлюбленный выглядит не очень уверенно.

— Дженни может посидеть и спокойно почитать газету, пока мы с тобой что-нибудь соорудим. Что есть в холодильнике?

— Я собиралась сделать спагетти по-болонски.

У меня в доме, как правило, сложных блюд не готовят. Все мои навыки домашней богини были использованы вчера, чтобы приготовить ужин. Теперь я полгода буду приходить в себя.

— Я в игре. — Майк ободряюще смотрит на Доминика.

Мой воин масаи в знак согласия пожимает плечами, но я ощущаю его нежелание. Однако я уверена, что Майк все уладит.

— Пойду наброшу на себя что-нибудь, — говорю я так радостно, как только могу, и оставляю этих двух заниматься делом.

Глава 67

— Когда-нибудь ел спагетти по-болонски, дружище? Доминик отрицательно качает головой.

— Нет. Я видел, как повар готовит их в кемпинге *Kiihu*. Но сам никогда не пробовал.

Кажется, мы с Домиником были там так давно, что я невольно вздыхаю. Оба поворачиваются ко мне.

— Простите, — говорю я. — Просто задумалась. — И опять принимаюсь за газету, возвращаясь к печальным и мрачным событиям, описанным на ее страницах.

— Будем придерживаться классического рецепта Майка Пэрри, если ты не против.

Пока я одеваюсь наверху, Майк опустошает холодильник и ставит его содержимое на стол. Пакет фарша, упаковка бекона, немного грибов, лука и красного перца.

Доминик улыбается в знак согласия.

— А зелень растет в саду, — говорит Майк, взяв ножницы. Он ведет Доминика к двери, потом в сад. — Выбор в это время года небогатый, но нет ничего лучше свежей зелени. Я и сам немного выращиваю.

У меня зелень растет в старом каменном корыте, которое стоит вдоль задней стены дома, в том месте, где летом больше всего солнца. Мужчины оставили дверь открытой, и мне надо бы встать и закрыть ее, но слишком велико искушение послушать, о чем они говорят. А еще я стараюсь не смотреть в их сторону, но это у меня не получается.

Майк протягивает кухонные ножницы, и Доминик смотрит на них, будто загипнотизированный.

— Это тимьян. Может быть, ты знаешь некоторые из них. Это розмарин.

Я вижу, что Доминик сильно наклоняется к Майку, и поэтому должна напрягаться, чтобы услышать, что он говорит.

— Майк, — шепчет Доминик, — я очень встревожен. — Мой сосед вопросительно поднимает бровь. — Приготовление пищи и сбор трав считаются женской работой, — спокойно продолжает Доминик. — Я не хочу, чтобы Дженни Джонсон подумала, будто я не мужчина.

Майк садится на низкую стенку, отделяющую сад от внутреннего дворика, и манит к себе Доминика. Я прячусь за газетой и напрягаю слух еще больше.

— У нас не так, дружище, — говорит Майк. — Женщины любят мужчин, которые умеют готовить. Даже сходят по ним с ума.

Доминик смеется.

— Тогда почему у тебя нет жены?

— Ну, не каждому везет, — признает Майк. — Но, честно сказать, у нас здесь нет большого различия между тем, что делают мужчины и женщины. Однако мужчины чаще моют автомобили, заливают в них бензин и выносят мусорные баки. Женщины обычно стирают и гладят, но это не всегда так.

— Ты умеешь стирать и гладить?

— Да. При этом, заметь, страшно не люблю гладить. Но я живу один, поэтому гладить мои рубашки некому.

Я вспоминаю, как предложила Майку гладить его рубашки, когда он дал мне в долг на поездку к Доминику. Мое сердце наполняется теплым чувством к этому светлому человеку.

— Вы должны найти свой собственный способ заниматься делами, причем так, чтобы это устраивало вас обоих, — добавляет Майк.

Доминик качает головой.

— У людей масаи все знают, какая у кого роль. А здесь все перепутано.

— Кто знает, лучше это или хуже, — признает Майк. — Просто здесь так принято.

— Дженни уходит утром и работает целый день, а я в это время остаюсь дома.

— Со временем ваша ситуация изменится, — указывает Майк. — Будем надеяться, ты получишь разрешение и сможешь найти работу. Но у нас в Англии нет ничего необычного в том, что женщина кормит семью.

— Кормит семью?

— Зарабатывает деньги, — объясняет Майк. — И в этом случае мужчина берет на себя львиную долю домашних забот. В этом нет ничего страшного.

— Мне надо многому научиться, — говорит Доминик.

— Ты уже делаешь большие успехи, дружище, — уверяет его Майк. — Все будет хорошо. Просто дай себе время.

Доминик кивает, обдумывая сказанное, а потом встает.

— Какие травы мне надо срезать, дружище?

Майк хлопает его по спине.

— Немножко этой. — Он указывает на зелень. — И немного этой.

— Мне нравится использовать травы как лекарства, — говорит Доминик, очень неловко орудуя ножницами в тимьяне.

— Я мало что знаю об этом, — признается Майк. — Клянусь нурофеном и красным вином, я люблю использовать зелень, когда готовлю еду.

Когда мужчины возвращаются, я быстро утыкаюсь в газету — до сих пор я не прочитала ни слова.

— Хорошо, — говорит Майк. — Теперь мы можем приготовить овощи. — Он очищает луковицу, отрезает от нее половину и протягивает ее, нож и разделочную доску своему внимательному ученику. — Вот. Почему бы тебе не порезать лук?

Доминик хмуро смотрит на маленький ножик и половинку луковицы, и в воздухе повисает неловкое молчание. Но через секунду он достает из-за пояса туники свое огромное мачете.

— Вот как делают масаи. — И с огромной энергией, но не очень умело, крошит луковицу на мелкие кусочки. Закончив, отступает на шаг и любуется результатом своего труда.

Майк «дает ему пять», смеется и говорит:

— Неплохо, дружище.

Глава 68

Мы сидим втроем за кухонным столом и едим обед, приготовленный мужчинами. Майк открывает бутылку красного вина, которую мы с ним и опустошаем. Доминик очень мудро придерживается своего молока.

— Что думаешь об экстравагантной пасте, приготовленной в домашних условиях Домиником Оле Нангоном? — спрашиваю я. — Причем приготовленной по особому скрупулезному рецепту Майка Пэрри, конечно?

Доминик крутит на тарелке пряную рубленую говядину.

— Очень вкусно, — говорит он с застенчивой улыбкой.

Втайне я думаю, что он очень горд собой и первой едой, которую приготовил.

После того как все убрано, мы отправляемся в гостиную и рассаживаемся на диваны. Мы с Майком делим газету на части, и я вонзаю зубы в превосходную сдобу миссис Дастон.

— Вот так и проходит традиционное английское воскресенье, — говорю я Доминику. — Ешь слишком много, пьешь слишком много, а остаток дня проводишь, читая газету. За исключением того, что на обед должно было быть жаркое вместо спагетти.

— Это может стать нашим следующим проектом, Доминик, — предлагает Майк. — Полный обед с жареным мясом. — Он гладит себя по животу. — Хотя мне придется увеличить тренировки, если я буду продолжать есть всю эту прекрасную еду.

— Попрыгай со мной, — предлагает Доминик.

Это явно застает Майка врасплох, а я пытаюсь скрыть улыбку.

— Попрыгать?

— В моей деревне мужчины каждый день прыгают вместе. Это очень хорошее занятие.

Майк кладет газету и храбро говорит:

— Я бы попрыгал.

— А вот это я должна видеть, — говорю я.

— Ну, так пошли, — Майк с трудом поднимается с дивана, — пока не стемнело.

— А может быть, лучше подождать, пока стемнеет?

Но прежде чем у Майка появляется хотя бы шанс обдумать эту прекрасную мысль, Доминик успевает встать и уже находится на полпути к двери.

— Похоже, настало время прыжков, — говорит Майк, как-то кривовато улыбаясь.

— Постарайся не увидеть снова свой обед, — предупреждаю я, кладу газету и выхожу в сад вслед за мужчинами.

Сразу чувствуется сырость зимнего вечера. Водянистое солнце низко висит над горизонтом.

— Тебе нужна палка, — инструктирует Доминик.

Я взбираюсь на холодную стенку и смотрю на них.

Майк берет палку от метлы.

— Теперь прыгай, — говорит Доминик. — Будь легким, как гепард. Будь сильным, как лев.

Мой сосед невысоко подпрыгивает, и мне становится смешно.

— Ты был внушителен, как бегемот.

— Не смотри, Джонсон, — учтиво отвечает Майк и подскакивает еще несколько раз.

Я едва не падаю со стены — смеюсь до колик в животе.

Доминик же изящно взлетает в воздух на полметра от земли и при этом поет и кричит.

Майк добродушно пыхтит, сжимая свою палку, и иногда сдавленно взвизгивает.

— Очень хорошо, — ободряюще говорит Доминик. — Ты очень хорош.

— Да, мне нравится, — признает Майк. — Теперь я жалею, что не был панк-рокером. — Пых, пых.

Честно говоря, и я бы хотела присоединиться к ним, но мне хочется, чтобы Майк с Домиником делали вместе что-то такое, что укрепит их дружбу. Если это приготовление пищи или прыжки, то пусть так и будет.

Я смотрю, как Майк с Домиником прыгают вместе, поднимаясь над травой, поют и кричат. За оградой садится солнце, и на окрестности начинает наползать ночь. В домах зажигаются огни.

Доминик, кажется, может прыгать вечно, но лицо Майка становится все краснее и краснее. Со лба у него уже льется пот.

Прежде чем у моего друга случится сердечный приступ, Доминик очень мудро прекращает прыжки.

— Это было прекрасно, — с энтузиазмом говорит Майк, когда снова может дышать. — Я чувствую себя освобожденным. Совсем беззаботным.

Кажется, ему нужно опять отдохнуть на диване.

— У меня многие годы не было такой тренировки, — пыхтит он, носовым платком вытирая пот со лба.

— Пойду приготовлю чай.

Я спрыгиваю со стены, чувствуя, что замерзла.

— Надо будет повторить, — все еще тяжело дыша, говорит Майк.

— Я прыгаю каждый день, — сообщает ему Доминик. — Я бы счел за честь, если бы ты присоединился ко мне.

— Если ты подождешь моего возвращения с работы, то да, мне бы этого хотелось.

— Тебе было весело? — спрашиваю я Доминика.

— Очень, спасибо.

— Хорошо, поскольку если ты счастлив, то и я счастлива.

Прекрасная улыбка Доминика сияет в сумерках.

— Я счастлив, Просто Дженни.

И вы не поймете, какое облегчение я чувствую, услышав эти слова.

Глава 69

В понедельник я возвращаюсь к работе. И пока я мечусь по дому, чтобы вовремя выйти, Доминик ест овсянку, смотрит свою любимую передачу Би-би-си «За завтраком» и учится, как смешивать пастельные оттенки, чтобы обновить гостиную. Его глаза широко открыты от изумления.

— Мне надо идти, — говорю я, чмокнув его в щеку, но, когда иду к двери, звонит телефон. По привычке поднимаю трубку.

— Дженни Джонсон.

На другом конце линии мистер Кодлинг-Бентем — человек, чье положение может быть точнее всего описано словами «наш деревенский сквайр».

— Я хотел бы узнать, возможно ли, чтобы Доминик помог нам в садах? — спрашивает он. — Наш садовник заболел, и работа остановилась. Надо убрать листья и немного подрезать ветки. Мы были бы весьма благодарны.

— Я спрошу его, — говорю я и закрываю трубку рукой. — Хочешь поработать в саду?

Он отрывает глаза от заманчивых палитр цвета вереска, норки, фисташки и зеленовато-голубого цвета утиного яйца.

— Да.

— Это для Кодлинг-Бентемов.

— Большой дом?

Я киваю.

— У тебя нет права работать по найму, и они не смогут тебе заплатить, — напоминаю я ему. — Ты должен работать добровольно.

— Мне нравится работать, — отвечает он. — Я пойду туда прямо сейчас.

Я опять говорю в трубку:

— Доминик скоро придет, если вас это устроит.

— Замечательно. — Кажется, мистер Кодлинг-Бентем взволнован.

— Но вы не можете ему платить. Ему не разрешается легально работать, пока он не пробудет здесь шесть месяцев.

— Мы обязательно что-нибудь придумаем, — уверяет меня мистер Кодлинг-Бентем.

Я вешаю трубку.

— Тебя уже ждут. Работа на целый день. А теперь мне пора бежать. — Я опять целую Доминика и вылетаю из двери.

Когда я прихожу в салон, уже нет времени пить кофе в комнате персонала, что, возможно, не так уж и плохо. Я все еще зла на своих коллег — даже видеть их не хочу.

И я принимаюсь за первую клиентку.

— Привет, — говорю я. — Как дела?

— Хорошо, — отвечает миссис Йетс, но вид у нее измученный.

— Близнецы?

— Я пережила ужасное время, — говорит она, вздыхая от забот. — Никто не сказал мне, что тройня в десять раз хуже двойни.

Вайнона Йетс вышла замуж поздно. Она уже была деловой женщиной сорока с чем-то лет, когда встретила мужчину своей мечты. Пару лет они провели в путешествиях и веселье, как и любая другая пара, имеющая большие доходы и никаких обязательств. Когда же наконец решили включить в свой список приобретений детей, то, конечно, было уже слишком поздно. У него оказалась негодная сперма — уж поверьте, о составе спермы Яна Йетса я знаю все, до самых мелких деталей! — а у нее почти не осталось яйцеклеток.

Они прошли через два года ада и потратили огромные суммы на миллион разных процедур экстракорпорального оплодотворения, пока наконец не произвели на свет трех девочек-близнецов. Счастливая будущая мама даже пригласила меня на Беби шауэр — праздник накануне родов.

А через три месяца после рождения младенцев родители расстались. Ян Йетс обнаружил в себе склонность к клубам, в которых посетителям предлагают танцы на коленях. В одном из них он встретил двадцатидвухлетнюю тайскую девушку, у которой было двое собственных детей, и бросил Вайнону, не оставив ей ничего.

С тех пор она не видела ни его самого, ни его денег. И вот теперь пытается удержаться на работе на полную ставку, одновременно воспитывая трех требовательных близняшек. Гламурная женщина, которую я когда-то знала, осталась далеко в прошлом. Когда-то она каждую неделю приходила ко мне, чтобы вымыть и выпрямить волосы, а теперь появляется у нас в салоне раз в полгода, чтобы постричься. И каждый раз у нее вид измотанной женщины, которая жаждет вернуть себе прежнюю жизнь.

В комнату персонала я вхожу только к обеду, а до этого, если выдавалась свободная минутка, я просто бродила возле стойки администратора и разговаривала с Келли. Правда в том, что мне становится все труднее и труднее общаться с коллегами. Вся та глупая болтовня и шутки, которые меня раньше веселили, теперь стали мне безразличны. Какое мне дело до передач, в которых разыскивают таланты, или до сериалов? Мыльные оперы, наполненные крикливыми персонажами, заботящимися только о себе, заставляют меня думать о Доминике и его семье. Как же трудна их жизнь! Каждый день они проводят в борьбе за то, чтобы добыть себе достаточно еды.

А мы здесь беспокоимся о том, в чем нет смысла. Мне даже начинают казаться непристойными те суммы, которые люди тратят на уход за своими прическами, хотя раньше я бы со спокойной совестью утверждала, что нет ничего важнее красивых волос.

Проводя время с Домиником, я все глубже задумываюсь о своей жизни. Я больше не сижу весь вечер и не смотрю бездумно телевизор — теперь мы проводим часы за разговорами. Иногда я лежу на диване, положив голову ему на колени, пока он мне читает. Доминик говорит, что хочет улучшить свой английский, хотя мне он кажется безупречным. Дамы из церковного цветочного комитета Нэшли дают ему пьесы Шекспира и романы Джейн Остин. Я тоже кое-чему учусь, поскольку в течение очень долгого времени мои предпочтения в чтении ограничивались Джеки Коллинз и Джилли Купер.

Когда бы я ни вошла в комнату персонала, все сразу же становятся какими-то робкими.

— Спасибо за хороший вечер, — говорит Тайрон. — Нам с Клинтоном очень понравилось.

Я могла бы отпустить саркастическое замечание, но какой смысл? Я должна работать с этими людьми, и для меня же лучше, если я постараюсь быть дружелюбной. Нина молчит. Ее сумка стоит рядом с ней — и к фруктам Нина еще не притронулась.

— У тебя все хорошо? — спрашиваю я.

Нина уклончиво пожимает плечами. По ее виду я могу сказать, что она не так уж много спала ночью. Что же произошло в доме Далтонов после субботнего вечера?

— Привет, — вмешивается Кристал. — Мы все решили покататься на сноуборде в пятницу вечером. Пойдешь с нами?

— Не-а, не думаю.

— Тебе же это нравится, — хнычет Кристал.

Это правда. Мне и вправду нравится. В прошлом году у нас были групповые занятия сноубордингом в Милтон-Кинсе, в крытом спортивно-развлекательном комплексе. Там чудесно, и мы все хорошо проводили время. Я люблю волнение, охватывающее тебя, когда несешься вниз по склону, а в ушах свистит ветер. Для того, кто обычно не занимается спортом, это кое-что да значит.

— Пойдем же. — Она продолжает уговаривать меня. — И приводи с собой своего, как его там.

— Доминика, — подсказываю я.

— Могу поспорить, он никогда раньше не катался на сноуборде.

Еще бы! Конечно, не катался. Наверное, Доминик и снега-то не видел! Думаю, он обрадуется. Но разве это достаточная причина, чтобы еще раз подвергать его общению с моими коллегами?

— Вы должны прийти, — заявляет Нина.

Рассматривать ли ее слова как оливковую ветвь?

— А Джерри пойдет? — Да уж, не всегда успеваешь подумать, прежде чем сказать.

Подруга качает головой.

— Нет, уехал по делам. — Конечно, по делам, куда ж еще? — Но это не значит, что ты не можешь привести с собой Доминика.

Да, не значит, но теперь я могу подумать о возможности поехать, поскольку знаю, что придурка там не будет.

Келли сует голову в дверь.

— Тай, твоя клиентка пришла. Кристал, не могла бы ты подмести пол?

Все исчезают, и мы с Ниной остаемся одни.

— Прости за субботу, — говорит она. — Мы с Джерри поругались еще до приезда к тебе.

— Я поняла, что у вас что-то не так.

— Еще одно подозрительное сообщение на его телефоне. Я прочитала, когда он вел машину. Он, конечно, все объяснил, но не знаю, верить ли ему на сей раз.

Будет ли хуже для Нины, если она опять поверит его объяснениям? Не знаю. Не настал ли момент сказать ей, что ее дорогой муженек приставал ко мне, ее лучшей подруге? Может быть, ей стоит наконец-то узнать, что происходит на самом деле?

Глубоко вздохнув, я начинаю:

— Нина...

Она перебивает меня.

— Несмотря ни на что, я все еще люблю его, — говорит она таким тоном, будто хуже этого в мире ничего нет, и смотрит на меня пустыми глазами. — Как такое возможно?

Я молчу. О некоторых вещах лучше не говорить.

Глава 70

Всю дорогу домой я размышляю, стоит ли нам с Домиником рискнуть и поехать кататься на сноуборде. Уверена, что Доминик будет поражен, когда увидит в спорткомплексе снежную зону, а я не должна из-за одной неудачи отказываться от новых попыток. Доминику необходимо войти в нашу жизнь и завести друзей, чтобы не чувствовать себя чужаком.

Подъезжая к дому, я ощущаю прилив любви к Доминику. Окна «Маленького Коттеджа» маняще сияют. На сердце теплеет от одной лишь мысли, что кто-то ждет меня внутри.

Войдя в дом, я кричу Доминику: «Привет!» Из кухни струятся невероятные ароматы, и я иду туда узнать, что происходит. Войдя в дверь, не могу удержаться от смеха.

В кухне Доминик, и поверх его красного *shuka* надет мой кухонный фартук. Мой воин масаи только что вынул из духовки золотистого жареного цыпленка, а рядом с ним стоит миссис Дастон и руководит его действиями.

— Мое секретное оружие, — с усмешкой говорит Доминик.

— Привет, дорогая, — говорит миссис Дастон. — Доминик попросил меня помочь, и все уже почти готово. — Она суетится вокруг него. — Он очень хороший повар.

Вот и еще один пункт в списке его достоинств. Я улыбаюсь. Уверена, если бы Нина пришла домой и нашла у себя на кухне другую женщину, то та была бы совсем не похожа на миссис Дастон.

— Ты можешь унести его отсюда, Доминик. А мне пора уходить.

— Останьтесь, — прошу я. — Тут всего так много. — Я не хочу, чтобы она вернулась в пустой дом.

Она поднимает руку.

— У меня заседание цветочного комитета, — говорит миссис Дастон. — Надо обсудить важные решения об украшении на Пасху.

— А, ну да.

— Увидимся завтра, Доминик?

— Обязательно, миссис Дастон. *Asante.*

— *Karibu,* — гордо отвечает она, и ее ресницы трепещут, как у молоденькой девушки.

Я провожаю ее до двери.

— Спасибо, — говорю я. — Спасибо, что помогали Доминику.

— О, все удовольствие досталось мне, — настаивает она. — Он такой милый.

Продвижение от «милашки» до «милого», думаю я. Доминик, безусловно, покорил всех этих дам.

Возвращаясь на кухню, я бросаю сумку на стул, затем иду обнять Доминика. Он пробует соус.

— Откуда это все?

— Мистер и миссис Кодлинг-Бентем, — объясняет он. — Я весь день работал у них в саду. Они дали мне цыпленка и овощи. А яблочный пирог испекла миссис Дастон.

— Я скоро буду толстой, как свинья. — Проблема со всеми этими кулинарными изысками, которые Доминик будто притягивает к себе, заключается в том, что он-то их не ест. Поэтому мне приходится быть вежливой и съедать все самой.

— Думаю, пирог надо положить в морозилку для другого раза. — Я уверена, что Майку понравился бы кусочек.

— Я не знал, что делать с цыпленком и овощами. Майк был на работе, и я спросил совета у миссис Дастон. А она настояла, что приедет и поможет.

— Могу себе представить.

Доминик начинает смеяться.

— Скоро все женское население Бакингема будет у твоих ног.

— Не все, — отвечает он. — Твоей подруге Нине я еще не нравлюсь.

— Понравишься, — уверенно говорю я. — Коллеги по салону пригласили нас с тобой покататься на сноубор-де в пятницу вечером. Хочешь пойти?

— Я не знаю, что такое сноуборд, — озадаченно говорит он.

— Будет весело. Что-то новое для тебя.

— Если ты думаешь, что это хорошо, то я хотел бы попробовать. — Он пожимает плечами.

— Послушай, не дадим этому ужину подгореть. Миссис Дастон спустила бы с тебя семь шкур.

— Как это?

— Ну, это поговорка такая. Пойду, переоденусь, пока ты накроешь на стол.

Я бегу наверх и быстро надеваю тренировочный костюм, обещая себе, что повешу одежду сразу после еды.

Когда я возвращаюсь, Доминик уже ставит на стол тарелки. На моей — сочная куриная грудка, хрустящий жареный картофель, морковь с маслом и кучка капусты. А у моего возлюбленного лишь пара ломтиков цыпленка и ложка соуса.

— Ты должен попробовать и остальное, — говорю я, начиная есть. — Миссис Дастон права, ты очень хороший повар.

— О, забыл, — говорит Доминик, вскакивает из-за стола и направляется к холодильнику. — Мистер Код-линг-Бентем дал мне еще и это. — Он ставит на стол бутылку «Боллинже»[1].

---

[1] Боллинже — одно из лучших вин Шампани, Франция.

— Ух ты, шампанское. И очень хорошее. — Внезапно я чувствую себя легко и беззаботно. — Откроем?

Доминик кивает.

— Ты когда-нибудь открывал шипучку?

— Нет, никогда.

— Ну, давай я покажу тебе. — Я встаю рядом с ним, снимаю фольгу, разматываю проволоку, а потом пошевеливаю пробку, пока она не выскакивает с негромким хлопком. — Это надо делать вот так. Тогда пробка не сделает выбоины в потолке. — Я беру два бокала и наливаю шампанское. — Только попробуй, — говорю я Доминику. — От крошечного глотка ничего плохого не случится.

Доминик с опаской подносит стакан к носу.

— От пузырьков щекотно.

— Мы должны произнести тост.

Я приближаю свой бокал к его бокалу.

— За нас, — говорю я.

— За нас, Просто Дженни, — эхом отзывается Доминик.

И, потягивая холодное пенящееся вино, я становлюсь совсем легкомысленной.

— Давай поженимся, — говорю я. — Как только сможем. Давай просто поженимся.

— Майк сказал мне, что женщины любят мужчин, которые умеют готовить, — поддразнивает он меня. — Но я не рассчитывал, что это сработает так быстро.

Я думаю о Майке и спрашиваю себя, как он отнесется к тому, что я сделала предложение Доминику. Уверена, он будет счастлив за нас.

Абсолютно уверена.

— Так мы поженимся? Ты сделаешь меня своей настоящей женой?

Доминик смеется.

— Да, Просто Дженни, сделаю.

Глава 71

В среду после обеда у меня не будет трех последних клиенток. Перманент, стрижка и окраска, мытье и укладка — все отменено.

Келли решает отпустить меня домой. После Рождества дела в салоне идут вяло, и в промежутках между записанными клиентками Стеф ждет, не придет ли кто-нибудь без записи. Я думаю, Келли оценила, сколько часов я отработала сверхурочно перед Рождеством, пусть и по чисто эгоистичным причинам.

Раньше мне нравился тяжеловатый парфюмерный воздух салона, но теперь у меня начались небольшие приступы клаустрофобии, и я не могу дождаться, когда же наконец смогу оказаться на свежем воздухе. Сегодня прекрасный день, и мне кажется, что вот-вот наступит весна. Солнце яркое. Оно изо всех сил согревает воздух, но еще не способно прогнать утренний холод. На синем небе — клочки молочно-белых облаков.

Уже почти три, когда я въезжаю в Нэшли. Доминика нет дома, но я точно знаю, где он. Надев сапоги и теплое пальто, сразу отправляюсь за ним. Прогулка через деревню согревает меня, и к тому времени, как я дохожу до дома Кодлинг-Бентемов, уже тяжело дышу от ходьбы.

Доминик в саду. Он грузит кучи листьев в огромную тачку. У его ног стоит старенький радиоприемник, и Доминик подпевает песне «Я предсказываю бунт»[1]. Конечно, эта песня не совсем о любви или природе, к каким он привык, но он, кажется, наслаждается ею. Арчи лежит под тачкой и крепко спит.

---

[1] «Я предсказываю бунт» — песня английской группы «Кайзер чифс».

— Привет, — говорю я, подходя сзади и целуя Доминика в щеку. — Освободилась пораньше. Как думаешь, ты сможешь сейчас уйти?

Мой возлюбленный стягивает садовые перчатки.

— Я очень много сделал. — Мы вместе рассматриваем результаты его трудов. — Уверен, они не будут возражать.

Кажется, он за день сделал в десять раз больше, чем тот древний джентльмен, который обычно здесь копается.

— Не прогуляться ли нам немного? Я покажу тебе наши места, которых ты еще не видел.

Доминик оглядывается.

— Я хотел бы больше узнать о деревьях, растениях и птицах, — говорит он. — Это для меня важно. В Мара я знаю каждую птицу, каждое животное, каждое дерево. А здесь я ничего не знаю о них.

— Не уверена, что и сама знаю всех, — признаюсь я, — но попробую. Надо сказать Кодлинг-Бентемам, что ты уйдешь пораньше, и спросить, можем ли мы взять у них на время книгу о дикой природе.

Доминик поднимает несколько удивленного Арчи и кладет себе на плечи, берет свою палку, и мы идем к дому. Там мы терпеливо ждем, пока миссис Кодлинг-Бентем хлопочет над Домиником и ищет подходящую книгу, которую мы сможем взять на прогулку. Она всовывает в руку Доминика замечательный фруктовый пирог в клетчатой коробке и вдобавок дает нам бутылку прекрасного портвейна.

— Если за Доминика нужно замолвить словечко, — говорит миссис Кодлинг-Бентем, — перед властями или еще где-нибудь, то я буду счастлива дать ему рекомендацию. Отличный парень. Великолепный.

Она тепло пожимает руку Доминику, а он сияет от такой похвалы.

— Спасибо.

Кто знает, думаю я. Может, это пригодится, когда мы подадим заявление на постоянное жительство. Потом мы благодарим за подарки и книгу и уходим, пока не стемнело.

Мы с Домиником шагаем к самому высокому месту деревни и через заросли выходим на открытые поля, которые тянутся за деревней. Всего пять минут назад мы были в центре Нэшли, а сейчас уже в начале круговой тропы возле соседней деревни Торнборо. Это не очень длинное путешествие — всего несколько миль, но я не была здесь уже много лет и, уж конечно, не была здесь после переезда, что само по себе является преступлением. Возможно, если бы у меня была собака, а не ленивый кот, то я гуляла бы больше.

Под ногами грязь, и я рада, что на ногах у Доминика кроссовки. Пальто он не надел. Мы направляемся через поля. Я больше не беспокоюсь, что Арчи сопровождает нас везде, куда бы мы ни пошли. Кажется, кот тоже не возражает.

В полях тут и там виднеются овцы, и, когда мы проходим мимо, я говорю:

— Для них мне не нужна книга. Это овцы.

— У нас дома нет овец. В Мара нет овец, — говорит Доминик. — Есть рогатый скот. Козы. А вот овец нет. Я узнал что-то новое.

— С птицами труднее, — говорю я.

— А с деревьями?

— Хмм. — Я оглядываюсь вокруг, пока мы идем. Я могу узнать дуб или лесной бук, а в остальном мои знания деревьев — полный ноль. Должно быть, пропустила урок в школе, если он вообще когда-либо был. — Зимой сложнее, поскольку почти нет листьев. Возможно, нам придется дождаться лета, чтобы узнать деревья.

— Ты должна определять их по форме, по коре, Просто Дженни.

— На самом деле я почти не смотрю на деревья.

— Но ты должна.

— Где мне взять время?

— Ты едешь так далеко, в Африку, чтобы посмотреть на животных и птиц, но не видишь своих?

— Это совсем другое дело.

— Нет. Ваши животные такая же экзотика для меня, как львы и гепарды для тебя.

— Я знаю овец!

Доминик смеется и берет меня за руку.

— А кроме них?

Мы поднимаемся на вершину холма, затем спускаемся в долину. По маленькому деревянному мостику переходим через ручей. Доминик легко несет меня на руках по ступенькам на мост, а затем с моста на землю.

Мы идем вдоль реки, вьющейся через луг.

— Вон цапля, — говорю я.

Стройная серая птица идет по мелководью в поисках обеда. Арчи на плечах Доминика мяукает, проявляя интерес.

— Шшш, кот, — говорит Доминик. — Не спугни ее.

— Я всегда думала, что они в Англии не на своем месте, — шепчу я. — Они выглядят так, будто их место в Китае или где-то в тех краях.

Пока мы наблюдаем за цаплей, над водой проносится какая-то синяя стрела.

— Зимородок, — взвизгиваю я. — Я их не видела уже много лет. Они великолепны. Ты его заметил?

— Красивый, — соглашается мой возлюбленный.

Мы ждем, но не вознаграждены за ожидание еще одним появлением этой птицы, и начинаем торопиться домой, потому что скоро стемнеет.

Дорога идет вдоль старого, давно высохшего канала. Кирпичные стенки и шлюзы еще на месте, но все остальное заросло травой и кустами. Я объясняю Доминику, что мне очень мало известно о наших каналах.

Мы все идем и идем, и дорожка выводит нас к открытой воде. Это озеро в форме капли, которое считается заповедным. У самого края воды есть удобная скамья, и мы пользуемся минуткой, чтобы передохнуть. Солнце висит очень низко, тени вытянуты. На воде много проявлений жизни. Туда-сюда мелькают крошечные лазоревки и еще какие-то маленькие коричневые птички. Я достаю книгу о природе и листаю страницы.

— Зяблики, — говорю я Доминику. — А это шотландские куропатки. А вот лысухи.

Как печально, что я не знаю почти ничего, если не посмотрю в справочник. Доминик, если и знает какую-либо из этих птиц, не говорит мне.

Над нашими головами собираются скворцы, летая взад и вперед, разделяясь на группы и опять объединяясь, пока не образуется огромная стая, которая заполняет все небо. Она движется взад и вперед, меняя свою форму. Вот она похожа на кита, а в следующий момент — на птицу с распростертыми крыльями. А еще через минуту тысячи птиц образуют сердечко.

— О, — с восторгом говорю я.

Доминик обнимает меня за плечи.

— Это ли не красота, Просто Дженни?

— Настоящая красота.

И только этот замечательный мужчина с другого континента показал мне, какой захватывающей может быть моя собственная страна!

Глава 72

Когда вы приближаетесь ко входу в снежную зону спортивно-развлекательного комплекса, вы чувствуете холод. Даже для меня, местной жительницы и завсегдатая, здесь все кажется удивительным, а для Доминика, который никогда прежде не видел снега, все должно быть настоящим чудом. Его глаза широко раскрыты от удивления.

В снежной зоне — один из самых больших в Европе крытых спусков. Стеклянная стена обрамляет его с одной стороны, и мы видим снежный склон во всей красе. Здесь есть два подъемника, и оба уже заняты лыжниками и сноубордистами в яркой одежде, которые направляются к вершине.

— Это снег? — спрашивает Доминик, прижимая руку к окну.

— Да. — С Рождества были только дождь и холод. Слава богу, в этом году не было позднего снега.

— У вас он в помещении?

— Да, и можно кататься на лыжах в праздники и выходные. Такие, как мы, приезжают сюда, потому что здесь весело.

У Доминика такой вид, будто он не может понять, о чем я говорю.

— Нам надо взять снаряжение, — говорю я и тащу его прочь от завораживающего зрелища, чтобы присоединиться к нашей компании.

— ПРИВЕТ. ДОМИНИК, — кричит ему Нина.

— Привет, — вежливо отвечает он. — Как дела?

— С. НЕТЕРПЕНИЕМ. ОЖИДАЕШЬ. КАТАНИЯ. НА. СНОУБОРДЕ?

— Да, с очень большим.

Я разочарована тем, что моя подруга привела Джерри — и это после всего, что случилось! Предполагалось же, что он на какой-то «деловой конференции». Возможно, его любовница не смогла избавиться от мужа и все отменила в последнюю минуту. Стоя в очереди на оплату и получение комбинезонов и сноубордов, я быстро киваю ему в качестве приветствия, а он в ответ самодовольно улыбается. Будет трудно избегать его весь вечер, но я обязательно это сделаю. «Зачем Нине понадобилось приводить его, — думаю я. — Почему раз в жизни она не могла оставить его дома?»

Пока я ворчу про себя, мы продвигаемся к стойке, где выдают снаряжение. Видно, что Доминика смущает сам процесс, но он берет то, что протягивает ему девушка.

Доминик быстро учится. Сегодня он оставил *shuka* дома и пошел в одежде, которую ему купила. Мне даже не пришлось говорить ему об этом. Он уже разузнал, что, хотя жители деревни с готовностью принимают его в традиционной одежде, другие жители Милтон-Кинса могут быть не слишком готовы к этому. Мне остается только надеяться, что комбинезон окажется ему впору, а брюки не будут болтаться выше лодыжек.

— Сегодня нет головного убора из перьев, приятель? — говорит Джерри и ржет.

— Он только для совершенно особых случаев. — И опять ответ Доминика безукоризненно вежлив.

За Доминика я хотела бы избить Джерри до полусмерти. Мне очень не нравится, что нам придется разойтись по отдельным раздевалкам, потому что тогда Доминик останется на милость Джерри. Не хочу ни на секунду выпускать Доминика из вида. Очень жалко, что Майк не смог пойти с нами, но сегодня после ужина с клиентом он вернется поздно. Если бы он был здесь, я бы справилась. Поэтому я притягиваю к себе Тайрона и шепчу ему:

— Присмотри за Домиником, пожалуйста. Убедись, что он оденется как следует.

— Конечно, — говорит он. — Никаких проблем.

— *Hakuna matata.*

— Что?

— Это на суахили. Означает «нет проблем».

— Круто, — говорит Тайрон.

Теперь я думаю — несколько поздно, конечно, — что должна была записать Доминика на какие-нибудь групповые занятия еще до того, как привела его в снежную зону со всеми остальными. Эти занятия надо было пройти всем нам, чтобы получить квалификационное свидетельство, или как оно там называется. Возможно, Доминик сможет просто походить у основания склона, а я буду помогать советами. Тай и Клинтон выучились очень быстро и теперь могут нестись по склону как профи, поэтому они, может быть, покажут ему, что надо делать. Наконец снаряжение получено, и мы идем в раздевалки.

— С тобой все будет в порядке? — с тревогой спрашиваю Доминика.

— Да, Просто Дженни, — с улыбкой отвечает он. — Не волнуйся.

Но все равно я с беспокойством смотрю ему вслед, пока он не исчезает из вида. Джерри подходит ко мне.

— Для него это немножко не то, что рукопашная со львами, а? — смеется он и идет следом за Домиником в раздевалку.

Я советую ему засунуть свой чертов сноуборд туда, куда не проникают лучи солнца. Жаль, что муж моей подруги уже меня не слышит.

Глава 73

Каждый раз, когда я прихожу сюда, меня поражает, как здесь холодно. У Доминика, я думаю, настоящий шок. Сегодня он опять окажется на холоде, при температуре ниже ноля. Держу пари, он рад, что одет в комбинезон и теплую куртку, а не в свой обычный тонкий хлопковый *shuka*.

Он стоит у основания склона. Во взгляде — благоговейный страх. В руках он сжимает сноуборд. Мое сердце стремится к нему. Как же далеко отсюда его родной дом!

Я обнимаю и целую его.

— Хочешь попробовать?

— О да. — Он внимательно смотрит на лыжников и сноубордистов.

Все идут к подъемнику, а Тай подходит к нам.

— Хочешь несколько советов, Доминик?

— Да, пожалуйста.

Тайрон показывает ему, как надеть шлем, чтобы он сидел как надо; как застегнуть крепления; как стоять на доске. Потом учит Доминика перемещать свой вес вдоль доски, опуская и поднимая пятки и пальцы ног. Доминик стоит и смотрит на каждое движение Тая, и видно, что запоминает все.

— Попробуй, — предлагает Тай. — Начни полегоньку.

Доминик пробует несколько движений, и у него получается на удивление хорошо. А вот когда я брала уроки для начинающих, то большую часть времени проводила на снегу вверх тормашками.

— Круто, — говорит Тай и показывает Доминику, что надо делать, чтобы заставить доску повернуть направо или налево. — Хочешь немного подняться? — спрашивает Тай и идет вперед.

Здесь есть короткий детский подъемник — «ковер-самолет»[1]. Я поднимаюсь следом за ними, и вот мы все стоим рядом на снегу.

— Ладно, — говорит Тай. — Давай сделаем это.

Доминик становится на доску, пристегивается, как ему показали, но на ногах держится неустойчиво.

— Ух ты, — вырывается у него, когда он начинает скользить вниз.

---

[1] Подъемник «ковер-самолет» — конвейерный подъемник. Представляет собой гибкую движущуюся дорожку.

Уголком глаза я вижу, что все мои коллеги остановились и смотрят на него. Джерри показывает на Доминика
пальцем и хихикает. Он занимается сноубордингом много
лет и, конечно, уже забыл, как чувствует себя начинаю-
щий. Надо отдать должное Доминику, он съезжает целым
и невредимым, все время улыбаясь, движется элегантно
и почти без ошибок. Я скольжу позади него и, когда поворачиваю, то чувствую, будто мои суставы заржавели.
В снежной зоне все мы были много месяцев тому назад.

— Отлично, приятель! — говорит Тай и «дает пять»
Доминику. — Давай повторим.

Так мы и делаем. И каждый раз Доминик спускается
все увереннее и оказывается внизу невредимым.

— Ты молодец, — говорит Тай. — Пойдем к подъемнику.

— О нет, нет. — Я останавливаю Доминика за руку. — Думаю, рановато.

— Мне очень нравится, Дженни, — говорит мой воин масаи. На его лице радость, а глаза горят от волнения. — Я хочу забраться повыше.

— Не чувствуй себя так, будто должен доказывать
что-то этим людям. — Особенно этому абсолютному при-
дурку Джерри, хочу добавить я. — Это не соревнование.

Может быть, даже хорошо, что Доминик лучший
прыгун в своей деревне, но я не уверена, что эти навыки
пригодятся ему на высоком склоне. Мне кажется, он из-
лишне самонадеян, а гордыня, особенно на снегу, всегда
предшествует падению. Однако, несмотря на мои опасения, мы идем к подъемнику следом за Таем, и он быстро
показывает Доминику, как отстегнуть ногу от сноуборда
и вспрыгнуть на тарелку подъемника. Несколько минут
мы смотрим, как это делают другие, и вдруг Джерри влезает в очередь перед нами.

— Кто последним окажется наверху, тот слюнтяй, —
подначивает он.

— Дебил, — бормочу я шепотом.

— Перекинь ногу через тарелку, а доску держи вдоль троса. Сам оставайся немного сбоку. — Тай продолжает инструктировать Доминика, пока очередь медленно продвигается. — Не ставь доску поперек, иначе зацепишься и вылетишь с подъемника. Готов?

Доминик кивает. Через секунду мы уже на подъемнике и движемся вслед за остальными вверх по склону. У меня дрожат колени, но, несмотря на это, мы без приключений поднимаемся все выше и выше.

Наверху мы идем вдоль вершины склона. Доминик смотрит вниз.

— Ты не обязан этого делать, — говорю я. — Мы можем отстегнуть доски и пройти часть склона пешком.

Доминик поворачивается ко мне, и его глаза горят еще больше.

— Кажется, это очень весело, — говорит он, и прежде, чем я могу дать ему еще один мудрый совет, он уже скользит вниз. Я смотрю на него. Сердце колотится у меня в горле, пока он мчится вниз, делая резкие повороты. Мы с Таем смотрим друг на друга.

— Ну ничего себе, — ошарашенно говорит Тай.

— Да уж. Либо ты выдающийся учитель, либо он чертовски быстро учится.

— Так последуем за ним, — предлагает Тай, и мы змейкой скользим вслед за Домиником.

Глава 74

Мы оплатили два часа пребывания здесь, и уже в конце первого часа Доминик держится на сноуборде так, будто тренировался с детства. Остальные подбадривают его, и только Джерри болтается где-то сзади и злится.

Доминик опять со свистом спускается со склона, и я обнимаю его.

— Ты великолепен, — говорю я, и он взволнованно смеется.

— Я никогда не проводил время так весело, Дженни. Спасибо, что привела меня сюда.

Тай «дает ему пять».

— Ты лучше всех, приятель!

Тут опять вылезает Джерри.

— А посмотрим, кто выше прыгнет с трамплина!

Доминик пожимает плечами.

— Я не знаю, что это.

Зато я знаю. В середине склона есть огромный бугор из снега, и смысл в том, что вы прыгаете с него, как с трамплина, пытаясь пролететь над склоном как можно выше. Но очень велика опасность упасть на голову, сломать руку или вывихнуть ногу.

На лице Джерри появляется хитрая усмешка, и он говорит:

— А я тебе покажу.

Я выхожу вперед.

— Я так не думаю.

— Боишься, что твой мальчик упадет? — глумится он.

— Доминик все делает прекрасно. Оставь его в покое.

— Раз так, — говорит Джерри, поднимая руку, — если ты не думаешь, что он сможет...

— О, да повзрослей же, наконец, — говорю я.

— Вообще-то я хотел бы попробовать. — Доминик идет к подъемнику, и Джерри усмехается.

— Ты в игре.

— Будь осторожен, Доминик, — предупреждает Тай. Он встревоженно смотрит на меня, и, в общем-то, есть почему.

Не в силах сдержаться, я хватаю Доминика за руку.

— Он дразнит тебя. Нет нужды делать это. — И опять я жалею, что здесь нет Майка. Я думаю, что он, как голос разума, смог бы отговорить Доминика от этого безумия. — Ты до сегодняшнего дня даже не видел снега, и у тебя все прекрасно получается. Не испорти ничего. Ты же и вправду можешь пораниться. Брось это, пока все идет отлично.

— Со мной все будет в порядке, Просто Дженни, — уверяет он меня. — Вот увидишь.

Понимает ли он, что пытается сделать Джерри? Или, может быть, понимает, но чувствует, что должен принять вызов?

Что бы это ни было, наивность или бравада, но я чувствую подступающую тошноту.

— Джерри, — говорит Нина, — не делай этого. — Даже она раз в жизни может понять, что ее муж полный кретин.

Но Джерри только смеется ей в лицо, а потом они с Домиником становятся в очередь к подъемнику.

— Это глупо. — Во мне нарастает гнев. — Совершенно глупо.

Мы смотрим, как они поднимаются к вершине. Через минуту Джерри уже на огромной скорости несется прямо на трамплин. Доминик устремляется за ним.

— Не могу этого видеть, — говорю я, и, пока все остальные смотрят, разинув рты, я закрываю лицо руками и подглядываю между пальцами.

Джерри взлетает и благополучно приземляется у основания склона.

— Как высоко, — с восхищением говорит Тай.

И не успеваем мы вздохнуть, как Доминик, наезжая на трамплин, выкрикивает свой высокий звук. Все, кто здесь есть, останавливаются и смотрят на него. Мое сердце поднимается в горло, когда он взлетает. Я отворачиваюсь, не в силах выносить напряжение, и слышу восторженные крики и аплодисменты.

Поворачиваюсь я как раз в тот миг, когда Доминик планирует с большой высоты и безукоризненно приземляется.

Тай стоит, широко открыв глаза. Он совсем ошеломлен.

— Большая высота, — говорит он, потрясенный увиденным. — Большая, огромная высота.

— Правда? — Я убираю руки от лица и теперь рискую взглянуть.

— О, мой бог! Этот парень умеет прыгать!

А я думаю, что все часы, которые он провел, занимаясь прыжками в Масаи-Мара, очень ему пригодились — правда, в другой области.

— Да он в десять раз лучше Джерри, — говори Тай, и лицо его сияет от счастья.

Доминик смеется во все горло, подъезжая и останавливаясь перед нашей группой. Все толпятся вокруг него, восхищаясь успехом, хлопая его по спине. Слышен взрыв аплодисментов других лыжников. Джерри, напротив, выглядит не больно-то довольным. Я смотрю на него и натыкаюсь на его взгляд.

— Повезло, — говорит он мне одними губами.

— Так тебе и надо, — также одними губами отвечаю я.

Джерри плетется в раздевалку один, а я подхожу к Доминику и сжимаю его в объятиях, чувствуя огромное облегчение.

— ОТЛИЧНО. ПРЫГНУЛ, — кричит Нина, как всегда, когда обращается к моему возлюбленному.

— Я хочу закончить катание, — говорит Доминик, обнимая меня за плечи. — Это было удивительно.

— Мы должны еще разок приехать сюда, — говорит Тай. — Ты звезда, дружище!

— Мне бы этого хотелось. — И Доминик опять «дает пять» своему тренеру.

— Я очень рада, что ты не пострадал при приземлении, — говорю я, когда все отошли настолько, что не могут нас услышать.

Доминик отстегивает свой сноуборд и подмигивает мне.

— Я тоже, — говорит он.

Глава 75

В раздевалку я вхожу вместе с Ниной, чувствуя себя ошалевшей от эйфории.

Мало того, что Доминик принял вызов, он еще и победил! Теперь я на седьмом небе. Я чувствую себя такой же высокой, как Доминик, и не могу перестать безумно улыбаться. Он авантюрист, сноубордист, воин масаи — и я люблю его за это! Мы с подругой плюхаемся на скамью и со вздохом облегчения стягиваем ботинки. По сравнению с тем, как холодно было на склоне, здесь жарко, как в настоящей сауне, и я спешу снять куртку.

— Доминик великолепно справился, — неохотно признает Нина. Видно, что она все еще под впечатлением от увиденного. — Уж точно стер улыбку с лица Джерри.

Я не говорю ей, что еще сержусь на ее придурочного муженька — ведь это он втравил Доминика в соревнование. И очень повезло, что благодаря врожденной ловкости и отличным навыкам балансировки мой воин масаи победил и не поранился.

— У него, конечно, есть все, что нужно, — продолжает Нина. Возможно, она не особо любит Доминика, но, кажется, наконец-то принимает его.

— Рада, что ты так считаешь. — Я снимаю комбинезон, выуживаю из шкафчика джинсы и натягиваю их.

— Думаешь, он задержится здесь?

Поскольку у нас сейчас период сердечного согласия, то пусть Нина узнает мои новости. Я набираю побольше воздуха.

— Мы собираемся пожениться!

После этих слов она замирает, изумленно глядя на меня.

— Что?

— Мы собираемся пожениться, — повторяю я. — Как только сможем.

Она ахает.

— Ты спятила!

Я закусываю губу и впиваюсь ногтями в ладонь.

— Обычно на такую новость отвечают поздравлениями, за которыми следуют бурные объятия. — Теперь я сержусь. Даже больше, чем сержусь. Я в ярости. — Мне показалось, ты только что сказала, что он тебе нравится.

— Сказала. Но он не вариант. Давай взглянем правде в глаза.

В эту минуту она говорит почти так же, как и ее тупой муж.

— Почему нет?

Нина вздыхает, с усталым видом стягивая комбинезон.

— Ему нужно только одно, Дженни. Не пройдет и пяти минут после вашего брака, как он подаст иск на развод. Попомни мои слова. Сейчас он, может быть, сама сладость и свет, но потом он попытается отнять у тебя половину дома и половину всего, что у тебя есть.

— Доминик вовсе не такой.

— Ну почему ты этого не видишь? — Нина сбрасывает куртку. — Все так думают.

— Кто эти все? Никто другой не знает Доминика так хорошо, как я.

— Тебе в лицо они могут притворно говорить, что любят его, Дженни, но думают, как я. Подожди, сама увидишь. Все начнется достаточно невинно, ты просто будешь время от времени посылать деньги, чтобы помочь его семье...

Она смотрит на меня, и мое лицо, видимо, выдает меня.

— Вот-вот, — говорит она. — Похоже, это уже происходит.

— Мы послали им несколько вещей и немного денег, — возражаю я. — И это предложила я. У Доминика даже и в мыслях этого не было. И почти все будет потрачено на лекарства. Я ни о чем не жалею, Нина. Если бы ты только видела, как мало у них всего, ты почувствовала бы то же самое.

Она пожимает плечами, отвергая мое объяснение.

— Я только говорю, что так это и начинается.

— Ты ошибаешься насчет Доминика, — твердо говорю я. — И очень сильно. Неужели ты не видишь в нем того, что вижу я?

— Могу согласиться, что парень во многом великолепен, — продолжает подруга, и ее тон становится более раздражительным, чем мне бы хотелось. — Но уж если тебе хочется чего-то экзотического, то для этого есть много веб-сайтов, Дженни. Ты не должна заходить так далеко. Даже не думай о том, чтобы удержать Доминика, тем более выходить за него замуж.

— Не могу поверить, что ты и вправду это сказала. — Я хлопаю дверцей шкафчика, едва сдерживая свой гнев, и выдергиваю ключ.

— Из него вряд ли получится прекрасный муж только потому, что он прирожденный сноубордист.

— Тогда из кого получается прекрасный муж, Нина? Из того, кто не может оставаться верным своей жене больше десяти минут подряд? Или из того, кто начинает клеиться ко всем твоим подругам — даже к твоей лучшей подруге! — стоит тебе на минуту оставить его без присмотра? А иногда он даже обходится и без этой малюсенькой любезности, Нина, и делает все прямо у тебя на глазах. Так, значит, это Джерри прекрасный муж? — Я уже очень тяжело дышу. — Как ты смеешь критиковать Доминика! Он добрый, внимательный, веселый и очаровательный. И я бы доверила ему свою жизнь. А ты можешь сказать все это о своем муже?

— Ты не можешь сравнивать его с Джерри, ради бога.

— Уж точно не могу, — соглашаюсь я. — Джерри — вечно обманывающий тебя бабник. — Возможно, у него и был некоторый шарм, хочу крикнуть я, но этого не достаточно, чтобы компенсировать то, что он полный ублюдок. — Что ты в нем находишь?

— По крайней мере, он работает, — говорит Нина. — Он держится на работе. Он не живет за мой счет, посылая деньги какой-то нуждающейся семье, живущей в какой-то подозрительной стране. Доминик уйдет, Дженни. И ты никогда его больше не увидишь. Он исчезнет в ту же минуту, как только обчистит тебя. В этом уверены все. Ты одна не хочешь этого понять.

У меня за спиной кто-то едва слышно закрывает дверь раздевалки. Мой инстинкт подсказывает мне, кто это. Я мигом бросаюсь к двери и вылетаю в коридор. Конечно же, там стоит Доминик.

— Доминик!

— Я слышал, что она говорила, Просто Дженни. — Его глаза наполнены печалью. — Я все слышал.

Глава 76

— Ну, пожалуйста, — умоляю я его. — Не обращай на нее внимания. Она мстительна и ревнива.

Я забираю свое снаряжение, полностью игнорируя Нину, а потом увожу Доминика из снежной зоны, крепко держа его за руку и избегая встреч с коллегами. Моя кровь кипит. Не могу даже вспомнить, когда я была так сердита.

Во время поездки домой Доминик сидит очень тихо. Он смотрит в окно, а на лице у него изумленное, страдающее выражение. Я и сама так расстроена, что едва могу думать о том, как вести машину. Но, если я не буду осторожна, мы окажемся в канаве. Опять идет дождь, и из-за раздражающего щелканья дворников по ветровому стеклу мне хочется скрипеть зубами. Я пытаюсь сосредоточиться на дороге, но вот-вот могу разрыдаться, а потом закричать что есть сил.

— Она не то хотела сказать, — говорю я, переключая передачу.

— Думаю, именно то, — возражает Доминик.

— Возможно, — соглашаюсь я. — Но она ошибается. В том, что она сказала, нет ни слова правды. Я это знаю. Ты это знаешь. Только это и важно.

— В моей деревне у меня была хорошая репутация. Старшие уважали мое мнение. Они гордились тем, что я ходил в школу. Вся община относилась ко мне с почтением. Поскольку я воин масаи, причем образованный, мной восхищались и мне завидовали. А здесь я не понимаю, каково мое место в обществе.

— Но все в деревне любят тебя, — напоминаю я ему. — Посмотри на пожилых леди, которые хлопочут вокруг тебя, как наседки. Они же не думают, что ты собираешься забрать мои деньги.

Один бог знает — у меня едва ли осталось хоть что-то, так что и забирать-то нечего.

Доминик выглядит опустошенным. Очень тяжело видеть его таким, особенно после того как мы прекрасно провели вечер, а Доминик оказался настоящей звездой снежной зоны.

— То, что сказала Нина, позорит меня. Если бы такое случилось дома, если бы моя репутация была так запятнана, я был бы вынужден уйти и жить на равнинах в одиночку.

— Но здесь не так. Здесь вообще все по-другому. Мы просто думаем: «Ну так черт с ними», и живем дальше. Правда, так мы и делаем.

— Моя семья, мои любимые захотели бы, чтобы я ушел. Они были бы рады, если бы я унес свой позор от их двери.

Ну как мне объяснить Доминику, что это просто буря в стакане, что на самом деле мне наплевать на то, что думают о нем мои коллеги! Но я вижу, что это тяжелым грузом лежит у него на сердце. Что бы я ни сказала Доминику, легче ему не станет.

— Если я навлек позор на себя, то навлеку его и на тебя. Сельские жители, твои друзья, перестанут любить тебя.

— Да мне все равно, что думает о нас с тобой кто-то другой. Пожалуйста, не зацикливайся на этом. Я никому не дам испортить то, что есть у нас. Я уйду с этой работы и займусь чем-нибудь еще, — говорю я. — Я и так уже об этом думала. Они все сводят меня с ума. И тогда мне не придется видеть ни Нину, ни остальных. Мы сможем завести новых друзей, друзей из деревни. А когда ты начнешь работать, то заведешь друзей и на работе.

— А что, если все они думают, что я плохой человек? Что, если все они думают, будто я хочу забрать у тебя твой дом и твои деньги? Вдруг они всегда будут смотреть на мою кожу и одежду и относиться ко мне подозрительно?

— Они не будут. — Я хватаю его за руку и сжимаю ее. — Не будут.

Кажется, я его не убедила.

— У Нины полно проблем с мужем. Вот и все. Она не может доверять Джерри, их отношения рушатся. Она просто не может вынести, что кто-то другой счастлив.

— Она — твоя лучшая подруга.

— Была лучшей подругой. Если она и дальше будет так себя вести, то я вообще не буду иметь с ней никаких дел.

— Но ты не должна разрушать вашу дружбу.

— Это не я ее разрушаю, Доминик, а она, потому что ведет себя как круглая дура.

Я подъезжаю к нашему дому. Дождь уже хлещет вовсю, и я рада, что мы целыми и невредимыми добрались домой.

— Я приготовлю тебе теплого молока, — утешаю я Доминика. — А потом мы посидим у камина и поговорим обо всем.

Он нерешительно открывает дверцу машины и выходит под дождь.

— Я должен это обдумать, — говорит он. — Я должен подумать о том, что будет лучше всего.

Я открываю входную дверь и говорю:

— Не надо ничего делать. — Арчи сбегает по лестнице и, счастливо мурлыча, крутится у нас под ногами. Я поворачиваюсь и обнимаю своего возлюбленного. — Мы просто будем жить, как жили, любить друг друга, планировать нашу свадьбу.

— В деревне я бы поговорил о своих страхах со старейшинами. Здесь у меня никого нет.

— У тебя есть я. И Майк. Хочешь, я позову Майка? Как думаешь, ты сможешь поговорить с ним?

— Нет, он европеец. Он скажет то же самое, что и ты. Я должен обдумать все сам. Пойду в сад.

— Тебе нельзя сидеть в саду. Дождь льет как из ведра. Ты простудишься и умрешь. Пожалуйста, ложись в кровать.

Он качает головой.

— Чтобы подумать, я должен быть один.

— Нет, — умоляю я. — Думай вместе со мной. Мы будем думать вместе. Не выходи под дождь, Доминик.

Но он идет наверх и мгновение спустя приходит в своем *shuka*.

— Доминик, но ты же не можешь выйти вот так, в этом! — Я показываю рукой на дождь, ручьями стекающий по окнам. — Прими ванну, замечательную теплую ванну. Она поможет тебе расслабиться.

— Ложись в кровать, Дженни, — говорит он. — Я скоро вернусь.

— Ты пугаешь меня, Доминик. Всего лишь одна из моих подруг оказалась злобной. Мы вполне можем обойтись без нее. Мы легко можем обойтись и без остальных. Ты единственный, без кого я не могу жить.

— Может быть, тебе будет лучше без меня. Кажется, они все так думают.

— Но не я. Я так не думаю. Имеет значение только то, что хотим мы сами.

— Иди в кровать, — повторяет Доминик. — Я скоро вернусь.

Я смотрю, как он выходит в ночь под ледяной дождь в одной только тунике. Арчи, неуверенно взглянув назад, в теплую кухню, выходит за ним следом. Даже кот собрался промокнуть до костей!

Доминик тихо закрывает дверь. Из окна, по которому текут струи, я вижу, как он идет по промокшему саду, и с каждым шагом тонкий хлопок его *shuka* темнеет от воды. В дальнем углу есть скамья под свисающими ветвями дерева — может быть, это ива, — и я вижу, что Доминик устраивается там.

Арчи вспрыгивает на скамью рядом с ним, и я надеюсь, что дерево будет им хоть каким-то укрытием. Ну почему Доминик не взял зонтик или пальто?

— Чертовы мужчины, — бормочу я. — Столько сил на них тратишь, и все впустую...

Но, конечно, на самом деле я так не думаю. Я вовсе так не думаю.

Глава 77

Хотя уже поздно, я сижу на диване и смотрю какую-то пустую передачу. Завтра утром мне надо быть в салоне, и если я не высплюсь, то ни на что не буду годна.

В два часа ночи я просыпаюсь среди диванных подушек. У меня онемели нога и обе руки. Изо всех сил я стараюсь сесть прямо, а потом пытаюсь оживить конечности, массируя их. Дрова в камине прогорели до угольков, и в коттедже холодно. Заставив себя встать, я плетусь на кухню и всматриваюсь в окно. Доминик все еще сидит в саду. С небес по-прежнему льются потоки воды, и я с трудом различаю красный цвет его *shuka*.

Я вздыхаю, наливаю чашку молока и ставлю ее в микроволновку. Потом иду в подсобку за резиновыми сапогами и большой курткой. Беру зонтик и отправляюсь в сад, по пути раскрывая зонтик. Дождь барабанит по ткани. Доминик поднимает взгляд, когда я приближаюсь к нему.

Я сажусь перед ним на корточки и с улыбкой говорю:

— Должно быть, ты уже достаточно подумал?

Он отвечает мне улыбкой:

— Да, достаточно.

— Теперь вернешься в дом?

Он кивает.

— Я согрела для тебя молоко.

Арчи по-прежнему лежит, свернувшись и подвернув под себя лапки, но теперь смотрит с облегчением, потому что его ночное приключение подходит к концу.

Доминик встает и потягивается. Когда я касаюсь его руки, то чувствую, что его кожа холоднее льда.

— Тебе повезет, если ты не простудишься. — Он не отвечает. — Теперь тебе лучше?

— Да, теперь я знаю, что должен сделать.

— Расскажешь?

Доминик отрицательно качает головой, а потом говорит:

— Ты должна знать, что я люблю тебя, Просто Дженни. *Aanyor pii*. Всем моим сердцем, навсегда.

Я притягиваю его к себе и заглядываю в глаза.

— *Aanyor pii*. — Положив голову ему на грудь, говорю: — Пойдем. Выпьешь молока, а потом мы с тобой пойдем спать. В семь часов мне надо вставать.

— Прости, что нарушил твой сон.

— Не говори так, — отвечаю я. — Я беспокоюсь о тебе. Не хочу, чтобы ты один боролся с проблемами. Если мы хотим прожить вместе всю жизнь, то и разбираться с ними нам надо вместе.

Взяв его за руку, я нежно тяну его в дом, в тепло. В кухне заставляю его снять *shuka* и вытираю теплым полотенцем его крепкое мускулистое тело, поражаясь тому, как оно красиво. Я целую его там, где вытерла воду, и вздыхаю от удовольствия, когда думаю, что могла бы делать это всю оставшуюся жизнь. Тело Доминика отвечает мне, и я понимаю, что он тоже наслаждается.

Арчи сидит у его широких босых ног и ревниво жалуется на недостаток внимания. Закончив с Домиником, я вытираю полотенцем кота, а он жалобно мяукает.

Мы все идем наверх, и я крепко прижимаюсь к Доминику.

— Ты промерз, — шепчу я. — Как мне согреть тебя?

В полутьме я вижу, как черты его лица смягчаются, и он оказывается надо мной. Мы занимаемся любовью долго, не спеша. Мне вовсе не хочется, чтобы это закончилось. На часы я не смотрю.

Потом я лежу в его объятиях и чувствую себя на небесах, вправду на небесах. Что бы остальные ни говорили об этом мужчине, я точно знаю, что его любовь стойкая, непоколебимая, что он никогда не сделает ничего, чтобы ранить меня, и что мне никогда даже на секунду не придется сомневаться в нем.

— Я люблю тебя, — бормочу я куда-то мимо его ушей. — Я очень люблю тебя.

Доминик убирает волосы с моего лица.

— Я тоже тебя люблю, — говорит он. — Что бы ни случилось, я тебя люблю.

Это последнее, что я слышу, погружаясь в глубокий счастливый сон.

Глава 78

Радио будит меня песней «Тот, кто верит в мечту», которую поют «Манкис»[1] в своем веселом стиле шестидесятых годов. Я протягиваю руку к Доминику, но нахожу на кровати только пустое место. Заставляю себя открыть

---

[1] «Манкис» — американский поп-рок-квартет.

глаза — его нет. Мы заснули, должно быть, часа в три или около того, и я чувствую себя смертельно уставшей. Я потягиваюсь, лежа на спине.

Стоит мне лишь подумать о ночных любовных ласках, как все мое тело начинает дрожать. Я все еще чувствую Доминика внутри себя, чувствую его тело, прижатое к моему, и хочу, чтобы он повторил все это снова. Я точно знаю, что никогда в жизни не чувствовала себя такой удовлетворенной, такой любимой женщиной, и мнение чужих людей меня нисколько не волнует. Если *это* не настоящая любовь, то что же такое настоящая?

Песня заканчивается, и я заставляю себя сесть. Сегодня утром я не буду нежиться в постели. В девять часов, минута в минуту, я должна стричь и укладывать феном волосы моей первой клиентки, а затем у меня расписан весь день — ни одной свободной минуты, даже на обед нет времени.

Надеюсь, что Доминик делает свой обход деревни, проверяя, все ли в порядке у пожилых дам. При этой мысли не могу удержаться от улыбки.

Но тут замечаю Арчи — он лежит, свернувшись клубочком, в ногах кровати, и мгновенно просыпаюсь. Кот здесь, а Доминика нет, — значит, случилось что-то ужасное. У меня проваливается сердце, и я инстинктивно, без тени сомнения, понимаю — Доминик ушел.

Вскочив с кровати, натягиваю халат. Кот неохотно шевелится.

— Где он? — спрашиваю я своего кошачьего друга. — Ты знаешь, куда он пошел?

Но Арчи так же ошеломлен отсутствием нашего мужчины, как и я.

Лечу вниз и просто на всякий случай проверяю все комнаты.

Но я уже поняла. Сердцем поняла, что его здесь нет. В кухне нет его *shuka*, и ручка от метлы не стоит на своем обычном месте в подсобке. Я должна была еще вчера понять, когда он заговорил о необходимости уйти из деревни и жить в изгнании, если он опозорен. О, черт возьми! Я дура, просто дура! Почему до меня сразу не дошло, о чем он говорил?

И в этот момент рядом с кошельком, вынутым из моей сумочки, я замечаю записку. В ней всего три слова: «*Aanyor pii*. Доминик».

О боже! Я хватаюсь за стол, чтобы не осесть на пол.

Выбегая в переулок, начинаю звать:

— Доминик! Доминик!

Я мечусь по деревне, как угорелая, но его нигде не видно. Сколько времени прошло с той минуты, как он ушел? Куда он пошел? Я ничего не знаю. Мой возлюбленный уходил от меня, а я спала, блаженствовала в грезах и ничего не услышала. Когда я добегаю до почтового отделения, там человек шесть забирают свои утренние газеты, и я спрашиваю их:

— Никто не видел Доминика?

Все качают головами.

— Нет, — говорит из-за прилавка миссис Эпплби. — Все хорошо, Дженни?

— Нет, — отвечаю я. — Вовсе нет.

— Чем-нибудь могу помочь, милочка? — Она хмурится.

— Доминика нигде нет. Если вы его увидите, отправьте домой, пожалуйста.

Я бегу обратно и снова кричу и кричу его имя, но, где бы ни был Доминик, из Нэшли он давно ушел. Что делать? Что мне теперь делать? Как найти его? Как уговорить вернуться?

Я уже задыхаюсь от бега и вижу, как из своего дома выходит Майк, чтобы отправиться на работу.

— Майк! — кричу я.

Увидев меня, он в шоке делает шаг назад.

— Что ты делаешь в одном халате при такой погоде, Дженни? У тебя все в порядке?

Подбегая к нему, я качаю головой.

— Доминик, — говорю я и в изнеможении падаю на Майка. Только теперь из моих глаз начинают литься слезы. — Он ушел.

Майк удерживает меня, отодвигает на некоторое расстояние и внимательно смотрит мне в глаза.

— Доминик ушел? Куда?

— Не знаю, — признаюсь я. — Понятия не имею. Как можно дальше от меня. Это все, что мне известно.

— Вы поссорились? — спрашивает сосед.

— Все гораздо хуже.

Он терпеливо ждет моих объяснений.

— Вчера вечером мы ходили в снежную зону. Группой. С работы. Там было чудесно. Доминик был великолепен. Видел бы ты его! — Я вздыхаю от расстройства. — А потом я разговаривала в раздевалке с Ниной и сказала ей, что мы с Домиником решили пожениться...

Теперь мой сосед выглядит ошеломленным и отпускает меня. Я еле держусь на ногах.

— Так вы женитесь? — По его лицу видно, как ему больно. — И вы мне не сказали?

— Не сердись. Пожалуйста, не сердись, — прошу я. — Обычно я говорю тебе первому, но Нина в этот раз так тепло отнеслась ко мне, что я решила рассказать ей о нашем с Домиником намерении. Слова просто выскочили у меня сами собой. Я, правда, не планировала. О, Майк, потом она повела себя ужасно, говорила такие жуткие вещи. Сказала, что Доминик женится на мне ради денег и, как только сможет, сразу же разведется и заберет половину всего, что у меня есть. Она сказала, что все в салоне так думают. Но ты же так не думаешь?

— Нет, — говорит Майк. — Конечно же, я так не думаю. Я считаю, что Доминик замечательный парень. И я рад за тебя, Дженни. По-настоящему рад. И за Доминика тоже. — Он улыбается, но в его глазах печаль. — Просто мне немножко грустно слышать об этом, и только.

— О, Майк. — Слезы льются у меня по щекам. Что мне сказать ему? Что если бы я не была безумно влюблена в Доминика, то вполне могла бы влюбиться в него? От этого он почувствовал бы себя лучше? — Дело в том, — продолжаю я, — что Доминик слышал наш с Ниной разговор. Он сказал, что раз о нем так думают, то он опозорен в глазах окружающих и, по обычаю масаев, должен был бы уйти. Вот только я сразу не поняла, что он может так поступить и здесь, в Англии. Он очень убедительно говорил, что если останется, когда люди так плохо думают о нем, то позор будет и на мне, и меня тоже будут избегать. А когда я проснулась, его уже не было. Видимо, он таким дурацким способом старается спасти меня от позора.

Майк берет меня за руку.

— Как думаешь, где он может быть?

Я ломаю голову, но мои мысли затянуты густым туманом.

— Он говорил, что если ты опозоренный воин масаи, то должен уйти на равнины и жить один. Возможно, я хватаюсь за соломинку, но он может быть где-то в полях недалеко от деревни. Ему некуда больше идти.

— У него есть с собой деньги?

— Нет. — Проверить-то я и не догадалась! — Не думаю.

— Ты уже позвонила на работу? — спрашивает он.

Я качаю головой.

— Я выбежала из дома сразу же, как поняла, что он ушел.

— Так позвони, — велит он. — Сегодня ты никак не сможешь работать. Им придется справляться без тебя. Я тоже позвоню в свой офис и скажу, что не приеду. Мы сядем в мою машину и отправимся на поиски. Он не мог уйти далеко, тем более без денег. Давай не будем тратить время попусту.

Слезы все еще катятся по моим щекам.

— Спасибо. Огромное тебе спасибо.

— Никаких проблем. — Он берет меня за другую руку. — Мы найдем его, Дженни. Мы найдем его и привезем обратно домой.

Никаких проблем. *Hakuna matata*. Мы найдем его и привезем обратно домой, повторяю я про себя.

Мне остается только всем сердцем надеяться, что Майк прав.

Глава 79

Я звоню в салон:

— Сегодня не приду. Доминик пропал неизвестно куда, и я буду искать его.

— Дженни, у тебя же весь день расписан, — довольно резко отвечает Келли.

Но какое мне дело до стрижек, укладок и подкрашивания корней, когда рядом со мной нет моего возлюбленного?

— Ты что, не слышала меня? Доминик пропал, — повторяю я уже громче. — Я должна его найти.

— Пропал? Как это пропал? Что у вас произошло?

— У Нины спроси, — со злостью отвечаю я. — У Нины спроси, что произошло.

И вешаю трубку. Уволит она меня, ну и что? Плевать.

Пусть Нина сегодня занимается моими клиентками, как часто делала я, когда у нее были проблемы с Джерри и она была не в состоянии — или просто не желала — появиться на работе.

Все еще кипя от возмущения, натягиваю какую-то одежду. Быстро проверив шкаф, вижу, что Доминик взял очень мало вещей. И чемоданчик здесь, и щит, и мачете. К счастью, его паспорт остался в ящике стола. Пусть у него и нет с собой денег, но я хотя бы знаю, что он не может уехать из страны. Вся одежда, которую я ему купила, висит в шкафу. Кроссовок нет, но, кроме них, он ничего не взял. Даже теплого пальто — в такую-то погоду! — и от одной только мысли об этом я промерзаю до костей. Значит ли это, что он не собирался уходить надолго?

Проверив кошелек, я вижу, что он взял всего лишь десятифунтовую банкноту. С такой суммой далеко не уедешь.

Двадцать пять фунтов он оставил, и я не знаю, должна ли я чувствовать облегчение. Как он справится в одиночку?

Мы с Майком должны найти его. Просто обязаны.

Когда я ухожу, Арчи садится на пороге и жалобно мяукает. Я глажу его за ушком, чтобы успокоить.

— Мы привезем его обратно, — обещаю я, но, кажется, даже мой собственный кот мне не верит.

Майк уже в машине, и двигатель работает. Поэтому внутри тепло, но я все равно мерзну.

— Куда поедем?

Я рассеянно смотрю на него.

— Не знаю.

— Если ты думаешь, что он может быть где-то в полях, то давай для начала проедем по окрестностям, — предлагает Майк. — Мы обыщем ближайшие поля так тщательно, как только сможем.

— Он совсем не знает местности. — И теперь я начинаю задумываться, достаточно ли я старалась, чтобы ввести Доминика в свою жизнь. Я никогда не брала его с собой ни в Бакингем, ни в салон. Но моя жизнь такая скудная. В ней есть только работа, Арчи и Майк. Без Доминика она станет совсем унылой.

— Тогда он еще где-то здесь.

Майк выезжает на улицу. Я сижу на пассажирском месте и отчаянно грызу ногти.

Мы едем по сельским дорогам вокруг Нэшли. Майк ведет машину не слишком быстро, и мы во все глаза ищем долгожданный красный проблеск *shuka* Доминика. Уже стало намного светлее, но температура все еще чуть выше нуля. Местами в низинах висит туман.

— Он же умрет здесь, — говорю я и боюсь, что не преувеличиваю.

Я очень беспокоюсь о его здоровье. Полночи он просидел под проливным дождем, а теперь вот это. Я знаю, что воины масаи должны быть крепкими и выносливыми, но к такой погоде, как здесь, он вообще не привык.

— С ним все будет хорошо. — Майк пытается подбодрить меня. — Доминик не глуп, он не станет подвергать себя опасности.

Я чувствую, как во мне нарастает истерика, и весь остаток дня я пытаюсь подавить ее. Проехав довольно много, мы с Майком одновременно думаем о городе.

— Посмотрим в Милтон-Кинсе, — говорит Майк, и мы начинаем ездить по улицам, не теряя надежды увидеть Доминика. — Его здесь легко заметить. В толпе он бросался бы в глаза, как красный флаг.

Но все впустую.

Начинает темнеть. Глаза у меня пересохли от напряжения. Мы ни крошки не съели за весь день. Даже не выпили по чашке чая. И теперь оба остались без сил.

— Давай остановимся, — предлагает Майк. — Возьмем сэндвичи и что-нибудь попить. Иначе от нас скоро не будет никакого толку.

Он останавливается на заправке. Мы покупаем сэндвичи с сыром в пластиковой коробке и отвратительный кофе из автомата. Но я благодарна и за это. Потом садимся в теплую машину и перекусываем.

Я отворачиваюсь от Майка и смотрю в окно, поскольку не могу справиться со слезами. Где теперь Доминик? Он замерз? Голоден? Скучает по мне? Подумал ли он еще раз о том, что сделал? Вернулся ли в наш «Маленький Коттедж» и не знает, где я?

Я беру мобильник, набираю домашний номер и жду, пока не включается автоответчик. Похоже, дома никого нет.

Мне следовало снабдить Доминика мобильником, но я просто не успела. Да и особой нужды в этом не было, потому что за то короткое время, что он был здесь, мы, честно говоря, почти не разлучались. Как же мне сейчас хочется, чтобы у него был с собой телефон! Но, с другой стороны, если он смог вот так уйти, то ответил бы мне? Сколько продлится его добровольное изгнание, если это действительно оно? Несколько дней, недель или он ушел навсегда? Понятия не имею. Я так мало знаю о племенных обычаях Доминика!

— Не волнуйся, — в миллионный раз говорит Майк, но в его голосе проскальзывает напряжение. Он беспокоится за Доминика, как и я.

— Я сама не своя, Майк. — Мои слова пробиваются сквозь эмоции. — Ну где он может быть? Я не хочу, чтобы ночь он провел на улице.

— Мы обратимся в полицию, — решительно говорит мой сосед. — Посмотрим, смогут ли они нам помочь. Один Господь знает, насколько легко будет его разыскать. Возможно, надо попытаться дать объявление на местном телевидении или радио.

От этих мыслей мне становится легче.

— Давай так и сделаем.

— Вот и ладно. — Майк сминает упаковку сэндвича, берет мою и делает то же самое. — Допивай.

Он ждет, пока я пью мутную жидкость из бумажного стаканчика, потом тоже берет его у меня. Выскочив из машины, бросает все в ближайший мусорный бак, и от его надежной, постоянной доброты я опять готова расплакаться.

— Ты даже не знаешь, как я ценю все, что ты для меня делаешь. Ты хороший человек, Майк.

Его рука ложится на мою и сжимает ее.

— Для этого и нужны друзья.

И мы снова едем, пробираясь среди многочисленных машин, по улицам Милтон-Кинса в поисках отделения полиции.

Видимо, моя жизнь была безопасной, ведь раньше я никогда не была в полиции — просто не было причин. К тридцати с чем-то годам у меня не было даже штрафа за неправильную парковку. Я принадлежу к осторожным законопослушным гражданам.

Когда мы в конце концов находим отделение полиции, Майк ведет меня внутрь, а я передвигаю ноги, как зомби. Офицер за стойкой находится высоко над нами.

— Я хочу подать заявление о пропаже человека, — дрожащим голосом говорю я.

Офицер, кажется, сочувствует мне. По крайней мере, он разговаривает со мной так, как я и ожидала. Он записывает данные Доминика, просит его фотографию, которой, разумеется, у меня нет, и говорит, что они через компьютер разместят его данные во всех списках пропавших без вести.

— Ну, вот, — говорит полицейский. — Пока все. — И облокачивается на стойку, разделяющую нас. — Как правило, они возвращаются, мисс. Вполне возможно, что к тому времени, как вы доберетесь домой, он уже будет там. Или утром. Проведет одну ночь на улице при такой погоде, и у него пропадет охота там оставаться.

Он обменивается взглядом с Майком. Совершенно ясно — полицейский считает, что произошла семейная размолвка и вскоре все разрешится само собой.

— А если его не будет дома? — спрашиваю я.

— Тогда позвоните нам. Мы кого-нибудь пришлем взять у вас фотографию и получить дополнительные сведения.

— Я очень волнуюсь за него, — говорю я. Мне хочется, чтобы на поиски вышли сотни людей с собаками. И были посланы вертолеты, и все такое. Я не хочу заполнять бланки, а потом сидеть и ждать. — Он уязвим. У него никого нет. — Это я уже говорила офицеру, и он записал. — Ему больше некуда идти.

— Большинство людей возвращаются, — уверяет он меня. — Попомните мои слова.

И нам не остается ничего другого, как отправиться домой.

Мы с Майком едем в молчании, и я все смотрю в окно, желая заметить Доминика, бредущего домой. Когда мы подъезжаем к коттеджам, снаружи не горит ни один фонарь. Майк выключает мотор, и мы сидим в темноте, в полной тишине.

— Он не вернулся, — говорю я.

Рядом со мной тяжело вздыхает мой сосед, мой друг, моя скала.

— Завтра мы опять будем искать его, — говорит он.

— Спасибо.

— Он не мог уйти далеко.

Я чувствую тошноту. Холодает. Если можно предсказать британскую погоду, то скоро будет град, дождь, снег или все сразу. Понимает ли Доминик, как плохо это для него?

Где он? Я ломаю голову, но не могу придумать, куда он мог направиться и что мог сделать. И куда мне следует идти в такой ситуации? Он не пробыл в Англии так долго, чтобы у него успело появиться любимое место. Как он будет справляться без меня? Но самый важный и неотложный вопрос — что я могу сделать, чтобы вернуть его?

Майк настаивает, чтобы я вошла в дом, и он напоит меня чаем с тостами. Мы проверяем автоответчик, но на нем только одно мое сообщение. От Доминика ничего нет.

Майк неохотно отправляется к себе домой, пообещав завтра пораньше начать поиски моего возлюбленного. Арчи с несчастным видом слоняется по дому.

Без Доминика в нашем «Маленьком Коттедже» ужасно пусто.

Я должна лечь в кровать, но не могу заставить себя спать в одиночестве. Я достаю из шкафа *kanga,* который Доминик подарил мне в мой первый приезд в Масаи-Мара. Но даже его веселые цвета не поднимают мне настроение, однако запах Доминика каким-то образом дает мне надежду.

Завернувшись в *kanga*, я выхожу в сад и сажусь на скамью, на которой вчера вечером сидел в раздумье Доминик. Я ощущаю себя израненной и не знаю, свернуться ли мне клубочком или встать и завыть в небо. Я хочу замерзнуть так сильно, чтобы почувствовать боль Доминика. Где он нашел ночлег сегодня ночью? Не знаю. Может быть, спит где-то в живой изгороди? Может быть, нашел какую-нибудь хижину или заброшенный амбар? Боже, как я на это надеюсь! С той крошечной суммой денег, которую он взял у меня, он не сможет найти никакого удобного места, это уж точно. Возможно, этих денег хватит, чтобы купить чашку чая и что-нибудь поесть. Но хватит ли их, чтобы уберечь его от переохлаждения?

Мысль о том, что я осталась без него, невыносима. Он был в моей жизни относительно недолго, но я не знаю, как буду жить без него — без его очарования, заразительной улыбки, своеобразных шуток, спокойствия, элегантности, силы, невероятно прекрасного тела. Я могу продолжать без конца.

Арчи сидит около меня на скамье и громко жалуется.

— Пойдем домой, — предлагаю я. — Сегодня мы ничего больше не сможем сделать.

И Арчи плетется следом за мной. Я даю ему кошачье угощение, поскольку не знаю, чем еще облегчить его боль. После этого ложусь на диван, не снимая *kanga* Доминика.

Мне очень хочется, чтобы как можно быстрее настало утро.

Глава 80

Следующий день проходит так же. Майк заезжает за мной, заставляет съесть завтрак, а тем временем размечает на карте наш дневной маршрут. Но как только мы поворачиваем на выезде из деревни, приходится остановиться, потому что у меня ничего не удерживается в желудке.

Пока я вытираю себя салфеткой, Майк звонит на местную радиостанцию и объясняет нашу ситуацию. Они подробно расспрашивают и говорят, что могли бы что-нибудь устроить, но позже. Потом он обращается в местную телекомпанию. В очень вежливых и взвешенных выражениях Майк просит у них помощи. Если бы говорила я, то уже давно рыдала бы в трубку. Они сразу отказываются что-либо делать, объясняя это тем, что освещают только важные события. Видимо, один человек, затерявшийся среди многих других, для них не имеет значения.

Мы опять колесим по сельским дорогам. Время от времени ставим машину на обочину и бродим по полям, ищем Доминика в живых изгородях. Но его нигде нет. Он будто бесследно исчез с лица земли.

Заезжаем в полицейский участок. Я оставляю фотографию Доминика и заполняю еще одну бумагу. Офицер опять произносит избитые фразы.

Когда становится темно, мы решаем поехать домой, быстро перекусить, а потом еще пару часов продолжать поиски. У Майка есть фонарик «в миллион свечей», как сказано в рекламе. Я всегда поддразнивала соседа из-за этого миллиона. Кто же мог знать, что однажды фонарик нам пригодится?

Лишь только мы входим в «Маленький Коттедж», я вижу, что по переулку к нам направляются дамы из церковного цветочного комитета Нэшли. На них тяжелые теплые пальто, крепкие ботинки и шляпы, похожие на стеганые чехлы для чайников.

— Здравствуйте, дамы, — устало говорю я, когда они приближаются.

— Дженни. — Миссис Дастон, которая сама себя назначила их представителем, кладет руку мне на локоть и обращается ко мне. — Мы услышали о Доминике от миссис Эпплби в почтовом отделении. Как жаль. Ужасно жаль. Мы не можем поверить.

Я тоже не могу.

Они окружают нас.

— Мы ходили на поиски, — продолжает миссис Дастон. — Не можем допустить, чтобы наш лучший мальчик простудился.

В свете уличного фонаря я вижу, как в ее глазах блестят слезы. Мои глаза тоже наполняются слезами. Я потрясена тем, как их волнует судьба Доминика. Хотела бы я, чтобы он был здесь и видел, как сильно все любят его.

— Мы прошли по полям за деревней. — По ее выражению я понимаю, что, как и мы, они его не нашли.

— Это очень любезно с вашей стороны, — с благодарностью говорю я. — Очень любезно.

— Пустяки, — возражает она. — Это самое малое, что мы можем сделать, не так ли, леди?

Пожилые дамы искренне кивают.

— Спасибо. Я очень ценю вашу заботу.

— Завтра мы опять пойдем. Да, девочки?

— О да, — в унисон отвечают все.

— И послезавтра, — добавляет миссис Дастон. — И каждый день, сколько бы ни понадобилось.

Опять все кивают в знак согласия.

— Он вернется, Дженни, — уверяет она меня. — Он обязательно вернется.

Я очень надеюсь, что ее убежденность основана на интуиции мудрой пожилой женщины. Я же просто слепо верю в это.

Больше всего я боюсь, что если Доминик не захочет, чтобы его нашли, то ему хватит сообразительности устроить это.

— Мистер Кодлинг-Бентем собирается сесть на свой треклятый квадроцикл и тоже отправиться на поиски Доминика, — говорит нам миссис Дастон. — Впервые в жизни я рада, что он у него есть.

— Передайте ему спасибо от меня, — говорю я. — Это очень любезно с его стороны.

— У меня на плите стоит суп, — продолжает миссис Дастон. — Мой прекрасный протертый куриный суп, который так любит Доминик. — Ее голос прерывается. — Он оживит вас. Видно же, что вы оба совсем измотаны.

Конечно, измотаны, думаю я. Мы опустошены и почти не держимся на ногах.

— Я сбегаю и через секунду вернусь с термосом. Уверена, у вас не было времени подумать о еде.

— Не было, — соглашаюсь я. Впрочем, о еде я вообще не думаю.

Однако несколько минут спустя мы с Майком сидим с подносами на коленях у меня в гостиной и едим куриный суп миссис Дастон, — который на самом деле прекрасен! — пока она хлопочет на кухне, заваривая чай. Я чуть не плачу от ее материнской доброты. Как только все будет съедено, мы с Майком снова отправимся на поиски. Фонарик «в миллион свечей» уже ждет нас, и его реклама уже не кажется мне смешной.

Чтобы чем-то занять себя, включаю телевизор и начинаю смотреть местную программу новостей. В кратком содержании первой идет история о том, как какая-то знаменитость — одна из многих, которые прославились только тем, что обнажали грудь и при любой возможности спали с футболистами, — подписывает экземпляры автобиографии в книжном магазине в центре города. Идут кадры, на которых она кокетничает и прихорашивается перед камерой. Неужели *это* и есть новость? Неужели *это* теперь имеет для нас большое значение? Неужели люди действительно больше интересуются такой ерундой, чем пропавшим человеком?

Как ни печально, но, кажется, так и есть.

Глава 81

Минуты складываются в часы, часы — в дни. Дни, в свою очередь, — в недели. Хотелось бы, чтобы было не так, но иначе не бывает. Время идет своим чередом и не выказывает жалости к мукам моего израненного сердца.

Уже месяц прошел, а от Доминика нет никаких вестей. Я вернулась и к работе, и к прежней жизни. А что еще оставалось делать? Когда звонит телефон, мое сердце замирает от надежды, но каждый раз меня ждет жестокое разочарование — это не Доминик, а кто-то сочувствующий. Хочется сказать всем, чтобы перестали названивать, перестали мучить меня еще больше. На другом конце линии я хочу услышать голос одного-единственного человека — моего пропавшего возлюбленного.

Я поместила фото Доминика на всех британских веб-сайтах о без вести пропавших, какие только смогла найти в интернете. Туда обращаются, главным образом, родители, пережившие мучительный развод, один из которых забрал детей и увез их куда-то далеко, в более теплые или более холодные края. Очень много пропавших подростков, которые, по-видимому, сбежали из дома после родительских ссор, да так и не вернулись домой. Наверное, некоторых из этих детей любили слишком сильно, а других, возможно, не любили совсем.

Каждую ночь я прочесываю веб-страницы, проводя пальцами по фотографии Доминика Лемасолаи Оле Нангона на экране. По крайней мере, мне хватило предусмотрительности отсканировать фото, на котором мы с Домиником сидим под акацией в Масаи-Мара. Это его единственная фотография. У меня она осталась только в компьютере, ведь распечатанный экземпляр пришлось отдать полиции.

Загружать на сайт только ту половину снимка, где изображен Доминик, оказалась так печально, что нельзя даже передать словами.

Все то время, что его нет в моем мире, я почти не сплю и почти не ем. А в тех редких случаях, когда ем, пища редко остается в моем желудке надолго. Миссис Дастон чуть ли не с ложечки кормит меня своим знаменитым куриным супом, потому что это, кажется, единственная еда, с которой я могу справиться. Ночи я провожу, свернувшись клубочком на диване и завернувшись в *kanga* Доминика.

И я не в силах придумать, где он может быть сейчас.

Рассеянно расчесывая волосы очередной клиентки, я беру щетку с наложенным на нее отбеливателем.

— Это не для меня, — говорит женщина, и я внезапно возвращаюсь к реальности.

— Что?

— Это не для меня, — повторяет она, глядя на мое отражение в зеркале. — Отбеливатель не для меня.

Я так и замираю на месте.

Женщина кивает на миссис Хичли, которая сидит в соседнем кресле.

— Ваша клиентка вон там.

— О боже, — говорю я. — Простите. Мне так неудобно.

— Да пустяки, ты же не причинила мне никакого вреда.

Они с миссис Хичли обмениваются обеспокоенными взглядами.

Уже десять лет миссис Хичли приходит к нам раз в полтора месяца, чтобы подкрасить отросшие корни волос. Как же я могла спутать ее с другой? Смутившись, поворачиваю свою тележку к соседнему креслу.

— У тебя сегодня все в порядке, Дженни? — глядя поверх журнала, спрашивает моя клиентка, которую мне предстоит превратить в блондинку.

— Доминик пропал без вести, — отвечаю я. Сейчас уже все знают и о Доминике, и о наших отношениях, причем до мельчайших подробностей. — Я без ума от тревоги.

Она делает сочувствующее лицо, а я уже знаю, что будет дальше.

— Боже мой. Бедняжка.

— Да.

И через мгновение:

— Это, знаешь ли, обычное дело. — Она с видом знатока качает головой, хотя я пытаюсь пришлепнуть на волосы отбеливатель. — То же самое случилось и с подругой моей сестры. У нее был парень в Доминиканской Республике. Она думала, что единственная у него. Все деньги потратила, когда ездила к нему. Покупала все, что ему было угодно. А потом узнала, что одновременно с ней у него еще дюжина женщин.

«Это совсем не мой случай, — хочется сказать ей. — Вы же совершенно не знаете Доминика! Он не такой. Он не поступил бы так со мной». Но все, кажется, только и ждали, что он сыграет со мной такую злую шутку. Все, но только не я.

В течение следующего получаса я говорю только «гм» и «ах», слушая то, что хочет рассказать мне миссис Хичли, пока на автопилоте размещаю фольгу в ее волосах и обрабатываю их отбеливателем. Потом, установив таймер, с удовольствием ухожу в комнату персонала. Я чувствую себя так, будто мне постоянно не хватает воздуха, поэтому падаю в ближайшее кресло и пытаюсь отдышаться.

Через мгновение появляется Келли и садится рядом со мной. Все остальные исчезают. Ну и ладно, все равно никто здесь не знает, что мне сказать. Мы с Ниной почти не говорим друг с другом, разве что обмениваемся обрывками предложений, касающихся работы. Она не только не извинилась за свои слова, но и вообще ничего не сказала, когда исчез Доминик. Из-за ее поведения наша с ней дружба исчезла, будто провалилась в зияющую пропасть. Осуществились все предупреждения и сплетни про то, как Доминик покинет и предаст меня. Все эти предсказатели теперь чувствуют себя добродетельными и благонравными. А я двигаюсь на работе, как робот, и игнорирую их всех.

Келли вздыхает и заговаривает со мной.

— Дженни, — мягко говорит она. — Надо поговорить.

— О чем?

— Ты делаешь слишком много ошибок. Я видела, как ты едва не нанесла отбеливатель не на ту клиентку.

— Но ведь не нанесла.

— Потому что *она* остановила тебя, — указывает Келли, и мне приходится согласиться с ней. — У нас было много жалоб за последние две недели, с того дня, как ты вернулась. Во вторник ты обкорнала волосы миссис Палмер на добрых два дюйма, а ведь она пришла, только чтобы привести прическу в порядок.

Неужели? Я и не помню никакой миссис Палмер. Это же плохо, да? Видимо, я была здесь телом, но не разумом. И еще придется признать, что я не очень-то хорошо справляюсь со сложившейся ситуацией.

Всю первую неделю после ухода Доминика я была полной развалиной. Каждое утро после долгой и бессонной ночи меня очень сильно тошнило. Не было вообще никакой возможности пойти на работу, поэтому я согласилась с Келли, что мне нужен отпуск. Майк тоже взял отпуск, и мы проводили дни, прочесывая окрестности в надежде обрести хоть намек на то, где может быть Доминик. Мой друг разыскал названия благотворительных учреждений для бездомных в Бакингемшире, и мы побывали во всех. По вечерам мы бродили там, где бездомные устраиваются на ночлег — отчасти желая, чтобы Доминик оказался там, и отчасти — чтобы его там не было. Мы не нашли ничего, что бы дало нам надежду. Вообще ничего. Доминик будто испарился. Нам удалось договориться, чтобы Доминика упоминали на местных радиостанциях в течение одного дня. Всего только одного. А потом все потеряли к нам всякий интерес.

Я регулярно хожу в полицию, но у них никогда нет новостей для меня. Я чувствую, что для них Доминик — всего лишь еще один пропавший без вести, и у них нет особого желания искать его, хотя он и находится здесь по временной визе. Думаю, они подозревают, что он обманул меня с целью поселиться в Англии, а теперь просто скрылся от властей, и я его больше никогда не увижу.

И сколько бы раз я ни повторяла «Доминик не таков, он никогда бы так не поступил», никто не хочет мне верить. Никто не хочет видеть в нем хорошее, никто не хочет понять, что он бы не ушел без особой причины. Один только Майк мне верит.

Если бы Доминик позвонил мне! Если бы он просто позвонил и сказал, что с ним все в порядке, то я, по крайней мере, смогла бы спать по ночам. Если бы он решил, что больше не хочет быть со мной, — от одной лишь мысли об этом у меня начинает болеть в груди, — и честно сказал бы мне об этом. Но мое сердце знает, что это не так. Он всегда ставил мои интересы на первое место. Даже сейчас, пусть и заблуждаясь, он считает, что должен так поступить для моей же пользы: убрать позор от моей двери, защитить меня от предубежденного и неправильного мнения о нем нескольких человек.

Я ни разу нормально не спала по ночам с того дня, как он исчез, — не могу лежать одна в моей удобной кровати, поэтому устраиваюсь на диване. Самое большее, могу прикорнуть на пару часов, когда совсем вымотаюсь. В салоне я едва держусь на ногах, а уж о том, чтобы помнить, кому нужен отбеливатель, а кому нет, и речи быть не может.

Я вдруг осознаю, что Келли все еще сидит и ждет, когда же я заговорю.

— Я сожалею о том, что произошло, — говорю я. — Могу только принести извинения.

— Иди домой, — говорит она. — Стеф обслужит твоих клиенток. Отдохни немного. У тебя такие синяки под глазами, что ты похожа на персонаж из окружения Эдварда Каллена.

Чувствую, как на губах у меня появляется подобие улыбки.

— И не на красивого персонажа, — добавляет Келли мягче.

Я выдавливаю смешок.

— Возьми несколько выходных, — предлагает она.

— Мне хочется быть здесь, а не сидеть дома в одиночестве.

— А вот мне хочется, чтобы мои клиентки не выходили отсюда с жуткими прическами, да еще такого цвета, какой не заказывали.

— Прости, — повторяю я, понимая, что вызываю жалость. Мне сейчас очень плохо, и я этого не скрываю. — Я возьму себя в руки.

— Иди домой и завтра тоже не приходи. Поспи. Отдохни. Возвращайся в понедельник, и посмотрим, как ты будешь себя чувствовать.

— Спасибо. Я обязательно приду в себя. Вот только отосплюсь.

Не все так просто, конечно. Я могу обмануть Келли, но не себя. Мне нужно залечить зияющую рану в моем сердце, заполнить пустоту моей жизни. Мне нужно, чтобы Доминик вернулся, и вот тогда все сразу встанет на свои места.

Но как бы ни сложилась жизнь, я не могу позволить себе стать жалкой развалиной. Пришли счета, и их надо оплатить. Мне нельзя потерять свой дом. И хотя мне кажется, что конец света наступил в тот самый миг, когда Доминик ушел, на самом деле мир вовсе не перестал существовать. Вопреки всем невзгодам надо жить дальше.

Даже если сейчас я не вижу зачем.

Глава 82

Суббота. Яркий весенний день. Надо бы радоваться листьям, разворачивающимся на деревьях, зеленым росткам нарциссов, потокам света, которые льются на землю после долгой зимы. Я же думаю, что это идеальный день для поисков Доминика. Мы с Майком много недель искали его изо дня в день, под дождем, градом и снегом. Мы оба работаем, но каждый вечер вместе отправляемся прочесывать окрестности.

Такой день, как сегодня, — все равно что выигрыш в лотерею. Я уже закутана и жду Майка, нетерпеливо выглядывая из окна. Сколько раз за эти мучительные недели после исчезновения Доминика мы проехали по всем дорогам, какие только нашли на карте, — десять, пятнадцать, двадцать? И будем ездить опять и опять, пока он не найдется.

Когда я наконец вижу в окно моего соседа, то открываю дверь прежде, чем он успевает постучать.

— Готова, — говорю я, хватая перчатки.

Майк же входит в гостиную и берет их у меня из рук.

— Вот и все, — печально говорит он. — Мы больше не можем искать его, Дженни. Мы занимаемся этим уже больше месяца.

Нет нужды напоминать мне, как давно ушел Доминик, думаю я.

— Но нам нельзя сдаваться, — протестую я.

— Мы ничего не нашли, — продолжает Майк. — Даже крошечной подсказки. Если Доминик захочет вернуться, то, возможно, надо дать ему самому выбрать для этого время.

Мои глаза наполняют слезы.

— Я тревожусь за него.

Майк обнимает меня.

— Знаю. — Он гладит меня по спине, будто утешает опечаленного ребенка. — Знаю, но это не поможет, Дженни. Посмотри на себя. Столь долгие поиски тебя совсем истощили. Ты должна заботиться о себе...

Майк замолкает, но мне понятно, что должны были прозвучать слова «...а иначе у тебя случится нервный срыв».

Осознание реальности поражает меня так, будто я получила удар в живот. Несмотря на все усилия, нам не удалось найти ни местонахождения Доминика, ни даже его следов. И мне пора признать, что с течением времени он, возможно, уходит от нас все дальше и дальше. Надежда покидает меня окончательно, и я начинаю рыдать в объятиях Майка. У меня льются слезы из-за мужчины, который так внезапно исчез из моей жизни. Мне так тяжко, будто Доминик умер. Горе поглощает меня.

— А вдруг он просто больше не хочет меня знать? — всхлипываю я. — Вдруг он никогда не захочет вернуться? Вдруг он такой, как о нем говорят все?

— Шшш, шшш, — успокаивает Майк, поглаживая мои волосы. — Ты же знаешь, что это неправда, Дженни.

— Но я не знаю, что еще можно сделать. Мы уже везде искали его, и все оказалось без толку. Видно, поискам и вправду пришел конец.

В глубине души я даже испытываю некоторое облегчение, что Майк взял решение на себя, но все равно мне жаль, что мы собираемся прекратить поиски и оставить Доминика совершенно одного, безо всякой помощи.

В конце концов слезы иссякают, и разум берет верх:

— Ты прав. У меня больше нет сил продолжать.

То, чем мы занимались, похоже на поиски пресловутой иголки в стоге сена, и я чувствую, что исчерпала все свои эмоциональные ресурсы. За последние недели я неимоверно устала. Келли временно отстранила меня от работы в салоне — как ради меня самой, так и ради сохранности волос наших клиенток. Но вот сейчас мой лучший друг, помогавший мне изо всех сил, говорит, что пора остановиться. Возможно, я должна последовать его совету.

— Почему бы нам с тобой сегодня не поработать? — предлагает Майк. — Давненько мы не наводили порядок в наших садах.

Должно быть, у меня на лице написано сомнение, поскольку мой сосед настаивает:

— Это было бы очень полезно. Говорят, смена деятельности так же хороша, как и отдых.

Я неохотно киваю, чувствуя себя слабой, как котенок, вероятно, из-за недостатка еды и сна. Конечно, нельзя заставлять Майка ездить со мной каждый день, а у меня нет сил, чтобы продолжать поиски в одиночку. Майк был таким хорошим и неустанно поддерживал меня, но я вижу, что и он дошел до предела.

Он готовит мне чай, а я сажусь за стол и опять начинаю плакать. Он тихонько садится рядом и ждет, пока я не выпью чай и не перестану реветь.

Его рука накрывает мою.

— Стало лучше?

— Да. — Мне удается изобразить что-то похожее на улыбку, но не знаю, буду ли я когда-нибудь опять чувствовать себя по-настоящему счастливой. Доминик неизвестно где. От этой мысли мне очень больно, и я начинаю понимать, что Майк, вполне возможно, прав. Немного работы на свежем воздухе не причинило бы мне никакого вреда.

— Давай покажем этому саду, где раки зимуют, — решительно говорю я.

Остается только надеть ботинки, и можно выходить.

И вот вместо того, чтобы накручивать бесполезные мили в поисках моей потерянной любви, мы будем работать до обеда в моем саду, а после обеда — в саду Майка, если удержится погода.

Арчи сидит на стене неподвижно, будто статуя, и наблюдает за нами, притворяясь, что ему совсем не интересно. Даже проклятый кот уже не тот с тех пор, как исчез Доминик. Арчи неохотно ест, а ведь раньше ничто не могло оторвать это животное от миски с едой. Он вялый, а не просто ленивый, каким был раньше, и даже угощение из креветок, которое я ему иногда даю, не вызывает у него никакого энтузиазма.

Я сгребаю листья, черные и липкие от дождя и холода, и складываю их в кучи. Потом мы вывезем их на свалку. Майк выполняет мужскую работу, то есть такую, которая связана с подъемом тяжестей. Вообще-то, этим должен был заниматься Доминик. Майк отпиливает ветки, хотя сейчас, вероятно, не самое подходящее для этого время года. Моему саду придется выжить после неквалифицированного ухода и явного пренебрежения.

Пока я работаю, мои мысли возвращаются в прошлое. Что еще могли мы сделать? Снова и снова осматривать одни и те же места в надежде, что это может привести к чему-нибудь? У меня все еще нет ни единой подсказки, где может находиться Доминик, и, кажется, поиски в сельской местности ничего не дадут. У меня ощущение неудачи, даже поражения, однако ради собственного душевного здоровья мне, кажется, придется смириться с тем, что Доминик, вполне возможно, никогда не вернется.

Но смогу ли я когда-нибудь двигаться дальше, если он так и не возвратится ко мне? Его приютила какая-то другая женщина? Что он делает сейчас? Он нашел жилье? Работу? Если да, то, возможно, уже скопил достаточно денег на билет домой. У меня в ящике все еще лежит его паспорт, но Доминик, наверное, мог просто заявить о его утрате и получить другой. Возможно, купил фальшивку. Кто знает, в наше-то время. Если бы мог, уехал бы он домой, в Кению? Забыл бы о нашей любви и женился на женщине масаи? Стала бы от этого легче его жизнь? Может быть, он все время только этого и хотел? Не ошиблась ли я, полагая, что мы всегда будем вместе, что он всегда будет здесь, со мной?

Мое сердце не позволяет мне верить в плохое. Если бы не мнение других людей, то Доминик все еще был бы здесь, в этом я уверена. Теперь я начинаю беспокоиться, что ему причинен какой-то ужасный вред, и чувствую бессилие, полную неспособность сделать хоть что-то, чтобы помочь ему. Вдруг он лежит раненый или замерзает в одной из тысяч канав или живых изгородей, которые мы с Майком пропустили и теперь никогда не узнаем об этом? Могли ли мы проехать в нескольких футах, не заметив его?

Вчера я весь день дремала на диване, то засыпая, то просыпаясь. Я даже спала часть ночи, пока в три утра не проснулась, обливаясь потом и мучаясь от желания. Мы с Арчи до рассвета бродили по дому, а я переключала телевизионные каналы, пока не настало время сделать вид, что завтракаю. Меня пугает, что я начинаю забывать Доминика. Все чаще приходится смотреть на его фотографию, чтобы вспоминать тонкие черты его красивого лица. Я боюсь, что со временем ритмичные тона его голоса исчезнут из памяти, а ощущение его крепкого тела, прижатого к моему, станет далекой и расплывчатой тенью.

— Брр, — говорит Майк, врываясь в мои мысли. Он пришел посмотреть, как продвигаются дела.

Я отступаю на шаг, показывая, сколько листьев сгребла.

— Ты много успела сделать.

Правда? Глядя на груду листьев перед собой, вижу, что он, вероятно, прав, хоть я и понятия не имею, что делала в течение прошлого часа. Мои мысли были полностью заняты Домиником. Я вновь переживала наши совместные поездки по Кении, то утро, когда он взял меня полетать на воздушном шаре, те ночи, которые мы с ним провели в палатке в объятиях друг друга.

Майк хлопает в ладоши, чтобы хоть немного согреться.

— Прохладно сегодня, я бы сказал.

Его постоянная поддержка и оптимистическое восприятие действительно помогли мне выжить. Не знаю, что бы делала без него.

Улыбаясь, я говорю:

— Что скажешь о горячем шоколаде?

— Хм. Предложение мне нравится.

— Пойду готовить его. Самое время сделать перерыв. — Я смотрю на часы и, к своему удивлению, вижу, что мы уже два часа возимся в саду. Надо признать, что от работы на воздухе мне стало немного легче. — Придешь через минутку?

Майк качает головой.

— Чуть позже, а пока положу часть веток в багажник моей машины. Если я окажусь в тепле, мне уже не захочется выходить.

К счастью, мусор из сада не нужно тащить через дом, потому что в задней стене есть ворота в проулок.

— Я не буду долго возиться с шоколадом. — Проходя мимо него, я касаюсь его руки. — Спасибо. Спасибо за все.

Майк улыбается.

— Ты же знаешь, что не должна благодарить меня.

По пути к дому я, погрузившись в раздумья, снимаю грязные садовые перчатки. Как бы я справлялась без Майка? Какой была бы моя жизнь без него?

Глава 83

В кухне мне приходится переставить в шкафу чашки, чтобы добраться до моего любимого шоколада. Кот приходит посмотреть, что я делаю, — не найдется ли у меня что-нибудь вкусненького для него? — но, к сожалению, делает он это просто по привычке. С тех пор как Доминик исчез, Арчи блуждает по дому, как маленький потерявшийся котенок. Как же мне хочется, чтобы вернулись те дни, когда он набрасывался на любую еду, как прожорливая свинья!

Если не слишком задумываться, сегодняшний день похож на нормальную субботу. Почти похож. Когда молоко уже вскипает, слышен стук в парадную дверь, и я снимаю с плиты кастрюлю.

Пока иду к двери, через меня проходит волна тошноты. Я не могу определить, что это за чувство. Теперь оно мне очень знакомо, но я никак не могу решить, надежда это, или страх, или и то и другое сразу. Каждый раз я жду, что за дверью окажется Доминик, и в то же время боюсь, что там стоит полицейский, который сначала скажет мне, что они нашли его, а потом — что у них дурные вести.

Каждый раз, когда надо ответить по телефону или открыть дверь, у меня возникает это тошнотворное ощущение. Подумать только, а ведь было время, когда меня беспокоил один только противный и настойчивый Льюис Моран! Я надеюсь, что он не знает про исчезновение Доминика и не вернется, чтобы снова попытать счастья.

Но на сей раз за дверью стоит Нина. У нее необычно робкий вид. В руках — бутылка вина и букет цветов.

— Привет, — говорит она.

— Здравствуй.

— Я могу войти?

Раньше ей не надо было спрашивать. Я открываю дверь. Нина проходит в кухню, и я следую за ней. Арчи шипит на нее, и шерсть у него на загривке поднимается — значит, не зря говорят, что животные чувствуют настроение человека.

— Предложение мира. — Нина протягивает цветы и вино.

На секунду я задумываюсь, должна ли я взять их или надо сказать ей, что с нашей дружбой покончено и меня совсем не интересует то, что она собирается мне сказать. Но я не говорю ни слова, лишь вздыхаю. Мы вместе с Ниной прошли долгий путь. Я не должна позволить нашей ссоре воздвигнуть стену между нами. Надеюсь, подруга приехала, чтобы принести извинения за свои слова о Доминике. На ее месте я бы только себя одну и чувствовала виноватой в том, что Доминик уехал.

— Спасибо, — говорю я, освобождая ее руки от подарков. — Я как раз готовлю горячий шоколад. Тебе налить?

— Было бы хорошо.

Она неловко устраивается в моей кухне.

— Выглядишь ужасно, — говорит она мне. — Неудивительно, что Келли волнуется о тебе. Твои волосы висят и стали жидкими.

Правда? Я же парикмахер и должна замечать такие вещи!

— Ты выглядишь точно, как моя сестра, когда она была бере... — взгляд Нины мгновенно меняется, и она ошарашенно смотрит на меня, —...менна.

Я думаю об утренней тошноте, доходящей до рвоты, об усталости и, хоть и объясняла все общим недомоганием, начинаю считать дни. Я пропустила начало цикла? Откровенно говоря, понятия не имею. Неужели? До сих пор мне такое и в голову не приходило.

Мы с Домиником хотели детей, но я не рассчитывала, что все произойдет так легко и быстро. Я была так занята попытками вернуть Доминика, что у меня не было времени подумать, что во мне может расти новая жизнь. Голова идет кругом. Но ведь не может быть, что Нина права?

— Майк в саду, — торопливо говорю я, просто чтобы отвлечь ее. — Хочешь поздороваться с ним?

Неужели ее глаза начинают сиять?

— Я собиралась и ему налить горячего шоколада.

Она пожимает плечами.

— Да. Почему бы и нет?

Я беру кружку Майка, и мы выходим в сад.

— У нас гости, — объявляю я.

— О, привет, — говорит Майк, прекращая работать и выпрямляясь. Может быть, он удивлен, что видит здесь Нину, но не подает вида. — Как дела?

— Прекрасно, — отвечает Нина, но видно, что ее что-то беспокоит.

— Я выпью, а потом вывезу мусор, — говорит Майк. — Дам вам время поговорить по душам.

Он хорошо знает, что сейчас мы с Ниной в плохих отношениях.

— Не уходи из-за меня, — говорит она.

— Самое время, — настаивает Майк.

Им немного неловко друг с другом, и мне интересно, то ли это просто из-за ситуации, то ли оба не могут забыть тот страстный поцелуй в канун Нового года.

Как бы то ни было, Майк уезжает, а мы с Ниной возвращаемся в тепло дома. Мы сидим за кухонным столом, и у каждой из нас в ладонях чашка шоколада.

Моя подруга нарушает тишину.

— Келли сказала, что в четверг была вынуждена отослать тебя домой.

— Да. — Нет никакого смысла врать. Все так или иначе узнают, что я перестала справляться с работой.

— Теперь-то ты чувствуешь себя хотя бы чуть-чуть получше?

— Да, — говорю я, — немного.

А вот про это могла бы и соврать.

— От Доминика все еще никаких вестей?

— Никаких.

Нина вздыхает.

— Знаешь, это к лучшему, — говорит она.

— Что?

— Что Доминик ушел. Лучше раньше, чем позже.

— Откуда ты знаешь? — Как и Арчи, я тоже ощетиниваюсь.

— Это должно было случиться.

— Так мне все говорят. — Мне становится трудно удерживать руки, чтобы они не тряслись от гнева.

— Ты уже закрыла свои банковские счета? — озабоченно спрашивает она. — Джерри сказал, что это надо было сделать сразу. Или хотя бы сними с них все деньги, чтобы он не смог дотянуться до них.

— Какие деньги? — Как же мне хочется, чтобы мерзкий и развратный муж Нины не совал нос в мои дела! — Едва ли в банке есть что-нибудь, что Доминик может взять, а если бы и было, то я сама с удовольствием отдала бы ему все до последнего пенса.

Она смотрит на меня как на безнадежно чокнутую. Но на самом-то деле я безнадежно влюблена!

— Я просто думаю, что ты должна как-то защитить себя, — мудро советует она. — Заблокируй кредитки.

— Дело не в деньгах, — перехожу я в наступление. — Мне на них плевать. Мне плохо из-за того, что он неизвестно где, и я отдала бы последний пенс, чтобы он хотя бы позвонил и сказал, что с ним все в порядке. Ты что, не понимаешь?

Ее лицо действительно выражает непонимание.

— Я просто хочу сказать, что ты должна присматривать за таким типом.

— Что ты в этом понимаешь, Нина? — с горечью говорю я.

— Все мы знали, что именно так все и закончится. Чем скорее ты сможешь это признать и начнешь двигаться дальше, тем быстрее войдешь в норму.

— Не хочу я такой нормы, — говорю я ей. — Не хочу возвращать свою старую жизнь. Я хочу Доминика и ту жизнь, которая была у меня с ним. Возможно, если бы он тогда не услышал от тебя, как ужасно ты о нем думаешь, он все еще был бы здесь.

Моя так называемая подруга свирепеет.

— Ни в чем я не виновата! Я просто пыталась предупредить тебя.

— Доминик слышал все, что ты сказала о нем тогда, в снежной зоне. Именно поэтому он и уехал. Он знал, что все против него.

Теперь она белеет от ужаса.

— Ты никогда мне этого не говорила.

— Но как ты могла не знать? Он стоял как раз за дверью. И все слышал.

— Я понятия не имела.

— О, только вот этого не надо. Не знаю, зачем ты приехала, Нина, но не прикидывайся невинной овечкой.

Она смотрит на меня, раскрыв от изумления рот.

— Я приехала, чтобы опять стать твоей подругой, — обретает она дар речи.

— Нет, — отвечаю я. — Не для этого. Ты хочешь быть подругой только на *своих* условиях. Если бы ты действительно была моей подругой, то переживала бы за меня. Переживала, потому что единственный мужчина, которого я когда-либо искренне любила, исчез из моей жизни. Если бы ты была настоящей подругой, то была бы похожа на Майка. — Я быстро показываю пальцем в сад, где мой преданный сосед стоит спиной к нам, сгребая в кучу срезанные ветки. — Это он день и ночь искал Доминика вместе со мной. Это он был здесь каждый день, чтобы я не оставалась одна, чтобы не думала слишком много и не сделала какую-нибудь глупость. Разве ты вела себя так, как жители моей деревни, которые покинули домашний уют и отправились в поля на поиски Доминика? Или приносила мне в подарок вкусные вещи, от которых я не могла отказаться, потому что знала, что у меня пропал аппетит и я ничего не ем? Вот так поступают друзья. Поэтому забирай вино и цветы, Нина. Не это мне нужно от тебя. — Только теперь я глубоко вздыхаю. — И прежде чем начнешь наводить порядок в *моем* доме, хорошенько посмотри на свой!

Явно задетая за живое, моя подруга встает, направляется к двери, поворачивается и говорит:

— Когда-нибудь, Дженни, ты будешь благодарить меня.

— Это вряд ли, Нина.

Подруга уходит, хлопнув дверью так сильно, что та едва не слетает с петель.

Благодарить судьбу я буду в тот день, когда ко мне вернется Доминик.

Глава 84

После обеда мы с Майком работаем еще два часа, теперь у него в саду. Я не рассказала Майку о моем споре с Ниной, но, думаю, по моему мрачному настроению он может понять, что у нас с ней не все гладко.

Быстро холодает, и меня начинает бить дрожь. Руками я прикрываю живот. Если там есть ребенок — ребенок Доминика! — то я должна быть уверена, что малыш не простудится.

— Все хорошо? — спрашивает Майк.

— Да, да. — Я собираю последние листья и кладу их в черный мешок. Мы уже все сделали, и Майк собирается в последний раз вывезти мусор.

— Хочешь, устроим вечер с DVD? — предлагает Майк, собирая садовые инструменты.

— Конечно. А я приготовлю обед в знак благодарности. Хочешь карри?

Мне нужно как-то согреться, поскольку я промерзла до костей.

— От карри я никогда не отказываюсь.

Что правда, то правда!

Майк уезжает, а я начинаю готовить блюдо, которое называю «добрый старый цыпленок карри по-английски» с кусочками яблок, изюмом и бледно-желтым порошком специй.

Мы садимся за кухонный стол и едим. Мой сосед непринужденно рассказывает о чем-то. Я же сижу молча, погрузившись в раздумья. После того как мы вместе убираем со стола, я готовлю кофе, и мы засиживаемся в теплой кухне.

— Что бы ты хотела посмотреть? — спрашивает Майк.

— Все равно.

У меня в гостиной на журнальном столике лежит стопка DVD, что-нибудь выберем.

Майк обеспокоенно смотрит на меня.

— Ты очень тихая сегодня, Дженни. У тебя все в порядке?

Нет, хочу сказать я, отнюдь не все. Я никогда даже не подозревала, что можно скучать по другому человеку так сильно, как я скучаю по Доминику. Каждая клеточка в моем теле тоскует по нему. Мне хочется сказать Майку, что у меня будет ребенок Доминика и что теперь стало еще важнее найти его, раз он будет отцом. Я не хочу воспитывать ребенка одна. Я хочу, чтобы его отец был здесь, со мной. Я хочу, чтобы мы снова были счастливы вместе.

Вдобавок ко всему я рассорилась со своей лучшей подругой, с которой со школьных времен прошла сквозь огонь и воду. На глаза наворачиваются непрошеные слезы.

Майк берет меня за руку. Тепло его прикосновения успокаивает меня, и я, устало улыбаясь, с благодарностью гляжу на него.

— Я знаю, что ты очень любишь Доминика, — начинает он, — но, Дженни, вдруг он никогда не вернется?

— Вернется.

— Ты не можешь так жить дальше.

— Должна.

Майк нежно улыбается мне.

— Ты знаешь, как важна для меня, — говорит он. — Я буду всю жизнь заботиться о тебе и хочу лишь одного — чтобы ты была счастлива. И для этого сделаю все, что будет нужно. Ты же знаешь.

— Знаю. Конечно, знаю.

— Лучшие друзья?

— Лучшие друзья, — соглашаюсь я.

Звонит телефон, и я снимаю трубку все с тем же чувством тошноты и страха, к которому уже начинаю привыкать.

— Привет, это я. — Нина говорит торопливо и очень возбужденно. — Ты смотришь телевизор?

— Нет, — отвечаю. — Мы с Майком как раз заканчиваем ужинать.

— Включай, — велит она. — Включай скорей! Новости Би-би-си. Я зайду через пять минут.

Щелчок, и разговор прерван. Я стою с трубкой в руке и не могу понять, что происходит.

Майк хмурится.

— Что-то случилось?

— Не имею представления. Это была Нина. Она велела мне включить новости и повесила трубку. Почему-то она едет сюда.

— Так посмотрим и узнаем, в чем дело.

Мы с Майком переходим в гостиную. Я не смотрела новости уже много недель и понятия не имею, что происходит в мире. Мне все равно.

Телеведущий нудно говорит о какой-то встрече на высшем уровне, и я не могу понять, почему Нина так разволновалась.

— Это точно Би-би-си?

Майк проверяет канал.

— Да.

Я пожимаю плечами, Майк в ответ тоже пожимает плечами, но мы послушно продолжаем смотреть. Сюжет завершается, и ведущий произносит «Далее в программе». На экране появляются картинки, и среди них я вижу фотографию Доминика!

Он выглядит не таким, как в Африке. Он какой-то потрепанный, грязный и более худой, но нет сомнения, что это он. Что бы ни случилось с ним, где бы он ни был, он все еще мой Доминик. Я узнала бы его где угодно.

«Это же он, — хочу я крикнуть, — мой Доминик!»

Но из-за шока, вызванного тем, что я опять вижу его красивое лицо, у меня пропал голос, и я могу лишь указывать пальцем на экран.

— Боже мой, — говорит Майк вместо меня.

Ведущий самодовольно продолжает:

— Скоро узнаем, почему столько шума поднялось из-за *этого* воина масаи.

Я на ощупь нахожу пульт и прибавляю громкость. Теперь придется десять бесконечных минут сидеть и ждать, пока идут сообщения из-за рубежа.

Какое мне дело до того, что происходит в Китае, или Копенгагене, или где-то еще? Мне надо знать, что случилось с Домиником. Я молюсь, чтобы новости оказались хорошими. Если бы это были дурные вести, то их, конечно, преподносили бы иначе? Майк придвигается поближе ко мне. Мы оба сидим на краешке дивана, и я так сильно сжимаю его руку, что, кажется, могу сломать ее.

Наконец ведущий с кривой улыбкой на губах неторопливо читает:

— Сегодня воин масаи мистер Лемасолаи Оле Нангон, также известный как Доминик, бездомный, живущий на улицах Лондона, получил благодарность за проявленную им храбрость при поимке грабителя, напавшего на пожилую женщину.

Остальное сливается для меня в ровный гул — так я ошеломлена.

Доминик в Лондоне! Он спит под открытым небом, на улице! Я чувствую, как кровь отливает от моего лица. Как он справляется с невзгодами? Как вообще он смог выжить в такой сильный мороз? Мы неустанно искали, и искали, и искали его в окрестных деревнях, в полях, в живых изгородях, а он, вполне возможно, все это время провел в Лондоне! Ну почему я не подумала об этом? Ну почему это не пришло мне в голову? Конечно, сейчас-то уже не имеет значения, где он был или как добрался туда. Сейчас он в безопасности! Он жив!

На экране репортер, и я вижу, как он подносит микрофон к лицу Доминика.

— О боже! — выкрикиваю я и сильнее вцепляюсь в руку Майка, чтобы иметь точку опоры.

Доминик устал и изможден. Его красивое лицо грязно и исцарапано. Он одет в *shuka* и *kanga,* грязные и рваные. На его когда-то бритой голове отросли волосы, и теперь у него нечто вроде прически афро, которая изменила черты его лица, но все равно это мой Доминик, моя любовь!

Слезы льются у меня по щекам, и я поворачиваюсь к Майку.

— Он жив, — говорю я. — Слава богу, он жив!

Кажется, грабитель вырвал сумочку у пожилой женщины, угрожая ей ножом, а Доминик, видя, что произошло, и не думая о собственной безопасности, погнался за ним. Он сбил грабителя с ног и вернул сумочку законной владелице.

— Как это, быть героем, мистер Оле Нангон? — спрашивает репортер.

Доминик застенчиво пожимает плечами. Видно, как он смущен присутствием камеры, вниманием прессы.

— Я просто сделал то, что сделал бы любой английский гражданин.

— О, Доминик, — вздыхаю я. — Возвращайся домой. — И поворачиваюсь к Майку: — Я должна найти его.

Он кивает.

— Пойду за машиной.

Глава 85

Не проходит и пяти минут, а мы уже мчимся в Лондон в машине Майка, который вдавливает педаль газа в пол. Нина едет с нами. Выглядит она ужасно — глаза покраснели, лицо опухло. Она сидит сзади, крепко сжимая мою руку, опущенную между сиденьями.

— Прости меня, — опять просит она со слезами в голосе. — Я была полной дурой, Дженни. Ты сможешь когда-нибудь простить меня?

Я уже дала себе слово никогда в жизни с ней не разговаривать, но сейчас мое сердце смягчается.

— Конечно.

Моя подруга крепче сжимает мою руку и начинает рыдать.

— Я была никчемной подругой, — винит она себя. — Но буду делать все, что в моих силах, чтобы наладить наши отношения.

— Сейчас не время распускать нюни, леди. Мы должны оставаться сильными, пока не вернем Доминика. Он где-то в Лондоне, живой и здоровый. Только это и имеет для меня значение.

— Мы найдем его, — обещает она. — Я буду помогать изо всех сил.

— Спасибо.

— Я была просто идиоткой, — признается она. С этим ни Майк, ни я не спорим, но, какие бы ни были у нас с Ниной разногласия, сейчас я рада, что она здесь, со мной.

— Давай попытаемся определить, где он может быть, — предлагает Майк, не отрывая глаз от дороги. — Позвони на Би-би-си.

У меня прерывается голос, когда я звоню на телевизионную станцию, но в конце концов мне удается поговорить с редактором программы новостей. К сожалению, он обязан следовать правилам защиты личных данных и не может сказать мне, где живет Доминик, но сообщает, в каком полицейском участке с ним имели дело. Итак, наша первая остановка будет там.

Через час мы на месте. Нина выскакивает из машины следом за мной, и мы вбегаем внутрь. Теперь надо объяснить, зачем мы здесь.

Офицер явно жалеет меня. Не знаю, нарушение это правил защиты данных или нет, но он сообщает, что Социальная служба уже нашла для Доминика место в при-

юте для бездомных. Адрес записывает Нина, поскольку
моя рука дрожит так, что я не могу держать ручку.

И вот мы опять в машине. Нина дает адрес Майку,
который сразу же вводит его в спутниковый навигатор, и
мы пускаемся в путь. Улицы забиты машинами, и полчаса
уходит на то, чтобы доползти до Кингс-Кросса, где расположен приют. Я нетерпеливо постукиваю по приборной
панели, пытаясь отвлечься от тяжких мыслей.

Майк с мрачным видом сидит рядом со мной и молчит.
Нина на заднем сиденье грызет ногти. Мой друг следует
неторопливым инструкциям навигатора, а мне хочется
наорать на чертово устройство, чтобы оно говорило по-
живее — я уже не могу больше ждать.

Наконец мы останавливаемся у высокого обшарпан-
ного дома, очень похожего на захудалую гостиницу.

— Это здесь?

Майк молча кивает.

Как же здесь мрачно! До ужаса мрачно...

Мы выходим из машины и подходим к двери. Почти
весь домофон залеплен жевательной резинкой. Я нажимаю кнопку, и вместо ответа слышу потрескивание.

— Я ищу Доминика Оле Нангона, — говорю я. —
Воина масаи. Думаю, он здесь.

Мужской голос произносит нечто нечленораздель-
ное, и только я собираюсь попросить, чтобы он повторил,
как слышу, что замок щелкает, и дверь распахивается.
Мы с Майком и Ниной взволнованно переглядываемся
и входим.

В приемной очень мало мебели, но чисто. Увидев нас,
из-за стола встает мужчина.

— Чем могу помочь? — произносит он.

— Мы ищем Доминика Оле Нангона, — повторяю
я. — В полиции нам сказали, что его направили сюда.

— Он недавно ушел, — сообщает мужчина. — Мы
дали ему горячую еду, и здесь есть отделение медицин-

ской помощи, но он не захотел остаться. Не захотел занимать комнату, поскольку кто-то другой может нуждаться в ней. — Мужчина пожимает плечами.

— То есть вы просто позволили ему уйти? — Я не могу поверить своим ушам!

— Мы не можем силой удерживать людей, если они не хотят оставаться, — указывает он. — Это временное пристанище для бездомных. Приют со свободным доступом.

Я понятия не имею, что это такое. Очевидно, он видит, что я в замешательстве, и объясняет:

— Сюда приходят только по своей воле.

Я с тоской поворачиваюсь к Майку и Нине. Доминик ушел. Мы с ним разминулись.

— Вы можете предположить, где он может быть?

— Я думаю, где-то неподалеку. За вокзалом есть целый город из картонных коробок. — Мужчина любезно смотрит на меня. — Прошло примерно полчаса, как он ушел. Вряд ли больше.

— Спасибо.

Секунду спустя Майк уже включает мотор. Температура падает, и мне невыносимо тяжела мысль о том, что Доминик проведет на улице еще одну ночь. Мы же совсем рядом с ним, а я так его люблю!

— Мы найдем его, — уверяет Нина. — Он не мог уйти далеко.

Майк едет очень медленно, и мы внимательно смотрим вокруг. На перекрестках много сомнительных личностей. Нам становится не по себе, Майк включает центральный замок, и мы обмениваемся тревожными взглядами.

— Я не могу вернуться без него.

— Мы и не вернемся, — обещает Нина. — Мы будем здесь столько, сколько потребуется, чтобы найти его, да, Майк?

— Конечно, — соглашается он.

Мы сворачиваем с главной дороги. Улицы здесь узкие, темные, зловещие. Я вжимаюсь в сиденье.

— Ни черта себе, — бормочет Майк. — Как он смог здесь выжить?

Мысль об этом невыносима. Я оглядываюсь назад и вижу, как по лицу Нины катятся слезы.

Мусора все больше и больше. Ветер гонит обрывки бумаги, и я съеживаюсь, когда вижу, как по водостоку носится крыса. Мы рядом с арками железнодорожного моста, и я понимаю, что имел в виду человек в приюте для бездомных, когда говорил о городе из картонных коробок. Они занимают все место под арками, и каждая дает приют одному, а то и нескольким людям, теснящимся внутри.

— Думаешь, здесь надо выйти?

Майк сомневается.

— Не думаю, что это безопасно.

— Придется попробовать. Он может оказаться в одном из переулков.

Майк покорно вздыхает.

— Ты права. Припаркуюсь здесь. — Он останавливается на единственном участке, где нет двойной желтой линии. — Остается надеяться, что, когда мы вернемся, колеса будут на месте.

— Чем нас больше, тем безопаснее, — храбрится Нина. — Если мы будем держаться вместе, все будет хорошо. — Однако на лице у нее виден испуг.

Как только Майк выходит из машины, из тени выходят две скудно одетые дамы. Обе курят, и глаза у них прищурены. На них обрезанные топы, джинсовые курточки, жутко короткие юбки и высокие сапоги. Ноги у них голые, а ночь очень-очень холодная. Когда вылезаем мы с Ниной, они начинают отступать.

— Леди, — кричу я. — Не могли бы вы помочь нам? Пожалуйста. — Они смотрят на меня с опаской, но я подхожу к ним прежде, чем они успевают удрать. — Я ищу кое-кого. Его зовут Доминик Оле Нангон. Его нельзя не заметить. — И как я не сообразила взять с собой фотографию Доминика! — Он воин масаи.

Выражение их тусклых глаз на мгновение меняется.

— А сколько дадите? — Та, что постарше, прислоняется к стене и напускает на себя безразличный вид. — Бесплатно мы ничего не скажем.

— Я его подруга, — объясняю я, открываю сумочку и смотрю, какие у меня есть деньги. — Он ушел из дома.

Она пожимает плечами.

— А может, он не хочет, чтобы кто-то знал, где он.

Пока я копаюсь, Нина вытаскивает из своей сумочки двадцатку и протягивает ее. Младшая бросает окурок и гасит его каблуком.

— Да, я его знаю, — говорит она. — Он какое-то время болтался здесь.

Мое сердце начинает биться быстрее.

— Вы знаете, где он теперь?

— Нет, — говорит она. — Не видела его сегодня. Мы только что пришли. Он часто спит вон там. — Большим пальцем она тычет через плечо в сторону арок.

Тьма под ними такая, будто там скрыта адская бездна.

— Спасибо, — говорю я. — Если увидите его, пожалуйста, передайте, что его ищет Дженни.

Обе одновременно пожимают плечами, и старшая сует двадцатку в карман.

Майк берет меня за руку, когда я направляюсь к арке, похожей на вход в туннель.

— Ты точно хочешь сделать это? Лучше я пойду один, а вы обе останетесь в машине.

— Нет, — отрезаю я. — Мне будет спокойнее, если мы пойдем все вместе.

— Я согласна, — говорит Нина и овладевает другой рукой Майка.

Держась за руки, мы углубляемся в сырой сводчатый проход. Совсем рядом раздается грохочущий кашель. Где-то лает собака. Кто-то поет в бутылку песню «Дэнни Бой». Почти никто не обращает на нас внимания. Лишь некоторые просят деньги, но, судя по голосам, не надеются на успех. Здесь очень грязно, и я даже рада, что темно — не видно, что у нас под ногами. Фонарик был бы полезен, но я не подумала, что его нужно было взять с собой.

Мы осторожно пробираемся среди мусора и зовем Доминика по имени.

— Я здесь, — кричит незнакомый голос. — Я — Доминик.

Но мне-то сразу ясно, что это не мой Доминик.

Еще кто-то кричит с другой стороны туннеля:

— Я — Доминик!

Но и это не он.

— Я — Доминик. — И хриплый смех.

— О, да заткнитесь же вы все, — кричит Нина, обращаясь ко всем сразу.

— Очень смешно, — ворчу я, тоже обращаясь ко всем сразу. Но потом думаю, что для тех, кто живет на улицах, драгоценна любая, даже самая малая возможность посмеяться, и этих людей нельзя упрекать в желании поразвлечься за наш счет. Однако это не помогает нам в поисках, и я должна сознаться, что очень не хочу рисковать, углубляясь в эти трущобы с грудами коробок и спрашивая, не видел ли кто-нибудь воина масаи, бродящего где-то поблизости.

— Все бесполезно, — жалуюсь я. — Здесь каждый — чертов «Доминик». Как же нам найти его? — И тут на меня снисходит озарение. — Ребята, — говорю я, — свистите мелодию звонка для мобильника из сериала «24 часа».

— Что? — Нина смотрит на меня так, будто я спятила.

— Поверьте мне. Это мой звук масаи. Если Доминик здесь, он сразу узнает его.

Моя подруга пожимает плечами.

— Ладно.

Майк кивает в знак согласия. Мы с ним провели вместе столько времени, следя за испытаниями и злоключениями непобедимого Джека Бауэра, что мой сосед может воспроизвести мелодию без подсказок с моей стороны.

Все мы свистим, продолжая идти и, как ни странно, я начинаю надеяться. Однако минуты проходят, а ответа все нет, и меня охватывает сокрушающее уныние. Я начинаю подозревать, что у нас нет никакого шанса найти здесь Доминика. Проклятый звук масаи! Он может сработать на широких, открытых всем ветрам равнинах Африки, но только не здесь, в мрачном картонном городе.

— Безнадежно, — говорю я своим спутникам.

— Давайте пройдем до того конца, — говорит Майк, указывая на заднюю часть сводчатого прохода, где под уличным фонарем виднеется огромная груда коробок. Он берет меня под локоть и ведет туда.

И вдруг мое сердце подпрыгивает при виде чего-то ярко-красного. Я хватаю друзей за локти.

— Майк! Нина!

Они поворачиваются и смотрят туда же, куда и я. На их лицах вспыхивают улыбки, и мы все как один бросаемся вперед, к коробкам.

Конечно же, там Доминик в *kanga*, и палка лежит рядом с ним. Как и в телевизоре, он усталый и грязный. У него свежие ссадины. Он выглядит потрепанным, но в остальном, кажется, все не так уж плохо. Лежит он, пригнув голову к груди, и его бьет крупная дрожь. Мы стоим прямо над ним, но он не замечает нас.

— Доминик, — окликаю его я.

Он дергается и открывает глаза. Я падаю перед ним на колени и обнимаю его. Меня сотрясают рыдания.

— Мы нашли тебя и отвезем домой.

— Я не знаю, где мой дом, Просто Дженни, — отвечает он.

Я прижимаюсь лицом к его лицу и чувствую, как мои горячие слезы стекают по его ледяной щеке.

— Там, где я, — говорю я ему. — Твой дом там, где я.

Глава 86

Доминик тяжело поднимается и крепко прижимает меня к себе. Майк с Ниной подходят к нам. Майк похлопывает Доминика по спине и тоже обнимает его, и я замечаю слезы в его глазах.

— Рад, что ты в безопасности, приятель, — говорит мой друг. — Заставил же ты нас поволноваться!

— Простите. — Доминик склоняет голову. — Я не хотел доставлять вам неприятности.

Нина тоже обнимает его, рыдая в три ручья. Если Доминик и удивлен, что она тоже здесь, то не подает вида.

— Прости, — повторяет она снова и снова. — Я очень виновата.

Но сейчас время не упреков и обвинений, а облегчения и радости.

— Мы всюду искали тебя, — говорю я Доминику. — Мы все с ума сходили.

— Я должен был уйти, — объясняет он. — Мне было слишком тяжело навлечь на вас позор. Все думали, что я плохой человек.

— Не все, — поправляю я. — А всего несколько человек, сбитых с толку глупыми россказнями. — Мы с Ниной смотрим друг на друга. — И теперь они поняли, что были неправы.

— Совершенно неправы, — вставляет Нина, хлюпая носом.

— Мы все любим тебя, Доминик. — Я держу его лицо в руках, и мне все еще не верится, что мы нашли его. — И я люблю тебя больше, чем кто-либо другой. Я так скучала по тебе!

— Я тоже скучал по тебе, Просто Дженни.

— Давай-ка отвезем тебя домой, — говорю я.

Доминик берет свое одеяло и дает отвести себя к машине. Он слабый и намного более худой, чем казался на экране телевизора. Но я надеюсь, что шрамы от его хождения по мукам в основном поверхностные и он, семижильный воин масаи, душевно здоров.

Майк помогает нам обоим сесть на заднее сиденье. Оказавшись там, я обнимаю Доминика, как ребенка. Нина проскальзывает на переднее сиденье рядом с Майком. Доминик кладет голову мне на плечо, и, пока мы возвращаемся в Нэшли, обломки моего разбитого сердца медленно срастаются. Настроение улучшается еще больше, когда становится виден мой коттедж. Майк подъезжает к самой двери.

— Вот мы и дома, — говорю я моему возлюбленному. — Мы снова дома.

Майк и Нина помогают Доминику дойти до двери, пока я вожусь с ключами и отпираю замок. Включаю свет, и в тот же миг дом становится теплым и уютным.

Стоит нам войти, как, топая по лестнице, прибегает Арчи и, исступленно мурлыча, начинает тереться о ноги Доминика. Мой возлюбленный нежно поднимает кота и кладет себе на плечи. Арчибальд сияет от восторга.

— Посиди с ним, — распоряжается Майк. — И не двигайтесь.

Я не сопротивляюсь. Больше я никогда не дам Доминику уйти.

— Мы поставим чайник и приготовим Доминику что-нибудь поесть, — говорит Нина.

— Овсянку, — говорю я ей. — Сделай ему овсянку, пожалуйста. Он ее очень любит. Она согреет его.

— Решено. — Нина берется за работу и идет на кухню в сопровождении Майка. Мне хочется плакать от чувства благодарности — у меня совсем не осталось сил.

Мой храбрый воин масаи садится на диван и с облегчением откидывается на спинку. Одинокая слеза катится у него по щеке. Я пристраиваюсь около него, подогнув под себя ноги. Мы с ним сидим рядом, неподвижно и молча.

Через несколько минут Нина и Майк приносят Доминику горячий шоколад и овсянку, а мне — чай с тостом.

— Еще что-нибудь нужно? — спрашивает Майк.

— Нет, — отвечаю я. — Ты так много сделал для меня, для *нас*. Более чем достаточно.

— Рад был помочь. — Майк скромен, как всегда.

— Нам уже пора, — говорит Нина. — Оставим вас одних.

Нина идет надевать пальто, и я пользуюсь моментом, чтобы поговорить с Майком. Я встаю, отвожу его от того места, где отдыхает Доминик, и поворачиваю лицом к себе.

— Ты больше чем друг, Майк. Ты — моя семья, — говорю я ему тихо, всем сердцем надеясь, что мой сосед, мой друг, воспримет эти слова как комплимент. Пусть я не смогла полюбить Майка так, как он когда-то надеялся, но я все равно люблю его. Надеюсь, он всегда будет здесь, рядом с нами, в нашей жизни. — Не знаю, что бы я без тебя делала.

Он крепко обнимает меня.

— Я счастлив слышать это, — шепчет он так, чтобы только я могла услышать.

— Спасибо. — Я нежно целую его в щеку. — Огромное спасибо.

Возвращается Нина, и мы отодвигаемся друг от друга.

— Мне нужно выпить чего-нибудь покрепче, — говорит она мне. — Слишком много волнений было сегодня.

— Спасибо, что позвонила, — говорю я. — И что отправилась с нами искать Доминика.

В ее глазах опять появляются слезы.

— Это самое малое, что я могла сделать.

— Я могу предложить тебе чего-нибудь покрепче, — предлагает Майк, — если зайдешь ко мне домой.

Они обмениваются мимолетными взглядами.

— Почему бы и нет? — отвечает Нина и берет его под руку.

Хм. В самом деле, почему бы и нет? Когда они уходят, Доминик пытается встать, но Майк вытягивает руку.

— Ты остаешься там, где сидишь, приятель, — велит он. — Отдыхай и расслабляйся, пока к тебе не вернутся силы.

— *Asante*. Спасибо, Майк, — отвечает Доминик, сжимая его руку и встряхивая ее. — Ты очень хороший друг.

— Я заскочу завтра, — обещает Майк. — Хочу убедиться, что у вас все в порядке.

— Я тоже, — говорит Нина.

— Я уверена, что у нас все будет прекрасно, но нам будет приятно повидать вас обоих.

Я целую Нину, и мы обмениваемся взглядами, признавая, что размолвка у нас была, да быльем поросла.

Майк с Ниной уходят, и мы с Домиником остаемся наедине.

Глава 87

После их ухода в доме воцаряется мир, которого мне так мучительно не хватало. Доминик доедает овсянку и допивает горячий шоколад.

— Я уже чувствую себя лучше, — говорит он, слабо улыбаясь.

— Ты очень храбрый. Сбил с ног того грабителя.

— Да это пустяки. — Доминик пожимает плечами. — Я же голыми руками боролся со львами, Просто Дженни.

Я смеюсь.

— Про львов я иногда забываю.

Он кладет мою голову к себе на плечо, к вящему огорчению Арчи, и мы наслаждаемся тишиной. Я не хочу слишком много расспрашивать Доминика, разрушать тихую радость, которую чувствую, когда он дома. Но мне надо кое-что понять.

— Что произошло, Доминик? Куда ты ушел?

— Я ушел, поскольку считал, что так будет лучше. Я не хотел причинить вред твоему положению в деревне. Я думал, как воин масаи, а не как английский джентльмен. — Он вздыхает. — Той ночью я два часа шел через поля, а утром, когда вышел на дорогу, какой-то человек остановился и спросил, не потерялся ли я, и предложил меня подвезти. Я спросил, куда он направляется. Он ответил, что едет на работу в Лондон. Тогда я попросил, чтобы он отвез меня туда.

Как же все просто!

— Он привез меня в Лондон и высадил у вокзала Юстон. Я не знал, что делать. Но там, у дверей, были молодые люди, укутанные в одеяла, и я спросил у них, куда мне пойти. Они отвели меня в Кингс-Кросс, показали, где можно получить еду, и объяснили, как жить на улицах.

— Разве тебе не хотелось вернуться домой? — спрашиваю я. — Разве ты не скучал по мне?

— Каждый день. — Он склоняет голову. — Я не знал, что мне делать. Через неделю тоска стала такой сильной, что я стоял на обочине дороги и ждал, чтобы кто-нибудь остановился и отвез меня домой.

В Масаи-Мара так поступил бы любой. Доминик так легко прилетел из Кении в Лондон, что, когда уходил от меня, не задумался ни о том, как сможет возвратиться ко мне, ни о том, как это может быть сложно. Скорее всего, он просто вообще не подумал об этом.

— Но никто не остановился. Через два дня у меня не осталось денег, и я не знал, каким еще способом можно вернуться в Нэшли.

— О, Доминик!

— И чем дольше я был там, тем больше был уверен, что ты уже не хочешь, чтобы я возвратился.

— Как же ты выжил? На что ты жил?

— Не так-то легко было найти работу, но иногда я помогал мыть посуду в кухне ресторана. Для моей гордости это было очень тяжелым испытанием, Дженни. Но ничего другого я делать не мог. Я привык ничего не иметь. У тебя столько вещей, — он жестом указал на обстановку, — но ты можешь жить без них, если придется. Это как раз не самое трудное. — Доминик печально улыбается мне. — А вот жить без тебя было совсем плохо.

— Я боялась, что никогда больше не увижу тебя.

— Я хотел вернуться домой, к тебе, — говорит он. — Я так хотел вернуться!

Мы крепко обнимаем друг друга.

— Теперь ты вернулся, — говорю я ему, — и здесь твой дом. Не хочу, чтобы ты опять убежал от меня.

— Конечно, нет, — подтверждает он. — Я и не собираюсь.

Я поглаживаю лицо Доминика. Мой любимый измучен, слаб. Проведенное на улицах время, конечно, сказалось на нем.

— Нам надо пораньше лечь спать, — говорю я. — Тебе нужно отдохнуть. Пойдем наверх, и я приготовлю тебе хорошую горячую ванну.

— Это одна из тех роскошных вещей, которых мне так не хватало, — признается Доминик. — Горячая вода! Как это хорошо!

Он с усилием встает с дивана и, пошатываясь, следует за мной в ванную, держа меня за руку. Арчи неохотно позволяет Доминику снять себя с плеч и устраивается на сиденье унитаза так, чтобы видеть все, что происходит.

Я включаю воду, наливаю немного ароматизированного масла, чтобы смыть с Доминика запах улицы. Доминик осторожно снимает свою красную одежду и бусы, местами надорванные. Вид его темного мускулистого тела волнует меня до глубины души, но то, что он здесь, радует меня значительно больше. Я всегда буду любить его, как бы он ни выглядел, в каком бы состоянии ни был. Доминик вернулся, и теперь со мной он будет в безопасности. Только это и важно.

Ванна наполнилась, и я помогаю Доминику опуститься в нее. Когда вода покрывает его тело, он с облегчением вздыхает.

— Хорошо быть дома, Дженни. — Его голос прерывается. — До чего же хорошо!

Он наклоняется назад и погружается с головой, а я намыливаю губку и начинаю нежно тереть все его тело. Я хочу смыть боль и горе.

Доминик закрывает глаза.

— Очень плохо было жить на улице? — спрашиваю я.

Он качает головой.

— Не так уж плохо, — честно отвечает он. — У меня было мало времени, чтобы привыкнуть к здешним удобствам. Но тем, кто успел привыкнуть к лучшему, было очень тяжело. — Он открывает глаза и встречается взглядом со мной. — Я и не думал, что в твоей стране есть люди, которые так живут. Я думал, что здесь у всех есть все, что нужно.

— Не у всех, — признаю я.

— Теперь я это знаю. Иногда мне приходилось есть пищу, которую выбросили другие. — У него такой вид, будто его тошнит при одном только воспоминании, и я тоже чувствую, как мой живот сводит судорога. — Они были очень добры ко мне, все те люди, которые спали под открытым небом, как и я. Они помогали мне. Надеюсь, я тоже им помогал.

— Не надо было уходить отсюда. Ты должен был остаться и поговорить со мной, Доминик. Мы бы все уладили. Всегда встретятся несколько человек, которые не примут тебя. То же самое могло случиться и со мной, если бы я переехала жить в твою страну.

— И даже хуже, — признает он.

— Вот видишь, — мягко говорю я. — Побег не может избавить от проблем.

— Но я не хотел, чтобы ты жила с позором.

— У масаи, может быть, и полагается отдаляться от тех, кого они любят, но мы не можем так поступать. Мы должны быть сильными вместе.

— Я уже это понял.

По его глазам видно, что он говорит искренне.

— Это не твой позор. И не мой. Мы с тобой не сделали ничего плохого. Плохо поступили те, кто оказался злым по отношению к тебе, к нам. Обещай мне, что отныне мы просто будем садиться рядом и во всем разбираться вместе. И не будет никаких опрометчивых действий.

— Я обещаю.

— Тебе не надо больше думать об этом. — Я беру его руку и мою пальцы, один за другим. — Все уже позади. Есть только ты и я. — Теперь я улыбаюсь. — Хотя это *не совсем* так.

Он озадаченно смотрит на меня. Набрав побольше воздуха, я объявляю:

— Кажется, я беременна, Доминик.

Его глаза загораются, и он крепко сжимает мою руку.

— Я еще не уверена, — торопливо признаюсь я. — Но это возможно. Все признаки налицо.

— Надеюсь, что так, Просто Дженни. Я и вправду надеюсь.

— Я тоже.

Возможно, мне следовало бы подождать, не говорить этого Доминику, пока я не буду уверена. Но я не могу держать свое счастье в себе. Как я хочу его ребенка! Тогда бы сбылись все мои мечты.

— Постараюсь узнать как можно быстрее.

Доминик обнимает меня и крепко целует.

— Ребенок, — шепчет он. — Мама — самый важный человек у масаи. Когда ты станешь мамой, Дженни Джонсон, я буду чтить тебя. Я буду благоговеть перед тобой. Я всегда буду уважать тебя.

— Мне приятны твои слова. — Я играю с его пальцами. — Но, честно говоря, мне будет достаточно того, что ты рядом.

— Мы должны пожениться.

— О да, — соглашаюсь я. — И немедленно.

И хотя я еще полностью одета, он тянет меня в ванну, в пенистую воду, и я оказываюсь на нем. Смеясь и сдувая пену с лица, я вытягиваюсь во весь рост. Как я люблю ощущать его тело! Он крепко держит меня в объятиях.

— Я люблю тебя, Дженни Джонсон!

— И ты, Доминик Оле Нангон, никогда больше никуда не уйдешь без меня.

— Отлично, — говорит он и целует меня еще раз.

Глава 88

Непрекращающийся стук в дверь пробуждает меня от глубокого сна. Я бросаю взгляд на часы. Почти полдень. Мы с Домиником еще в постели, в объятиях друг друга. Впервые он проспал в кровати всю ночь. Обычно он просыпался задолго до рассвета и делал обход деревни, проверяя, что все идет так, как должно идти. Я уверена, что после тяжелой жизни на улицах Лондона он заслуживает того, чтобы утром подольше поваляться в постели.

В дверь все еще стучат. Я заставляю себя вылезти из кровати, надеваю халат и иду посмотреть, кто там.

А там Нина, и в руках у нее груда газет.

— Я не разбудила тебя?

Я только зеваю в ответ.

— Ну, извини. Больше я не могла ждать.

— Пожар, что ли? — сонно говорю я, дивясь тому, что в моем мире снова все хорошо. Я бреду в кухню, и Нина идет следом.

Она полна сил, а я — нет.

— О, Дженни. — Нина опускается на стул. — Я не могла поверить своим глазам, когда сегодня утром зашла в магазин. Ты это видела? Доминик всюду. — Она раскладывает газеты, и, конечно же, красивое лицо моего возлюбленного напечатано во всех газетах. То, как он поймал уличного грабителя-наркомана и совершил возмездие, стало сенсацией. «ГЕРОЙ В ОДИНОЧКУ ПРОТИВОСТОЯЛ ПРЕСТУПНИКУ!» и «ВОИН МАСАИ СХВАТИЛ ГРАБИТЕЛЯ!» — всего лишь два из огромного количества красочных заголовков. Я беру первую газету и просматриваю статью. Она наполнена похвалой ему, и мое сердце раздувается от гордости.

— Он будет очень смущен, — замечаю я.

— Так он же и *есть* герой, Дженни. Кто бы поступил так, как он, в наше-то время? Другие до смерти боялись бы вмешаться и получить удар ножом.

— К таким вещам Доминик относится иначе, — говорю я ей.

— Он молодец! — говорит Нина. — Ту бедную старушку сбили с ног и начали избивать. Хорошо, что кто-то вступился и спас ее.

Я рада, что там оказался мой Доминик, мой воин масаи, поскольку эта история вернула мне его.

— Я всего лишь пыталась защитить тебя, Дженни, — искренне говорит мне Нина. — Ну, ты понимаешь. Мне казалось, что я поступаю правильно. — Она натужно смеется. — Ты же можешь себе представить, что раз я жила с Джерри, то плохо думала обо всех мужчинах.

Да я просто уверена, что именно из-за Джерри у нее такие извращенные взгляды, но ничего не говорю.

Подруга переводит взгляд на газеты.

— Видно, я была неправа.

— Очень неправа, — напоминаю я ей. Не повредит насыпать немного соли на рану. Там, на улицах Лондона, с Домиником могло случиться что-нибудь страшное. Просто счастье, что все закончилось хорошо.

Нина склоняет голову, но я не собираюсь заставлять ее страдать слишком сильно.

— Ну да ладно. — Я целую ее в макушку. — Не будем это вспоминать. Я поставлю чайник. Не знаю, как ты, а я хочу есть. — Мой аппетит, который отсутствовал столько же времени, сколько и Доминик, внезапно возвратился и уже требует целое блюдо сэндвичей с беконом.

Пока я готовлю завтрак, Нина просматривает газеты и читает вслух отрывки из статей о Доминике.

— Должна сказать тебе еще кое-что, — отрывается она от газеты, когда я вдвигаю бекон под гриль. — Я ухожу от Джерри. — Так вот из-за чего у нее такие красные глаза! — Он встречается с кем-то на работе. И, само собой разумеется, она моложе меня.

— О, Нина!

— Клише, а? — Она издает короткий смешок. — Но теперь все. Это последний раз, когда он так поступает со мной. — Подруга, должно быть, видит сомнение в моих глазах, так как добавляет: — Решено. Я к нему не вернусь.

— Уверена?

— Да, уверена. И чувствую себя хорошо. И знаю, ты бы сказала, что в любом случае без него мне будет лучше.

— Но я же не могу критиковать тебя за то, что ты выбрала именно этого мужчину, — указываю я.

— Не можешь. — Она смеется со слезами на глазах. — Ничего, этот шок я переживу. Что ни делается, все к лучшему. Я-то думала, у нас была любовь, взлеты, падения, страсть при примирении после очередного скандала. Теперь-то понимаю, что у нас вообще не было любви. Вот у вас с Домиником любовь настоящая. Я вижу, как ты относишься к нему, и понимаю тебя. В прошлом году я пыталась вызвать в себе чувства к Джерри, но, если честно, их уже давно нет. Я была просто напугана тем, что придется остаться одной.

— Это не так уж трудно, — говорю я ей. — Я же справилась.

— Ты не такая, как я, — говорит она. — Ты сильнее.

— Ну, не знаю.

— Ты же не хотела бы снова быть одна?

— Нет, не хотела бы, — соглашаюсь я. — Жить с тем, кого любишь, гораздо лучше.

— И с тем, кто тоже любит тебя. — Нина печально вздыхает. — Джерри многие годы делал из меня дуру, ведь так?

— Так, — соглашаюсь я.

— Кобель чертов, — продолжает она. — Отнял лучшие годы моей жизни. У меня уже были бы дети, если бы я не любила его.

— У тебя еще полно времени, Нина. Ты, как говорится, еще даже не на вершине холма.

— Нет, но совсем близко. — Мы хихикаем. — А у Доминика нет брата?

— У него больше братьев, чем ты можешь себе представить, но мы поищем тебе нового мужчину поближе к дому. — Я поднимаю одну бровь и киваю в ту сторону, где расположен дом Майка. Нина смущается и краснеет. — Миссис Далтон, в котором часу сегодня утром вы покинули дом мистера Перри?

Она смеется.

— Да, возможно, это имеет некоторое отношение к тому, что я решила сделать. Я видела много хороших людей и теперь полна решимости уйти от Джерри. Я не должна больше мириться с его ложью. — Она кладет руки на стол и задумчиво вздыхает. — Майк — прекрасный человек.

— Я уже много лет повторяю тебе это.

Нина пожимает плечами.

— Я не собираюсь падать духом. Конечно, я не хочу сломя голову бросаться в новые отношения, но со временем... Кто знает?

— Рада это слышать.

На этом наш разговор заканчивается, потому что появляется Доминик.

На нем чистая красная одежда. Он уже побрил голову, и прически афро из мелких завитков больше нет. Он выглядит веселее, сильнее и намного больше похож на себя прежнего.

— Меня разбудил запах еды.

— Ты голоден?

— Да. Очень.

— Привет, Доминик, — говорит Нина. На этот раз она не кричит ему так, будто он слабоумный.

— Привет. *Jambo*.

— *Jambo*, — неуверенно повторяет она, встает и протягивает Доминику руку. — Я хочу принести извинения. Я очень, очень жалею о том, что сказала. Тогда я была стервой. Но теперь я так рада, что вы благополучно вернулись домой.

Доминик кивает и берет ее за руку.

— Мы должны быть братом и сестрой, — говорит он ей искренне. — Ты — лучшая подруга Дженни, и это очень важно. Это как семья.

— Я знаю, — отвечает Нина. — Мы с Дженни вместе уже очень давно. Я не хочу, чтобы что-то разделяло нас.

— Это не входит в мои намерения, — уверяет ее Доминик.

— Значит, друзья? — предлагает Нина.

— Друзья, — соглашается он. И я счастлива, что опять вижу его широкую улыбку.

— Хочешь попробовать бекон, Доминик?

— Да, хочу. Я ел много разных вещей, когда жил на улице, — сэндвичи из «Макдоналдса», картофельные чипсы и кукурузные палочки.

— У нас много бекона. Я позову Майка. Он не захочет пропустить веселье.

Нина смущается.

— Он все равно подойдет через минуту, — говорит она нам. — Сейчас он в душе.

— О? Так ты вообще не была дома?

— Я провела ночь у него, — признается она, и яростный румянец окрашивает ее щеки. — Мы выпили бутылку или две вина, и... ну, в общем, уже было поздно уходить. Я просто прилегла у него на диване.

— И это все?

Она усмехается.

— Конечно. Майк — настоящий джентльмен. Что еще ты могла подумать?

Это правда. Я уверена, что если бы они захотели начать отношения, то Майк пошел бы ей навстречу, только если бы Нина совсем оставила Джерри.

Мы сидим за столом, завтракаем и читаем газеты, подтрунивая над звездным часом Доминика. Я удовлетворенно вздыхаю. Вот таким и должно быть воскресенье.

Нине и Майку, кажется, очень хорошо в компании друг друга, и я рада этому. Я и вправду надеюсь, что они всегда будут вместе, и у всех нас будут прекрасные отношения.

После завтрака они возвращаются в дом Майка, а я падаю на диван, притягиваю Доминика к себе, и мы обнимаем друг друга.

— У нас опять все хорошо? — спрашиваю я.

— Да, — искренне отвечает он. — Я чувствую, что мое сердце нашло себе место, Просто Дженни. Я устрою свою жизнь здесь, рядом с тобой, буду есть картофельные чипсы и стану искушенным человеком западной культуры.

— Я хочу, чтобы ты был точно таким, каков ты есть, — и наплевать на остальных.

Кто еще принес бы экзотику в мою жизнь?

Доминик улыбается, берет меня за руку и становится серьезен.

— Я хочу учиться, Дженни. Думаю, что хотел бы работать там, где помогают бездомным.

— Мы можем это устроить, я уверена. Когда мы поженимся, тебе дадут разрешение ходить в колледж, слушать лекции и работать. Тогда ты будешь чувствовать себя на своем месте?

Доминик кивает.

— Я очень хочу стать успешным и уважаемым членом британского общества.

— О, Доминик, я и сама не уверена, что стала уважаемым членом общества!

Он смеется в ответ, и я прижимаюсь к нему.

— Думаю, надо обойти деревню, — говорит Доминик. — Удостовериться, что все хорошо.

— Все дамы в Нэшли сходили с ума, пока тебя не было.

Доминик улыбается.

— Точно, — уверяю я его. — Они провели много часов в полях, разыскивая тебя.

— Тогда я должен вернуть им долг.

— Да. Ты хочешь всю оставшуюся жизнь защищать их и колоть им дрова?

— Это самое малое, что я могу сделать. — Он очень доволен, что его дамы беспокоились о нем.

— Хочешь, я пойду с тобой?

— Очень хочу.

Я прощаюсь с мыслями об уютном дне на диване и отправляюсь вместе с Домиником делать обход нашей деревни.

Нашего дома.

Глава 89

Конечно, в деревне все рады, что Доминик вернулся. Дамы из церковного цветочного комитета Нэшли, как я и ожидала, пришли в восторг и кудахчут вокруг него, как наседки. Они целуют и ласкают его, касаются его тела намного больше, чем необходимо, а Доминик снисходительно улыбается.

Сегодня вечером в сельском клубе состоится вечеринка-сюрприз по случаю возвращения Доминика домой. Мне поручено держать Доминика в неведении и привести его как почетного гостя. В оформлении решено использовать африканские темы, и я попросила Майка сделать копии тех двух дисков, которые купила для него в аэропорту Найроби. Так что соответствующая музыка у нас будет.

Ближе к вечеру я говорю Доминику:

— Мы идем на вечеринку. И я хочу, чтобы ты был в своем парадном наряде.

Мой воин масаи колеблется. Возможно, он помнит, что в прошлый раз, когда он надел свой лучший племенной наряд, получилось не так, как ему хотелось.

— А не лучше ли надеть европейскую одежду?

— Хм, — говорю я, притворяясь, что раздумываю. — Нет, не сегодня.

Я раскладываю всю его традиционную одежду, и он надевает ее, не возражая.

О, как его вид напоминает мне о том катастрофическом званом обеде! Но это же было так давно! Надеюсь, сегодняшняя вечеринка вселит в Доминика уверенность в себе и его месте в деревне.

Я помогаю моему возлюбленному. Поверх красного *shuka* он надевает оранжевую юбку, украшенную бусинками и крошечными зеркалами, и завязывает ее низко на бедрах. Чтобы не напугать дам, мы решаем оставить мачете дома. Доминик надевает на запястья и лодыжки браслеты, затем накручивает вокруг тела нити бус и увенчивает их своим искусно сделанным свадебным ожерельем.

— А можно, я надену то ожерелье, которое ты мне подарил?

— Нет, — торжественно говорит он. — Оно должно дожидаться дня нашей свадьбы, когда ты по-настоящему станешь моей женой.

От восторга я замираю, а потом неожиданно для самой себя обнимаю Доминика.

Он наносит охрой боевую раскраску на щеки, и я помогаю ему привязать изумительный головной убор из коричневых перьев, которые расходятся вокруг его красивого лица.

— Как ты прекрасен! — восхищаюсь я. — Великолепен!

— Спасибо. — Он улыбается и гордо поднимает голову, принимая королевскую позу воина масаи.

— Теперь иди вниз, а мне надо переодеться. — И когда он собирается протестовать, добавляю: — Буду очень скоро.

Оставшись одна, достаю расписную запахивающуюся юбку батик, которую купила, когда несколько лет назад проводила отпуск на Ибице, и которая с тех пор томилась на дне моего платяного шкафа. Я рада, что она мне еще впору. Надеваю красную футболку и несколько ниток бус, которые недорого купила в «Аксессуарах Клэр»[1]. После одного из моих отпусков, проведенных на пляже, у меня остались украшенные бусинами сандалии. Надеюсь, Доминику они понравятся. Я кладу их в сумочку, чтобы надеть, когда доберусь до клуба. Не очень-то они африканские, но не думаю, что завсегдатаи сельского клуба Нэшли будут слишком придирчивы. Осталось надеть пальто, чтобы Доминик не увидел, во что я одета. И, поскольку уже пора отправляться, я спускаюсь по лестнице.

— Готов? — обращаюсь я к Доминику, который увлеченно смотрит старый эпизод «Танцев со звездами».

— Да, — говорит он и зовет: — Иди сюда, кот.

Арчи, в походке которого снова появилась упругость, прыгает на подлокотник дивана, затем на спинку. Доминик снимает его и сажает себе на плечи.

Мы идем по пустым деревенским улицам. Моя рука лежит на руке Доминика.

Вот и сельский клуб. В окнах нет света, и Доминик, нахмурившись, глядит на меня.

— Не думаю, что там кто-нибудь есть, Дженни.

— Что такое? Неужели я ошиблась и мы пришли не в тот вечер? Ну, все равно давай посмотрим. — Я пробую открыть дверь, и она, конечно же, открывается.

В зале темнота. Мы с Домиником стоим у двери. Вдруг вспыхивает свет, и все жители Нэшли кричат: «Сюрприз!»

На баннере, висящем в дальнем конце зала, написано «ДОБРО ПОЖАЛОВАТЬ ДОМОЙ, ДОМИНИК!». Доминик в смущении смотрит на меня и, понизив голос, спрашивает:

— Это для меня?

---

[1] Компания, торгующая аксессуарами и бижутерией.

— Да, — говорю я, — потому что тебя все любят.

Мой воин масаи смущается.

— Последний раз такая вечеринка была в моей деревне, когда я стал *ilmoran*, воином, после обряда обрезания.

— Думаю, об этом не стоит упоминать, — предлагаю я.

На губах Доминика появляется его знаменитая улыбка, он испускает высокий возглас масаи и прыгает вверх чуть ли не на десять футов. Надо отдать должное сельским жителям Нэшли — никто не выказывает изумления. Вместо этого все роятся вокруг Доминика, жмут ему руку, гладят по спине, и дамы из церковного цветочного комитета Нэшли целуют его.

Я отступаю, чтобы не мешать Доминику купаться в лучах славы, снимаю пальто и надеваю сандалии. Ко мне подходит Нина.

— Так-так, — говорит она. — Бенидорм[1], 1992 год.

— Что-то вроде того.

Уж кто бы говорил! Сама-то она одета почти так же, как и я, хотя ее волосы тщательно уложены и украшены бисером.

— Кто укладывал?

— Кристал. Получилось больше Бо Дерек[2] и меньше Масаи-Мара, чем мне бы хотелось, но она постаралась, и прическа выглядит не так уж безнадежно.

— Выглядит великолепно.

Нина приехала с Майком, и когда он возвращается с напитками, то подходит ко мне, чтобы поцеловать в щеку.

И вручает Нине бокал с огненно-красной жидкостью.

— Африканский пунш, — с гримасой говорит Майк. — Вот только не знаю, принято ли в Африке пить водку?

Нина пожимает плечами и делает глоток. Он протягивает другой бокал.

---

[1] Бенидорм — город и муниципалитет в Испании, входит в провинцию Аликанте в составе автономного сообщества Валенсия.

[2] Бо Дерек — американская актриса и фотомодель.

— Это не для меня, — говорю я.

Он немного смущен тем, что на нем красная одежда Доминика и мои бисерные аксессуары от Клэр. И поскольку Майк англичанин, то он дополнил костюм носками и кроссовками. Поверьте мне, у многих «африканские» костюмы тоже состоят из совершенно разнородных предметов. Дамы из церковного цветочного комитета Нэшли в просторных платьях с цветочным орнаментом и цветных косынках, обернутых вокруг головы, — явно большие поклонницы Александра Макколла Смита[1] и Мма Прешес Рамотсве[2]. Только мистер и миссис Кодлинг-Бентем выглядят, словно сошедшие с экрана персонажи фильма «Из Африки». На них костюмы сафари и пробковые колониальные шлемы с противомоскитными сетками.

— Как дела? — спрашивает Майк.

— Все прекрасно, — с улыбкой отвечаю я. И, пока Нина отвлеклась, притягиваю его к себе. — А как у тебя с Ниной?

— Замечательно. — Он застенчиво улыбается.

Но я не успеваю разузнать подробности. Кто-то включает стерео, и клуб заполняют громкие ритмы африканской музыки. Толпа расступается, а Доминик остается в центре зала. Он опускает Арчи на пол, а потом показывает свои навыки в прыжках. Все хлопают и подбадривают его громкими возгласами. Дамы из церковного цветочного комитета Нэшли, кажется, едва сдержива-

---

[1] Александр Макколл Смит, род. 24 августа 1948 года, Булавайо, Зимбабве, — писатель шотландского происхождения. Автор книги «Женское детективное агентство №1». Специалист в области медицинского права и биоэтики. Почетный профессор медицинского права Эдинбургского университета. Доктор права.

[2] Мма Рамотсве — героиня книги Александра Макколла Смита «Женское детективное агентство № 1», открывшая первое женское детективное агентство в африканской стране Ботсване и занимающаяся увлекательными расследованиями. Часть книг этой серии переведена на русский язык.

ют себя. Некоторые из них, думаю, даже испытали оргазм — впервые за много лет.

Майк допивает свой пунш.

— Черт возьми, — говорит он. — Взявшись за гуж, не говори, что не дюж.

Он присоединяется к Доминику, и они прыгают вместе, как братья. Мои глаза опять наполняются слезами. Гормоны, должно быть. Тест на беременность оказался положительным, как я и думала. У меня будет ребенок! У меня будет ребенок Доминика!

Я еще не сказала ни Нине, ни Майку, но знаю, что оба будут в восторге, а у ребенка будут преданные, безумно любящие его тетя и дядя. Доминик уверен, что будет мальчик. Я прикрываю животик руками, но пытаюсь делать это незаметно для окружающих.

Ко мне подходит миссис Дастон.

— Не смогла найти в интернете рецепты из Масаи-Мара, — разочарованно признается она. — Поэтому мы остановились на лазанье. Что скажешь, сладенькая моя?

— Замечательно, — уверяю я ее. — Это любимое блюдо Доминика.

Она безумно рада.

На самом деле я и понятия не имею, нравится Доминику лазанья или нет. Но если пожилая дама будет счастлива от мысли, что попала в точку со своей итальянской интерпретацией африканской темы, то как я могу разочаровать ее? Время, проведенное на улице, заставило Доминика расширить свое меню, и теперь он гораздо охотнее пробует разные блюда. Я уверена, что и лазанье он отдаст должное.

Прыгают уже и другие мужчины. Доминик широко улыбается. Думаю, сейчас он не тоскует по дому, до которого так далеко отсюда.

Наконец Доминик перестает прыгать — после того как перестали прыгать все остальные — и подходит ко мне. Африканскую музыку сменяют «Абба» и «Уэм!»[1]. Подают лазанью.

— Ты счастлива? — спрашивает Доминик, и его рука заботливо ложится вокруг моей талии.

— Да, очень счастлива. — Я встаю на цыпочки, чтобы поцеловать его.

— Хорошо, — гордо говорит он. — Потому что если ты счастлива, то и я счастлив.

Глава 90

Я вернулась к работе в «Волшебных ножницах». Все мои клиентки очень рады видеть меня, особенно теперь, когда я больше не окрашиваю волосы не в тот цвет и не делаю короткие прически в лесбийском стиле женщинам, которые просто хотели подстричь кончики волос.

Нина вручает мне кофе, и мы садимся в комнате персонала среди полотенец, краски для волос и всего прочего, необходимого в салоне. Кристал загружает халаты в стиральную машину. Тайрон и Клинтон сидят, прижавшись друг к другу, с одной газетой и одним латте на двоих. Сейчас они — истинное воплощение счастья.

— Вчера вечером я зашла к адвокату, — говорит мне Нина, очищая апельсин, — по пути с работы домой. Развестись не так уж и трудно.

В ее голосе звучит печаль. Я прижимаюсь головой к ее голове.

— У тебя все будет в порядке, — уверяю я ее. — Мы позаботимся о тебе.

— Давно надо было это сделать.

---

[1] « W h a m ! » — дуэт Джорджа Майкла и Эндрю Риджли, который пользовался огромным успехом в середине 1980-х годов.

— Но все равно сейчас нелегко?

— Нелегко, — соглашается она. — Джерри, возможно, ублюдок, но мне трудно представить, что больше не увижу его после того, как мы подпишем несколько клочков бумаги. Не всегда же у нас были плохие времена.

— Возможно, вы сможете остаться друзьями? — предполагаю я.

— С ним и его пригожей двадцатилетней подругой? Я так не думаю. — Я рискую улыбнуться, и Нина тоже хихикает. — Было бы хуже, если бы у нас были дети. А так может быть полный разрыв.

— Ты получишь опеку над собаками?

— Да, — говорит она. — Хоть что-то хорошо. Мои девочки останутся со мной.

— Но не сможешь остаться в вашем доме?

— Нет, — говорит она. — Все равно он слишком велик для меня одной. Возможно, куплю себе маленький домик в Нэшли.

— Почему бы и нет, Нина? Сейчас в Нэшли продается коттедж. Молодая пара уезжает куда-то на север из-за работы мужа. Это прекрасный дом, с хорошим садом. Тебе будет легко управляться с ним. Да и рядом будут те, кого ты хорошо знаешь. — Так как мы с Ниной снова стали верными подругами, она проводит много времени с Майком, Домиником и мной. Не слишком ли много времени с Майком? Да и он в последнее время стал есть больше фруктов... Это ведь говорит о чем-то? Думаю, да. — Вот было бы здорово. Нэшли — хорошее место.

Ее лицо проясняется.

— А ты пойдешь со мной смотреть дом?

— Почему бы и нет? Надо поскорее договориться о времени, иначе дом успеют продать. Недвижимость в Нэшли долго не пустует.

— А ты свободна в выходные?

Я смеюсь.

— Думаю, в основном все уже организовано. Разве что остались кое-какие мелочи, но их можно сделать в последнюю минуту.

— Я так волнуюсь. — Нина нервно вздрагивает.

— Я тоже, — признаюсь я.

Наша с Домиником свадьба состоится в понедельник, в полдень. Келли закроет салон, чтобы все могли приехать. Церемония будет очень скромной, и пройдет она в отделе регистрации актов гражданского состояния. Праздновать с нами будут только немногочисленные друзья.

Нина и Майк — свидетели. Я не уверена, что Доминик в силах понять, почему у нас такая маленькая компания. Когда масаи устраивают свадьбу, то собираются сотни людей. Для него это будет еще одним культурным шоком, но я уверена, что он справится.

Я улыбаюсь, думая о своем возлюбленном, который сейчас сидит дома, выбирает себе курс в колледже и заполняет бумаги для получения разрешения на работу. Он очень хочет приносить людям пользу, и я очень им горжусь.

Откровенно говоря, иногда мне стыдно, что у меня нет такого неудержимого стремления.

По утрам он опять работает в саду мистера и миссис Кодлинг-Бентем. Они тоже рады, что он вернулся. Днем помогает по хозяйству дамам из церковного цветочного комитета Нэшли. Им очень нравится, что он с удовольствием съедает все пироги, которые они пекут для него.

Келли заглядывает в дверь.

— Дамы, первые клиентки уже здесь.

Мы с Ниной одновременно ставим чашки на стол и выходим в зал.

Первая в очереди — моя постоянная клиентка миссис Норман. Ей уже вымыли голову, и она удобно устроилась в кресле, ожидая меня.

— Как твоя любовная жизнь, юная Дженни? — Обычный вопрос, который миссис Норман задает каждую пятницу, когда я делаю ей укладку.

— Хорошо, спасибо.

— Видела твоего бойфренда в газете, — сияя, говорит миссис Норман. — Этот молодой человек выглядит прекрасно.

— Его зовут Доминик, — сообщаю я ей, начиная накручивать волосы на бигуди. — Да, это так.

— И до чего же храбрый!

Я улыбаюсь ей в зеркало. Все, кто был резко настроен против Доминика — мои клиентки, мои друзья, — теперь переметнулись и стали его самыми верными сторонниками. Они не могут нарадоваться на него. Наглядный пример того, как меняется отношение к человеку, когда тот становится знаменитым. Как жаль, что они не видели, каким хорошим человеком он был и до того, как оказался на телеэкране и в газетах. Его добрая душа была видна всегда. Должна ли я быть благодарна газетам за то, что они заставили весь мир и моих друзей осознать это? Почему они сами не могли этого понять? Доминик всегда был отличным парнем, а не стал им, когда его показали по телевизору.

Репортеры протоптали дорожку к нашей двери, и Доминик общался со всеми безупречно вежливо, как всегда. Меня уговорили присоединиться к нему, чтобы сделать несколько фотографий и рассказать о нашем приближающемся бракосочетании.

Теперь, впрочем, шумиха уже поутихла, и я уверена, что, как только будет опубликована пара-другая наших свадебных фотографий, мы станем всем нужны как прошлогодний снег.

— Я купила тебе маленький подарок, — говорит миссис Норман.

— О, спасибо.

Она вручает мне коробочку, завернутую в серебристо-белую бумагу и увенчанную сверху бантом.

— Просто кое-что на память.

Подобные коробки и коробочки различных форм и размеров грудой лежат в комнате персонала. На этой неделе я каждый день забирала домой охапки подарков. Этот, без сомнения, я сегодня же заберу домой. Я тронута до глубины души тем, какие у меня внимательные и заботливые клиентки.

— Обязательно принеси фотографии, Дженни.

— Обязательно принесу.

А кроме них, я принесу всем моим постоянным клиенткам по кусочку свадебного торта. Для этого я купила особые коробки.

— Я вот подумала, — говорит миссис Норман, — а не сделать ли с волосами что-нибудь новое?

— Правда? — Хорошо, что я сижу на своем табурете.

— На следующей неделе. Не хочу торопить события.

— И не надо, — говорю я, желая жестом победителя ударить кулаком по воздуху. — Не будем спешить. На следующей неделе и посмотрим, что можно сделать. — Десять лет у миссис Норман была одна и та же прическа, так что вполне можно подождать еще семь дней.

— Иногда бывает хорошо сделать что-то другое.

Она лучезарно улыбается мне.

— А у твоего мужчины нет старшего брата, которому нравятся бальные танцы?

— Вы не первая спрашиваете.

— Конечно, я слишком стара для любви, — печально говорит моя клиентка. — Это для таких молодых, как ты.

— Никогда не знаешь заранее. — Я пожимаю плечами. — Иногда, когда и не ищешь ее, она застает тебя врасплох.

— Надеюсь, она и ко мне придет чертовски быстро, — признается миссис Норман. — Я ведь уже одной ногой в могиле.

Но миссис Норман, несмотря на свои шуточки, знает, каково это — быть истинно любимой.

Теперь и я знаю.

Глава 91

У меня в кухне, прислонившись к шкафу, стоит Майк и пьет чай. Он и для меня приготовил чай, но тот нетронутым остался стоять на столе.

— Пей же, — велит он мне, — а потом иди одеваться.

Я уже нанесла косметику, а Нина сделала мне прическу. Но на мне все еще шлепанцы и халат.

— Сколько у нас осталось времени? — с тревогой спрашиваю я.

— Полно, — отвечает Майк. — Не паникуй.

Я грызу ногти, хотя только что их накрасила.

— Я что-нибудь забыла?

— Нет, — уверяет он меня. — Все под контролем. Тебе только и осталось, что переодеться.

— Доминик готов?

— Наносит последние штрихи.

— Нина?

— В душе.

— Что с Арчи?

— Чуть не отгрыз мне руку, пока я пытался приладить чертов бант к его ошейнику.

Кот сидит на столе и мурлычет, притворяясь невиновным: «Я хоррроший, очень хоррроший. Ну, пррости, пррости меня!»

— Все под контролем.

— Ладно. — Я пытаюсь глубоко вздохнуть, но воздух не проникает в легкие. — Ладно.

— Дженни. — Майк говорит тише. — Всего один последний вопрос. Ты уверена, что поступаешь правильно?

— О, Майк...

Он ставит чашку, подходит ко мне и кладет руки мне на плечи.

— Подумай об этом еще минутку.

Так я и делаю. Картины последних шести месяцев, проведенных с Домиником, мелькают у меня в мозгу.

— Я обожаю его больше, чем саму жизнь, — отвечаю я своему другу. — И знаю, что ко мне он чувствует то же самое.

Майк улыбается.

— Ничего другого я и не хотел услышать.

Наклоняясь к нему, я кладу голову ему на плечо.

— Должна сказать тебе кое-что еще. — Я удовлетворенно вздыхаю. — У меня будет его ребенок, Майк.

— Это невероятная новость! — Я вижу, как к его глазам подступают слезы. — А я-то все удивлялся, почему ты ешь так много макарон!

Я ударяю его кулаком по руке.

— Чувствую себя так, будто выдаю тебя замуж, — признается Майк. — Будто я твой отец. Никогда не думал, что сделаю это.

— Ты был моей скалой, Майк. Не знаю, что бы я делала без тебя. Надеюсь, ты найдешь любовь. И скоро. — Я смотрю на него. — Но она должна будет получить мое одобрение и жить поблизости. Не хочу, чтобы невесть какая взбалмошная штучка умчала тебя далеко отсюда, — поддразниваю я его. — Думаешь, кто-нибудь сможет отвечать всем моим требованиям?

— Хм, — загадочно говорит он. Впрочем, мы оба знаем, что идеальная кандидатура уже найдена. Нина посмотрела коттедж в Нэшли, и ее предложение приняли. Не думаю, что они с Майком расставались на выходные, и очень приятно видеть, как расцветают их отношения. — Посмотрю, что можно сделать.

В дверь заглядывает Нина.

— Пошли надевать платье, леди. Пора.

Я отпиваю несколько глотков чая, который приготовил Майк, и следом за Ниной поднимаюсь по лестнице.

В спальне перед зеркалом стоит Доминик, уже полностью одетый в свой африканский свадебный наряд, и с восхищением смотрит на свое отражение.

— Какой соблазнительный мужчина, — дразнит Нина. — А теперь уходи, я буду одевать невесту.

— Ты выглядишь замечательно, — говорю я Доминику. — Надеюсь, сможешь мной гордиться.

— Ты будешь прелестной невестой, — говорит он.

— Да хватит вам, — ворчит Нина. — Разведете тут сантименты, и мы не успеем на регистрацию.

— Я люблю тебя, — говорит Доминик. — *Aanyor pii*.

— *Aanyor pii*. Я тоже люблю тебя.

Глава 92

Регистратор произносит клятвы. Мы — Доминик, а за ним я — повторяем их.

— С этим кольцом я беру тебя в жены.

Доминик надевает мне на палец золотое кольцо. Я тоже надеваю кольцо ему на палец. Нина смахивает слезу, и рука Майка скользит ей на плечи.

Комнату заполняют ритмы африканской музыки. Доминик надевает мне на шею длинное свадебное ожерелье. Бусинки каскадом ниспадают к моим ногам. Чтобы подчеркнуть их красоту, я выбрала для церемонии простое белое платье без бретелек из шелка-сырца. Я поправляю свадебное ожерелье, и в этот момент регистратор произносит:

— Теперь вы можете поцеловать жену.

Доминик целует меня долго и крепко. Раздаются приветственные восклицания друзей — они видят, как мы счастливы. Арчи сидит у ног Доминика и громким мяуканьем выражает свое неудовольствие тем, что Доминик не обращает на него должного внимания. Чтобы умиротворить кота, моему мужу приходится поднять его к себе на плечо.

Мы выходим на улицу, и у дверей отдела регистрации друзья осыпают нас конфетти. Возможно, Доминик смущен, но не показывает этого. Сохраняя торжественный вид, он поднимает меня на руки и несет по ступенькам вниз, к автомобилю Майка.

— Ваша карета ждет, миссис Оле Нангон, — возглашает он.

Да, это я. Я теперь миссис Доминик Лемасолаи Оле Нангон. Женщины с добрым старым именем Дженни Джонсон больше нет!

Вслед за нами идут Кристал, Тайрон и Клинтон, Стеф, Келли и ее бойфренд. Все они в роскошных нарядах. И конечно же, Майк и Нина — взявшись за руки.

— Бросай букет, — кричит Кристал.

— А что, уже пора? — отзываюсь я.

У меня в руках яркие цветы, просто связанные в пучок — ярко-оранжевые герберы, великолепные желтые подсолнухи, темно-красные антуриумы и розовые лилии.

— Девушка, поймавшая букет, выйдет замуж следующей, — объясняю я Доминику. — Вот такое глупое поверье.

И я, беззаботно смеясь, бросаю букет. Он взлетает в воздух и летит прямо к Нине. Она выпускает руку Майка, и цветы падают точно ей в ладони.

Моя подруга ошеломленно смотрит на меня.

— Но я же еще не избавилась от старого мужа, — растерянно говорит она. — Дайте же мне время!

Взрыв смеха в ответ. Я опять замечаю, как Майк обнимает и целует ее. Возможно, букет и вправду может предсказать свадьбу, и поверье вовсе не глупое.

— До встречи на приеме.

Теперь мы направляемся в местный ресторанчик, который выбрали для торжественного обеда. Майк на сутки заказал нам с Домиником номер в шикарном отеле неподалеку. Там мы и проведем «медовый месяц». В среду мне надо быть на работе.

Мы с Домиником садимся в машину Майка и устраиваемся на заднем сиденье. Я прижимаюсь к мужу.

— Ты счастлив? — спрашиваю я его.

— Очень счастлив, — отвечает он. — Очень счастлив, Просто Дженни.

— Хорошо. Потому что если ты счастлив, то и я счастлива.

— Я хотел бы вернуться в Мара и провести церемонию масаи со всей моей семьей, — добавляет мой муж.

— Прыгать будем?

Доминик смеется.

— Ну конечно, Просто Дженни!

Я чертовски хорошо знала это.

— Мы будем экономить, — обещаю я ему. — Мы накопим денег и отвезем тебя домой.

— Мой дом теперь здесь, — нежно говорит мне муж и мягко проводит рукой по моему выпуклому животу. — Здесь, с тобой и нашим ребенком.

И глубоко в сердце и в душе я знаю, что это действительно настоящая любовь — любовь, которая преодолевает все препятствия — цвет кожи, веру, культуру. Любовь, которая длится до конца времен.

Оглавление

Литературно-художественное издание

РОМАНЫ О ТАКИХ, КАК ТЫ

Кэрол Мэттьюс

ПОВЕРНУТА НА ТЕБЕ

Ответственный редактор *Е. Никитина*
Младший редактор *Е. Долматова*
Художественный редактор *С. Власов*
Технический редактор *Г. Романова*
Компьютерная верстка *М. Маврина*
Корректор *О. Башлакова*

В оформлении переплета использованы фотографии:
Luba V Nel, Volodymyr Burdiak / Shutterstock.com
Используется по лицензии от Shutterstock.com

ООО «Издательство «Э»
123308, Москва, ул. Зорге, д. 1. Тел. 8 (495) 411-68-86.
Өндіруші: «Э» АҚБ Баспасы, 123308, Мәскеу, Ресей, Зорге көшесі, 1 үй.
Тел. 8 (495) 411-68-86.
Тауар белгісі: «Э»
Қазақстан Республикасында дистрибьютор және өнім бойынша арыз-талаптарды қабылдаушының
өкілі «РДЦ-Алматы» ЖШС, Алматы қ., Домбровский көш., 3«а», литер Б, офис 1.
Тел.: 8 (727) 251-59-89/90/91/92, факс: 8 (727) 251 58 12 вн. 107.
Өнімнің жарамдылық мерзімі шектелмеген.
Сертификация туралы ақпарат сайтта Өндіруші «Э»

Сведения о подтверждении соответствия издания согласно законодательству РФ
о техническом регулировании можно получить на сайте Издательства «Э»

Өндірген мемлекет: Ресей
Сертификация қарастырылмаған

Подписано в печать 29.12.2016. Формат 80х100 $^1/_{32}$.
Гарнитура «GaramondBookITC». Печать офсетная. Усл. печ. л. 19,26.
Тираж 5000 экз. Заказ 67.

Отпечатано с готовых файлов заказчика
в АО «Первая Образцовая типография»,
филиал «УЛЬЯНОВСКИЙ ДОМ ПЕЧАТИ»
432980, г. Ульяновск, ул. Гончарова, 14

ISBN 978-5-699-94073-8

9 785699 940738 >

BOOK24.RU
ИНТЕРНЕТ-МАГАЗИН
BOOK24.RU

16+

САРА РАЙНЕР

Романы Сары Райнер переведены на 10 языков. Сара Райнер пишет трогательные истории об отношениях с близкими. Глубина образов в ее книгах достигается за счет того, что автор отлично подкован в психологии!

Потрясающие по своей глубине книги Сары Райнер не оставят равнодушным ни одного читателя.

Amazon.com

СОФИ КИНСЕЛЛА

РОМАНЫ, КОТОРЫЕ ЗАСТАВЯТ ЗАДУМАТЬСЯ И УЛЫБНУТЬСЯ!